LA ÚLTIMA EMPERATRIZ

La
ÚLTIMA
EMPERATRIZ

Anchee Min

Traducción de
Teresa Camprodon

Grijalbo

Título original: *The Last Empress*
Publicado originalmente por Houghton Mifflin Company

Primera edición: junio, 2008

© 2007, Anchee Min
© 2008, Random House Mondadori, S. A.
  Travessera de Gràcia, 47-49. 08021 Barcelona
© 2008, Teresa Camprodon, por la traducción
Derechos de traducción cedidos a través de Sandra Dijkstra
Literary Agency y Sandra Bruna Agencia Literaria S. L. Todos
los derechos reservados.

Printed in Spain – Impreso en España

ISBN: 978-84-253-4236-3
Depósito legal: B. 14.672-2008

Fotocomposición: Comptex & Ass., S. L.

Impreso en Litografía SIAGSA
Ramón Casas, 2. Badalona (Barcelona)

Encuadernado en Cairox Services

GR 4 2 3 6 3

Gracias a

Anton Mueller
por su genial trabajo de edición
y a
Sandra Dijkstra
por estar siempre para mí

Nota del editor

La autora de la novela ha utilizado el sistema Wade-Giles de transliteración del chino al alfabeto latino, el cual hemos conservado en la
edición en castellano. Sin embargo, para aquellos lectores más fami-
liarizados con la moderna transliteración en *pinyin*, incluimos las
equivalencias entre ambos sistemas para los principales protagonistas
y topónimos de la novela.

Antropónimos		*Topónimos*	
Ch'un	Chong	Anhwei	Anhui
Cheng Ho	Zheng He	Chanchiawan	Zhangjiawan
Chiang Kai-shek	Jiang Jieshi	Chefoo	Yantai*
Chien Lung	Qianlonng	Chekiang	Zhejiang
Chou Tsung-tang	Zhou	Chihli	Bo Hai*
	Zongdang	Chochou	Chuozhou
Foo-cha	Fuzha	Hangchow	Hangzhou
Ho Kui-ching	He Kuijing	Jiang-hsi	Jiangxi
Hsien Feng	Yianfang	Kansu	Gansu
I-kuang	Iguang	Kun Ming, lago	Kunming
Jung	Rong	Kweichow	Guizhou
Kang Hsi	Kangxi	Liaotung, península	Liaodong
Kang Yu-wei	Gang Youwei	Mukden	Shenyang*
(K)uang-hsu	Guanghsu	Shansi	Shanxi
Kuei Hsiang	Guixiang	Shantung	Shandong
Kung	Gong	Sinkiang	Xinjiang
Lan-yu	Lanyou	Soochow	Xuzhou
Li Hung-chang	Li Hongzhang	Szechuan	Sichuan

Antropónimos		Topónimos	
Li Lien-ying	Li Lianying	Talien-wan	Dalian
Liang Chi-chao	Liang Zhizhao	Tientsin	Tianjin
Mao Tse-tung	Mao Zedong	Tungchow	Tongzhou
Nuharoo	Ci'an	Weihaiwei	Weihai
P'u-lun	Bulun	Yangtze (Kiang), río	Chang Jiang
Peng Yu-lin	Beng Yulin		
Sheng Pao	Shengbao	* Nombre actual	
Su Shun	Sushun		
Sun Pao-tien	Sun Paotian		
Sun Tzu	Sun Zi		
Sun Yat-sen	Sun Yixian		
Tan Shih-tung	Dang Shidong		
Tao Kuang	Daoguang		
Tsai	Zai		
Tsai-chen	Zaizhen		
Tsai-t'ien	Zaitian		
Tseng Kuo-fan	Zeng Guofan		
Tseng Kuo-quan	Zeng Guoqan		
Tung Chih	Tongzhi		
Weng Tong-hur	Weng Donghur		
Wu K'o-tu	Wu Kotu		
Yehonala	Ci Xi		
Yuan Shih-kai	Yuan Shigai		
Yung Cheng	Yongzheng		
Yung Lu	Yonglu		

Nota de la autora

Todos los personajes de este libro están basados en personas reales. He intentado reflejar los acontecimientos tal como sucedieron en la historia. He traducido o transcrito decretos, edictos y artículos de periódico a partir de los documentos originales. Siempre que surgían diferencias de interpretación, he basado mi criterio en la investigación que he llevado a cabo y en mi perspectiva general.

Mis relaciones sexuales con Tzu Hsi empezaron en 1902 y se prolongaron hasta su muerte. Yo conservaba un registro inusualmente minucioso de mi relación secreta con la emperatriz, y guardaba otras notas y mensajes que su majestad me había escrito, pero tuve la desgracia de perder todos aquellos manuscritos y papeles.

Sir EDMUND BACKHOUSE, coautor de
China Under the Empress Dowager (1910) y
Annals and Memoirs of the Court of Peking (1914)

En 1974, de alguna manera para vergüenza de Oxford y para consternación particular de los sinólogos de todo el mundo, Backhouse resultó ser un falsario... Se había desenmascarado al farsante, pero sus falsedades seguían constituyendo los cimientos de la erudición.

STERLING SEAGRAVE,
*Dragon Lady: The Life and Legend
of the Last Empress of China* (1992)

Uno de los ancianos sabios de China predijo que «China sería destruida por una mujer». La profecía está a punto de cumplirse.

Doctor GEORGE ERNEST MORRISON,
corresponsal del *Times* de Londres
en China, 1892-1912

[Tzu Hsi] ha demostrado ser bondadosa y ahorradora. Su carácter privado ha sido intachable.

CHARLES DENBY, enviado estadounidense
a China, 1898, en un libro de texto
publicado en 1949-1991

Ella era un genio de pura maldad e intriga.

Libro de texto chino
(publicado entre 1949-1991)

El principio

En 1852, una hermosa muchacha de diecisiete años de una importante, aunque empobrecida, familia del clan Yehonala llegó a Pekín como concubina menor del joven emperador, Hsien Feng. Tzu Hsi, a quien de niña llamaban Orquídea, era una más entre los centenares de concubinas cuyo único objetivo era dar al emperador un hijo.

No era un buen momento para entrar en la Ciudad Prohibida, un vasto complejo de palacios y jardines dirigido por miles de eunucos y rodeado por una muralla, que se hallaba en el centro de Pekín. La dinastía Qing estaba perdiendo su vitalidad y la Corte se había convertido en un lugar aislado y xenófobo. Pocas décadas antes, China había perdido la primera guerra del Opio y poco había hecho para reforzar sus defensas o mejorar sus relaciones diplomáticas con las demás naciones.

Dentro de los muros de la Ciudad Prohibida las consecuencias de un paso en falso solían ser mortales. Siendo tan solo una más de entre los cientos de mujeres que competían por la atención del emperador, Orquídea descubrió que debía echar toda la carne en el asador. Después de ejercitarse en el arte de complacer a un hombre, lo arriesgó todo al abrirse paso, mediante sobornos, hasta el lecho real y seducir al monarca. Hsien Feng era un hombre aquejado de muchos problemas, pero durante un tiempo su amor fue apasionado y auténtico, y pronto ella tuvo la inmensa suerte de darle el que sería su único hijo varón y heredero. Elevada al rango de emperatriz, Orquídea tuvo que seguir luchando para mantener su posición, mientras el emperador se entretenía con nuevas amantes. El derecho a educar a su hijo, que recayó en la emperatriz Nuharoo, primera esposa de Hsien Feng y emperatriz de mayor categoría, constantemente era puesto en entredicho por Tzu Hsi.

En 1860, la invasión de Gran Bretaña, Francia y Rusia, y la subsiguiente ocupación de Pekín, obligó a la Corte china a exiliarse en la lejana reserva de caza de Jehol, al otro lado de la Gran Muralla. Allí, las humillantes noticias que llegaban sobre las duras condiciones de paz impuestas a China contribuyeron al deterioro de la salud del emperador. A la muerte de Hsien Feng se produjo un golpe de Estado que Orquídea ayudó a frustrar con el apoyo de su cuñado, el príncipe Kung, y el general Yung Lu. El atractivo Yung Lu volvió a prender la llama del amor en la aún joven Orquídea, pero su nueva posición de poder le dejaba pocas oportunidades para cultivar su vida privada. Como corregente, regencia que compartiría con la emperatriz Nuharoo hasta la mayoría de edad de su hijo, la emperatriz Orquídea se hallaba en el principio de un largo y tumultuoso reinado que duraría hasta el siglo siguiente.

Los ojos de mi madre estaban cerrados cuando murió, pero al cabo de un rato se abrieron de golpe y así se quedaron.

—Majestad, por favor, sujetadle los párpados e intentad cerrarlos con todas vuestras fuerzas —me instruyó el doctor Sun Pao-tien.

Me temblaron las manos al intentarlo.

Rong, mi hermana, dijo que mi madre quería cerrar los ojos. Me había esperado demasiado tiempo. Mi madre no quería que yo interrumpiera la audiencia.

La filosofía de mi madre era «intentar no molestar a la gente». Le habría decepcionado saber que necesitaría ayuda para cerrar los ojos. Me habría encantado poder desobedecer la orden de Nuharoo y llevar a mi hijo para que le diera su último adiós. «No debería importar que Tung Chih sea ahora emperador de China —había alegado yo—. Antes es el nieto de mi madre.»

Me dirigí hacia mi hermano, Kuei Hsiang, y le pregunté si mi madre había dicho algo destinado a mí.

—Sí —asintió Kuei Hsiang, retrocediendo para situarse al otro lado de la cama de mi madre—: «Todo está bien».

Se me saltaron las lágrimas.

—¿Qué tipo de ceremonia fúnebre has pensado para nuestra madre? —preguntó Rong.

—Ahora no puedo pensar en nada —respondí—. Ya lo hablaremos más tarde.

—No, Orquídea —protestó Rong—. Será imposible hablar contigo cuando te vayas de aquí. Me gustaría saber cuáles son tus intenciones. Madre merece el mismo honor que la Gran Emperatriz dama Jin.

—Me gustaría poder decirte sencillamente que sí, pero no puedo. Rong, millones de personas tienen sus ojos fijos en nosotros. Debemos dar ejemplo.

—Orquídea —estalló Rong—, ¡tú eres la soberana de China!

—Rong, por favor. Creo que madre lo comprendería.

—No, no lo comprendería porque yo no puedo comprenderlo. ¡Eres una mala hija, egoísta y cruel!

—Discúlpenme —interrumpió el doctor Sun Pao-tien—. Majestad, ¿podéis hacer el favor de concentraros en vuestros dedos? Los ojos de vuestra madre podrían permanecer abiertos para siempre si dejáis de apretar.

—Sí, doctor.

—Más fuerte y con más constancia —me instruyó el doctor—. Ahora aguantad así. Ya casi está. No os mováis.

Mi hermana me ayudó sosteniéndome los brazos.

El rostro de mi madre en reposo era profundo y distante.

—Soy Orquídea, madre —susurré llorando.

No podía creer que hubiera muerto. Mis dedos le acariciaron la piel fina y aún caliente. Echaba de menos acariciarla. Desde que yo había entrado en la Ciudad Prohibida, mi madre se veía obligada a arrodillarse para saludarme cuando me visitaba. Ella insistía en seguir la etiqueta. «Es el respeto que mereces por ser emperatriz de China», decía.

Rara vez nos veíamos en privado. Yo estaba siempre rodeada de eunucos y damas de honor. Dudo que mi madre pudiera oírme desde donde estaba, obligada a sentarse a casi cuatro metros de distancia. Pero a ella no parecía importarle. Fingía que me podía oír; respondía a preguntas que yo no le había hecho.

—Con cuidado, soltad los párpados —dijo el doctor Sun Pao-tien.

Los ojos de mi madre se quedaron cerrados. Las arrugas parecían haber desaparecido y tenía una expresión apacible.

«Yo soy la montaña que está detrás de ti.» Me vino a la mente la voz de mi madre:

Como un río cantarín
escapas para fluir libremente.
Yo te miro feliz,
y nuestros recuerdos
son plenos y dulces.

Tenía que ser fuerte por mi hijo. Aunque Tung Chih, que tenía siete años, llevaba dos siendo emperador, había vivido un reinado caótico desde que ascendiera al trono en 1861. Las potencias extranjeras seguían aumentando su influencia en China, sobre todo en los puertos de la costa; dentro del país, las rebeliones campesinas de los Taiping se habían propagado hacia el interior e iban conquistando una provincia tras otra. Me costó grandes esfuerzos hallar la manera de educar adecuadamente a Tung Chih. Pero Tung Chih parecía estar terriblemente destrozado por la temprana muerte de su padre. Yo solo deseaba educarlo tal y como me habían educado mis padres.

«Soy una mujer afortunada», solía decir mi madre. Yo la creía cuando decía que no se arrepentía de nada en la vida. Había logrado un sueño: dos hijas casadas con miembros de la familia real y un hijo que era un ministro imperial de alto rango. «En 1852, éramos prácticamente unos pordioseros —solía recordarnos madre a sus hijos—. Nunca olvidaré aquella tarde en el Gran Canal cuando los criados abandonaron el ataúd de vuestro padre.»

El calor de aquel día y el olor a podredumbre que emanaba del cadáver de mi padre también se me quedaron grabados en la memoria. La expresión de mi madre cuando se vio obligada a vender su última pertenencia, un pasador de jade que nuestro padre le había regalado para su boda, fue la más triste que había visto en mi vida.

Como esposa principal del emperador Hsien Feng, la emperatriz Nuharoo asistió al funeral de mi madre. Aquello se consideró un gran honor para mi familia. Nuharoo, que era devota budista, se saltó la tradición al aceptar mi invitación.

Vestida de seda blanca como un árbol helado, Nuharoo era la viva imagen de la elegancia. Yo caminaba detrás de ella, con cuidado de no tropezar con la larga cola de su túnica. Nos seguían lamas tibetanos que entonaban sus cantos y monjes taoístas y budistas. Avanzábamos por la Ciudad Prohibida y nos deteníamos para celebrar un ritual y luego otro, pasábamos por una puerta y luego otra y atravesábamos una entrada tras otra.

De pie, al lado de Nuharoo, me maravillaba haber logrado por fin cierta armonía. Las diferencias entre ambas habían sido notorias desde el momento en que entramos en la Ciudad Prohibida siendo niñas. Ella —una princesa de sangre real, elegante y segura de sí misma— fue elegida como primera esposa del emperador y emperatriz; yo —de buena familia y nada más, procedente del campo y sin ninguna seguridad en mí misma— era una concubina de cuarta categoría. Nuestras diferencias se convirtieron en conflictos cuando descubrí el modo de colarme en el corazón de Hsien Feng y di a luz a mi hijo, su único hijo varón y su heredero. Mi ascenso de rango solo empeoró las cosas. Pero durante el caos que supuso la invasión extranjera, la muerte de nuestro esposo durante el exilio en el antiguo refugio de caza de Jehol, y la crisis del golpe de Estado, no tuvimos más remedio que encontrar modos de trabajar juntas.

Después de todos estos años, mis relaciones con Nuharoo se expresan de manera inmejorable en el proverbio: «El agua del pozo no importuna al agua del río». Para sobrevivir, ha sido necesario que una cuidara de la otra. A veces, parecía una empresa imposible, sobre todo en lo referente a Tung Chih. El estatus de Nuharoo de esposa principal le autorizaba a su crianza y educación, algo que a mí me humillaba. Nuestras peleas por la educación de Tung Chih cesaron cuando él ascendió al trono, pero mi amargura por lo mal preparado que estaba el muchacho siguió envenenando nuestra relación.

Nuharoo buscó consuelo en el budismo, mientras que mi propio descontento me sigue como una sombra. Mi espíritu siguió escapando de mi voluntad. Leí el libro que Nuharoo me habia enviado, *La conducta propia de una viuda imperial*, pero en muy poco contribuyó a mi paz interior. Al fin y al cabo, yo era de Wuhu, «el lago de las frondosas algas». No podía ser quien no era, aunque lo intentara durante toda mi vida.

«Aprende a ser blanda como la madera, Orquídea —me enseñó mi madre cuando era pequeña—. Los bloques blandos se usan para tallar estatuas de Buda y de las diosas. Los duros se usan como tablas para hacer ataúdes.»

En mi habitación había una mesa de dibujo, con tinta, pintura recién preparada, pinceles y papel de arroz. Después de la audiencia de cada día, yo iba allí a trabajar. Las pinturas eran para mi hijo; se ofrecían como regalos en su nombre. Hacían la función de embajadores y hablaban por él siempre que la situación se hacía demasiado humillante. China se vio obligada a suplicar ampliaciones de los plazos de pago de las llamadas compensaciones de guerra impuestas por las potencias extranjeras.

Las pinturas también contribuían a aliviar el resentimiento que los impuestos sobre la tierra provocaban contra mi hijo. Los gobernadores de diversos Estados no dejaban de enviar mensajes diciendo que sus pueblos eran pobres y no podían pagarlos.

«Las arcas imperiales hace tiempo que están vacías —me lamentaba en decretos emitidos en nombre de mi hijo—. Los impuestos que hemos recaudado han ido a parar a manos de las potencias extranjeras para evitar que sus flotas anclen en nuestras aguas.»

Mi cuñado, el príncipe Kung, se quejaba de que su nuevo Ministerio de Asuntos Exteriores se había quedado sin espacio donde almacenar las cartas de apremio de los deudores. «Las flotas extranjeras han amenazado repetidamente con volver a entrar en nuestras aguas», había advertido el príncipe Kung.

Fue idea de mi eunuco An-te-hai usar mis pinturas como regalos para comprar tiempo, dinero y comprensión.

An-te-hai me había servido desde el primer día que entré en la Ciudad Prohibida, cuando, siendo un niño de apenas trece años, me ofreció a escondidas un vaso de agua para aliviar mi reseca garganta. Fue un acto de valentía, y desde entonces goza de mi lealtad y mi confianza.

Le envié una pintura como regalo de cumpleaños al general Tseng Kuo-fan, el más importante de los señores de la guerra de China, que dominaba militarmente el país. Quería que el general supiera que le apreciaba, aunque recientemente lo había degradado en nombre de mi hijo, bajo la presión de los conservadores promanchúes de la Corte, que se llamaban a sí mismos «Sombreros de Hierro». Los Sombreros de Hierro no podían soportar el hecho de que los chinos han, mediante el trabajo duro, estuvieran ganando poder. Quería que el general Tseng supiera que no le deseaba ningún mal y que era consciente de que me había equivocado con él. «Mi hijo Tung Chih no podría gobernar sin usted» era el mensaje que transmitía mi pintura.

A menudo me preguntaba qué impedía al general Tseng Kuo-fan rebelarse. No le habría costado demasiado dar un golpe de Estado; tenía el dinero y el ejército. Yo solía pensar que era solo cuestión de tiempo. «Basta ya», imaginaba que Tseng diría un día y a mi hijo se le acabaría la suerte.

Escribí mi nombre con una delicada caligrafía. Encima puse el sello de mi firma en tinta roja. Tenía sellos de piedra de distintas formas y tamaños. Junto al sello que me dio mi marido, los otros describían mis títulos: Emperatriz de China, Emperatriz de la Santa Majestad, Emperatriz del Palacio Occidental. El de Emperatriz Tzu Hsi era el que solía usar más a menudo. Estos sellos eran importantes para los coleccionistas. Para hacer la obra de arte más fácil de vender después, excluía el nombre en mi dedicatoria, a menos que se me pidiera lo contrario.

Ayer, An-te-hai me informó de que el valor de mis pinturas iba en aumento. Poco contento me proporcionó la noticia; habría preferido pasar más tiempo con Tung Chih que sentirme obligada a pintar.

Cualquiera que examinase mis pinturas podía ver sus defectos. Mis pinceladas revelaban que carecía de práctica, si no de talento. Mi manejo de la tinta revelaba que era una mera principiante. La naturaleza de la pintura en papel de arroz no permite errores, lo que significa que podía pasarme horas en un fragmento, trabajar luego por la noche, y una fatal pincelada arruinaba toda la obra. Después de meses de trabajar por mi cuenta, contraté a una artista-tutora cuyo trabajo era disimular mis fallos.

Mis temas eran paisajes y flores. También pintaba pájaros, normalmente por parejas. Los centraba en el cuadro, se posaban en la misma rama o en ramas separadas, como si estuvieran conversando. En las composiciones verticales, situaba un pájaro en la rama de arriba mirando hacia abajo y el otro en la rama inferior, mirando hacia arriba. Las plumas era lo que me llevaba más tiempo. Mis colores favoritos para las plumas eran el rosa, el anaranjado y el verde lima. El tono era siempre cálido y alegre. An-te-hai me aconsejó que pintara peonías, flores de loto y crisantemos. Decía que era buena pintándolos, pero yo sabía que en realidad quería decir que eran más fáciles de vender.

Aprendí de mi tutora que podía utilizar los sellos para tapar los errores. Como tenía fallos por todas partes, aplicaba muchos sellos a cada pintura. Cuando no me convencían y quería empezar de nuevo, An-te-hai me recordaba que mi objetivo era la cantidad. Él me ayudaba a hacer que los sellos resultaran interesantes. Cuando me parecía que ya no podía hacer nada para salvar una obra, mi tutora se hacía cargo de ella.

Mi tutora trabajaba sobre todo los fondos. Añadía hojas y ramas para cubrir mis partes malas y añadía acentos a mis pájaros y flores. Cualquiera habría pensado que sus delicadas pinceladas podrían avergonzar a las mías, pero ella aplicaba su técnica solo para «armonizar la música». Su arte salvó mis peores pinturas. Era divertido ver cómo se esforzaba en equipararse a mis pinceladas de aficionada.

A menudo mientras estaba pintando acudían a mi mente pensamientos sobre mi hijo. Por la noche me costaba concentrarme. Imaginaba la cara de Tung Chih tumbado en su cama y me preguntaba con qué estaría soñando. Cuando me vencía el desesperado deseo de estar con él, dejaba el pincel y corría hasta el palacio de Tung Chih, que estaba a cuatro patios del mío. No tenía paciencia para aguardar a que An-te-hai encendiera los farolillos, así que corría en la oscuridad, golpeándome y haciéndome moretones contra las paredes y los arcos hasta que llegaba a la cabecera del lecho de mi niño. Allí, junto a mi hijo durmiente, comprobaba su respiración y le acariciaba la cabeza con la mano manchada de tinta. Cuando el criado encendía las velas, yo cogía una y la acercaba al rostro de mi hijo. Recorría con los ojos su preciosa frente, sus párpados, su nariz y sus labios. Me inclinaba para besarlo y se me humedecían los ojos al ver lo mucho que se parecía a su padre. Recordaba cuando el emperador Hsien Feng y yo estábamos enamorados. Mi recuerdo preferido era la ocasión en que yo le atormenté dulcemente exigiéndole que memorizara mi nombre. No dejaba a Tung Chih hasta que An-te-hai me encontraba, seguido de su larga procesión de eunucos, cada uno con un enorme farol rojo.

—Mi tutora puede pintar por mí —le decía a An-te-hai—. Nadie sabrá que no soy yo la que ha puesto los sellos.

—Pero vos sí lo sabréis, señora —respondía en voz baja el eunuco y me escoltaba de regreso a mi palacio.

En lugar de estar leyéndole un libro a Tung Chih a la fresca sombra de mi patio, yo estaba firmando un edicto promulgando las sentencias de muerte de dos hombres importantes. Era 31 de agosto de 1863. Temía el momento porque no podía quitarme de la cabeza la idea de lo que mi firma supondría para sus familias.

La primera persona era Ho Kui-ching, el gobernador de la provincia de Chekiang. Ho era amigo de mi marido desde hacía mucho tiempo. Lo conocí por primera vez cuando era un hombre joven que había sacado la nota máxima en los exámenes para el funcionariado. Asistí a la ceremonia con mi marido, que le concedió el título de Jin-shih, Hombre del Logro Supremo.

Según recuerdo, Ho era un hombre humilde. Tenía los ojos hundidos y los dientes prominentes. A mi marido le impresionaba su extenso conocimiento de la filosofía y la historia, y nombró a Ho primero alcalde de la importante ciudad sureña de Hangchow y, unos años más tarde, gobernador de Chekiang. Por aquel entonces tenía cincuenta años, era el gobernador más importante y estaba a cargo de todas las provincias de China central. A Ho también se le concedieron poderes militares. Era el comandante en jefe del ejército imperial en el sur de China.

El expediente de Ho decía que se le acusaba de descuidar sus obligaciones, provocando con ello la pérdida de varias provincias durante la rebelión de los Taiping que estaba en curso. Había ordenado a sus hombres abrir fuego contra los lugareños mientras preparaba su propia huida. Me opuse a la petición de revisar su caso. Parecía no sentir remordimiento ni culpabilidad ninguna sobre la muerte y el sufrimiento de los miles de familias a las que había abandonado.

Ho y sus amigos de la Corte negaban el hecho de que, antes de morir, mi marido había ordenado personalmente la decapitación de Ho. La fuerte oposición con la que me enfrenté más tarde me hizo darme cuenta de mi vulnerabilidad. Consideré la petición de Ho un desafío abierto hacia mi hijo como gobernante de China. El príncipe Kung fue uno de los pocos que permanecieron a mi lado, aunque no dejaba de recordarme que yo no tenía el apoyo de la mayoría de la Corte.

No esperaba que mi desacuerdo con la Corte se convirtiera en una crisis de supervivencia para mi hijo y para mí. Era consciente de que el comportamiento de Ho era un reflejo del de otros tantos gobernadores de provincias. Si no conseguía llevar adelante el juicio, me crearía muchos problemas.

En cuestión de semanas, recibí una petición solicitando que reconsiderara el caso. La petición, firmada por diecisiete altos cargos, ministros gobernadores y generales, afirmaba la inocencia de Ho y pedía a su joven majestad Tung Chih que retirase las acusaciones.

Pedí al príncipe Kung que me ayudase a investigar el historial de cada firmante de la petición. La información que Kung me trajo con presteza demostraba que todos los firmantes sin excepción habían sido promocionados personalmente, o recomendados para sus cargos, por el gobernador Ho.

La polémica estaba servida en las audiencias que Tung Chih y yo teníamos que soportar. Mi hijo se cansaba, rebullía inquieto en su gran trono. Yo me sentaba detrás de él, ligeramente a su izquierda, y tenía que recordarle constantemente que se sentara derecho. Para que Tung Chih pudiera mantener contacto visual con los más de cien ministros que estaban en el suelo ante él, habían subido su trono sobre una plataforma. Así podía ver a todos y, a su vez, todos podían verlo a él. El Hijo del Cielo no era una imagen fácil de mirar para sus súbditos.

La voz colectiva afirmaba que la negligencia de Ho no era lo que parecía; el gobernador no era responsable. El ministro de Hacienda de la provincia de Jiangsu habló en calidad de testigo.

—Le pedí al gobernador Ho que viniera a defender mi Estado. En lugar de llamarle desertor, debería ser considerado un héroe.

Tung Chih parecía confuso y suplicó que le dejara marcharse.

Excusé a mi hijo y continué yo misma. Permanecí firme, sobre todo después de saber que Ho había intentado destruir pruebas y acosar a los testigos.

El príncipe Kung abandonó el juicio después de unos días de una terrible polémica, y se excusó diciendo que prefería dejar el asunto en mis manos.

Yo proseguí luchando contra la Corte, que ahora exigía «un investigador más digno de confianza».

Me sentía como si estuviera jugando a un juego cuyas reglas no comprendía. Y no había tiempo para aprenderlas. En nombre de mi hijo mandé llamar al general Tseng Kuo-fan, que había sustituido provisionalmente a Ho como gobernador. Le hice saber que yo buscaba desesperadamente gente que solo dijera la verdad. Le pedí que se encargara de la nueva investigación.

Le expliqué a Tung Chih que su padre y yo siempre habíamos tenido una gran fe en la integridad del general Tseng. En un esfuerzo por defender el interés de mi hijo, le conté la historia de cuando Tseng conoció al emperador Hsien Feng y lo aterrorizado que estaba el señor de la guerra cuando el emperador le pidió que le explicara por qué le apodaban «Tseng el Cortacabezas». A Tung Chih le divertían los relatos de las hazañas de Tseng y me preguntó si el general era manchú.

—No, es han. —Aproveché la oportunidad para expresar mi opinión sobre este tema—. Verás cómo la Corte lo discrimina por ser han.

—Mientras pueda combatir y ganar para mí —respondió mi hijo—, no me importa su etnia.

—Por eso eres emperador —dije sintiéndome muy orgullosa de él.

La Corte aceptó el nombramiento de Tseng Kuo-fan, lo cual me hizo pensar que alguien debía de creer que Tseng era un corrupto. Puse como condición que los resultados de la investigación de Tseng constarían en acta pública. En el plazo de un mes, Tseng comunicó sus resultados a la Corte reunida, lo cual me complació enormemente:

> Aunque mis investigadores no han podido obtener documentación escrita, pues los Taiping quemaron la mansión del gobernador, lo cierto es que el gobernador Ho Kui-ching no cumplió con su deber de proteger sus provincias. La decapitación no sería un castigo inadecuado, pues es la ley del gobierno imperial. En mi opinión, resulta bastante irrelevante si es cierto o no que fueron sus subordinados quienes le convencieron para desertar.

La sala se quedó en silencio después de que Tseng Kuo-fan hiciera su declaración, y yo supe que había ganado.

Me molestaba el hecho de ser yo quien tuviera la última palabra sobre la ejecución. Puede que no fuera tan devota budista como Nuharoo, pero creía en la enseñanza budista de que «matar va contra la propia virtud». Un acto tan terrible provoca el desequilibrio interior y acorta la vida. Por desgracia, no podía evitar dictar sentencia.

El segundo hombre procesado fue el general Sheng Pao, que no solo era mi amigo sino que había hecho importantes contribuciones a la dinastía. Su caso me quitó el sueño, aunque nunca tuve dudas sobre mis acciones.

Al otro lado de la ventana, los árboles se zarandeaban violentamente en mitad de una repentina tormenta, como si fueran brazos desnudos que suplicaban ayuda. Las ramas empapadas por la lluvia y castigadas por el viento se quebraban y caían sobre las tejas amarillas del tejado de mi palacio. Ese año el gran magnolio del patio había empezado a florecer pronto, y la tormenta sin duda arruinaría la floración.

Era medianoche y estaba pensando en Sheng Pao mientras contemplaba cómo las gotas de lluvia resbalaban por las ventanas. No conseguía prepararme. Mis pensamientos no podían acallar mi voz interior: Orquídea, sin Sheng Pao tú no estarías viva.

Sheng Pao era un valeroso adalid manchú, un soldado audaz, que se había criado en la pobreza y se había hecho a sí mismo. Durante muchos años, había sido comandante en jefe de las fuerzas imperiales del norte y tenía una gran influencia en la Corte. Sus enemigos lo temían, tanto que un rebelde Taiping, solo con oír su nombre, se echaba a temblar. El general quería a sus soldados y odiaba la guerra, pues conocía su coste. Prefirió negociar con los jefes rebeldes y así había podido recuperar muchas provincias sin emplear la fuerza.

En 1861, Sheng Pao se había puesto de mi lado en la acción que emprendí contra el antiguo gran canciller Su Shun. El golpe de Estado que tuvo lugar tras la muerte de mi marido fue un momento trascendental para mí, y Sheng Pao había sido el único hombre de armas que había acudido en mi ayuda.

Los problemas con Sheng Pao empezaron cuando volví de Jehol, el pabellón imperial de caza, a Pekín con el cadáver de mi marido, el emperador Hsien Feng. Como recompensa a sus servicios, ascendí al general, concediéndole un poder y una riqueza sin igual. Sin embargo, pronto empezaron a llegar quejas procedentes de todos los confines del país sobre los abusos de Sheng Pao. Las cartas se entregaban antes a la Junta de Estado Mayor. Nadie se atrevía a desafiar al mismísimo Sheng Pao.

El príncipe Kung ignoraba las quejas y esperaba que Sheng Pao se controlase a sí mismo. Eso era hacerse ilusiones. Incluso se sugirió que yo también hiciera oídos sordos porque Sheng Pao era demasiado importante.

Traté con todas mis fuerzas de tener paciencia, pero llegó un punto en el que la autoridad de mi hijo como gobernante estaba siendo puesta en entredicho. Acudí al príncipe Kung y le pedí que juzgase a Sheng Pao para hacer justicia.

Los investigadores del príncipe Kung descubrieron que el general había inflado las cifras de bajas para recibir más compensaciones de las debidas. También reclamaba falsas victorias para garantizar el ascenso de sus oficiales. Sheng Pao exigía que la Corte le concediera todas sus peticiones. Elevar los impuestos locales para su uso personal se había convertido en una práctica común en él. Era de todos conocido que se había dado en exceso a la bebida y a frecuentar la compañía de prostitutas.

Otros gobernadores empezaron a seguir el ejemplo de Sheng Pao. Algunos de ellos dejaron de pagar los impuestos imperiales. A los soldados se les inculcaba lealtad para con los gobernadores en lugar de para con el emperador Tung Chih. En las calles de Pekín empezaba a hacerse popular un lema burlón: «No es Tung Chih sino Sheng Pao de China el emperador».

La última noticia era el despilfarro de la boda de Sheng Pao. Y el hecho de que la novia fuera la antigua esposa de un conocido jefe de la rebelión de los Taiping.

Poco después del amanecer, el sol asomó a través de las nubes, pero la lluvia no había cesado. En el jardín se levantó una niebla que subía hasta los árboles como humo blanco. Yo estaba sentada en una silla, ya vestida, cuando entró mi eunuco An-te-hai.

—Mi señora, Yung Lu está aquí —anunció con voz emocionada.

Al verlo se me cortó la respiración.

Yung Lu entró en la cámara, ¡parecía tan alto y fuerte con su uniforme de abanderado!

Intenté levantarme para saludarle, pero me flaquearon las piernas, así que permanecí sentada.

An-te-hai se interpuso entre nosotros con una alfombrilla de terciopelo amarillo. Tomándose su tiempo, extendió la alfombrilla a unos centímetros de mi silla. Era parte del ritual que se requería para cualquiera que quisiera entrevistarse con la viuda imperial en el segundo año después de su período de luto. La etiqueta resultaba ridícula, porque Yung Lu y yo nos habíamos visto muchas otras veces en audiencias, aunque estábamos obligados a actuar como si fuéramos extraños. El propósito del ritual era recordarnos la distancia que había de mediar entre los hombres y las mujeres imperiales.

A esas alturas mis eunucos, criados y damas de honor aguardaban firmes de brazos plegados junto a las paredes. Miraban cómo An-te-hai proseguía con su teatro. Al correr los años se había convertido en un maestro de las apariencias. Escenificaba un inteligente drama de distracción y Yung Lu y yo éramos los actores principales.

Yung Lu se agachó sobre la alfombra, tocó ligeramente el suelo con la frente y me deseó buena salud.

—Levántate —dije.

Yung Lu se levantó, y An-te-hai retiró con presteza la alfombra atrayendo toda la atención hacia él mientras Yung Lu y yo intercambiábamos unas miradas.

Cuando nos sirvieron el té permanecimos sentados como dos floreros. Empezamos a hablar sobre las consecuencias del juicio al gobernador Ho y cambiamos opiniones sobre el caso pendiente de Sheng Pao. Yung Lu me aseguró que mis decisiones eran sensatas.

La mente se me aceleraba mientras me sentaba junto a mi amor. No podía olvidar lo que había sucedido cuatro años atrás, cuando los dos compartimos nuestro único momento privado, dentro de la tumba de Hsien Feng. Anhelaba saber si Yung Lu recordaba ese momento tanto como yo. Al observarlo no hallé evidencia alguna de ello. Unos días antes, cuando se sentó en una audiencia y miró directamente hacia mí, me hizo dudar incluso de que nuestra pasión hubiera existido alguna vez. Como viuda del emperador Hsien Feng, yo no tenía futuro con ningún hombre. Sin embargo, mi corazón se negaba a permanecer en su tumba.

El cargo de Yung Lu como jefe de las banderas militares le mantenía constantemente alejado de la capital. Con o sin sus tropas, él se trasladaba a donde le necesitaran, para garantizar que los ejércitos de China cumplían con su deber para con el imperio. Como hombre de acción, era una vida que le agradaba; él era un soldado que prefería la compañía de otros soldados a la de los ministros de la Corte.

Las frecuentes ausencias de Yung Lu hacían mi deseo más llevadero. Solo con su regreso me daba cuenta de lo profundos que eran mis sentimientos. De repente él estaba ante mí, informándome de algún asunto urgente u ofreciéndome consejo en un momento crítico. Yung Lu podía permanecer en la capital durante semanas o meses, y durante esas ocasiones asistir diligentemente a la Corte. Puedo decir que solo en esos períodos yo esperaba con ilusión la audiencia diaria.

Al margen de las audiencias, Yung Lu me evitaba. Era su manera de protegerme contra rumores y murmuraciones. Siempre que yo expresaba el deseo de verlo en privado, él declinaba. Aun así yo seguía enviando a An-te-hai. Quería que Yung Lu supiera que el eunuco estaba dispuesto a conducirle por la puerta trasera del salón de audiencias hasta mi cámara.

Aunque Yung Lu me había asegurado que había tomado la decisión correcta con respecto a Sheng Pao, yo seguía preocupada. Lo cierto es que las pruebas que había contra él lo condenaban, pero el general tenía muchos aliados en la Corte, entre ellos el príncipe Kung, que mantenía cierta distancia sobre el asunto. Cuando por fin Sheng Pao fue traído a Pekín, mi cuñado volvió a presentarse ante mí, insistiendo en que tenía que enviar a Sheng Pao al exilio en lugar de ejecutarlo. Volví a recordarle a Kung que la orden original de ejecutar a Sheng Pao había sido dictada por el propio emperador Hsien Feng. El príncipe Kung no cedió un ápice. Consideró mi insistencia como una especie de declaración de guerra.

Me sentí vulnerable y asustada cuando empezaron a llegar peticiones para la liberación de Sheng Pao de los confines más lejanos de China. Una vez más Yung Lu acudió en mi defensa e hizo que mi mano no temblara. Me dio el valor y la serenidad para pensar. Muy pocos sabían que Yung Lu tenía sus propios motivos para ver el fin de Sheng Pao: Yung Lu consideró una ofensa que Sheng Pao matara soldados que estaban heridos. Para Yung Lu era una cuestión de principios.

Mi estrategia era sencilla: aseguré a los subordinados de Sheng Pao que no decapitaría a Sheng Pao si la mayoría de ellos creían que merecía vivir. También cambié las reglas para que aquellos que pertenecían al clan de Sheng Pao no fueran castigados junto con su jefe. Aliviadas, aquellas personas pudieron votar de corazón, y deseaban la muerte de Sheng Pao.

Sheng Pao fue enviado al Ministerio de Castigos, donde

tuvo una muerte rápida. Me invadió una sensación de tristeza y fracaso. Durante días tuve el mismo sueño: mi padre estaba de pie sobre un taburete al final de un pasillo oscuro rodeado de altas paredes. Vestido con su pijama de algodón gris intentaba clavar un clavo en la pared. Estaba terriblemente delgado, era solo piel y huesos. El taburete sobre el que se hallaba encaramado era inestable porque le faltaba una pata. Yo le llamaba y él se daba la vuelta, con el cuello muy tieso. Dirigía el brazo izquierdo hacia mí y abría la mano. En ella tenía un puñado de clavos herrumbrosos.

No me atreví a que me interpretaran el sueño, porque en la mitología china, los clavos oxidados representan el remordimiento y el arrepentimiento.

No habría podido hacer lo que hice sin el apoyo de Yung Lu. Con el tiempo mis sentimientos hacia él se volvieron cada vez más profundos, pero nuestro amor físico solo era posible en el reino de los sueños. Cada día sentía la ausencia de un hombre en mi vida. Sin embargo, me preocupaba más mi hijo. Hacía casi diez años que había perdido a mi marido, pero mi hijo había perdido a su padre. A mi entender, era doblemente trágico. Significaba que Tung Chih pronto tendría que asumir las plenas responsabilidades de su cargo y perderse la infancia. Atrás quedarían los días de feliz despreocupación. Aunque era muy joven, yo ya había detectado en él un resentimiento que a veces estallaba en bruscos arranques de ira.

Tung Chih necesitaba una mano masculina que le guiase. Esa era la segunda parte de la tragedia. No solo tendría que asumir a toda prisa y antes de tiempo un difícil cometido, sino que además no tendría a nadie para modelar su carácter y su comportamiento. En una Corte dividida por las tensiones políticas había pocas figuras paternales que no albergaran segundas intenciones.

Yung Lu y el príncipe Kung eran los dos hombres que yo esperaba que cumplieran ese papel. Pero el conflicto de Sheng Pao lo hacía difícil. Yung Lu disfrutaba de una enorme popularidad hasta que se puso de mi lado. Ahora su influencia estaba siendo cuestionada. Y pronto empezaría a notar lo profundo que era el resentimiento del príncipe Kung, cuando reclamó la vida de su antiguo aliado y yo demostré ser mejor estratega que él.

3

Esperaba tener que luchar contra el gobernador Ho Kui-ching y el general Sheng Pao, pero nunca esperé tener que hacerlo contra mi cuñado, el príncipe Kung. Nuestras historias llevaban tanto tiempo entretejidas que no estaba preparada para que se deshilacharan. Desde la crisis que siguió a la muerte de mi marido en Jehol, habíamos sido aliados firmes, incluso esenciales. Kung se había quedado en Pekín cuando la Corte huyó ante el avance de los ejércitos enemigos y había desempeñado la humillante tarea de negociar con los ejércitos de ocupación. Cuando el Gran Consejero Su Shun intentó hacerse con el poder en la Corte durante el exilio tras la Gran Muralla, Kung aún estaba en Pekín, libre para organizar un contragolpe. Más que cualquier otro hombre, él nos había salvado, a Nuharoo, a mí y al joven Tung Chih.

Y éramos amigos, o al menos yo sentía afecto por él y creía y comprendía qué lo motivaba a él. Tenía verdadero talento y era, yo siempre lo había pensado, más capaz que su hermano, que acabó en el trono. Más reservado y más disciplinado que Hsien Feng, el príncipe Kung parecía frío, pero al menos no dejaba que la amargura lo envenenara. Por todo ello, él disfrutaba de mi respeto y del de buena parte de la Corte. Yo siempre había sentido que actuaba por el bien de China y no por sus propios propósitos egoístas.

Pero eran tiempos difíciles. Estábamos sumidos en el conflicto, tanto interior como exterior, y las tensiones creaban una atmósfera viciada que enfrentaba a las facciones de la Corte entre sí.

Empezó poco a poco, pero quedó claro que Kung frecuentemente solía pasar por encima de nosotras cuando dirigía asuntos de la Corte. Aquello fue justo lo que había ocurrido en Jehol: el manipulador Su Shun había insistido en que Nuharoo y yo no teníamos por qué ocuparnos del trabajo de la Corte, que era mejor que lo dejásemos en manos de los hombres. En muchos aspectos, el príncipe Kung nos dejó claro a Nuharoo y a mí que quería que fuéramos sus cuñadas, no sus socias políticas.

—Es cierto que como mujeres carecemos de conocimiento de las potencias extranjeras —argumenté—, pero eso no significa que se tengan que dejar a un lado nuestros derechos.

Sin molestarse en enfrentarse a nosotras, el príncipe Kung simplemente seguía pasándonos por alto.

Intenté que Nuharoo se uniera a mis protestas, pero ella no compartía mi preocupación. Me sugirió que me olvidara del príncipe Kung y siguiera adelante.

—La obligación de nuestra familia es preservar la armonía —dijo sonriente.

Como ya no me pasaban los informes diarios, yo no tenía la menor idea de lo que estaba ocurriendo. Y cuando en las audiencias me pedían que tomara decisiones me sentía ciega y sorda. El príncipe Kung había conseguido hacer creer a los extranjeros que Nuharoo y yo éramos simples figuras decorativas. En lugar de dirigir debidamente sus propuestas a Tung Chih, las potencias extranjeras las dirigían al príncipe Kung.

Tung Chih tenía casi doce años cuando la situación con Kung se hizo intolerable. En pocos años asumiría plenos poderes como emperador, es decir, si aún quedaba alguno que asumir. En las audiencias, no era consciente del conflicto que se escondía tras las apariencias, pero podía notar mi malestar. Cuanto mayor era la tensión que había entre Kung y yo, más deseaba Tung Chih evitar sus responsabilidades. Mientras Tung Chih se sentaba dando golpecitos con el pie o con la mirada perdida en el vacío hasta que las audiencias terminaban, yo me limitaba a mirar a ministros, nobles y súbditos allí reunidos, y sentía que le estaba fallando a mi hijo.

Caí en la cuenta de que a menos de que convenciera a Nuharoo de que ella también tenía mucho que perder, nunca me ayudaría. Mi hijo sería solo emperador nominal y su tío detentaría el verdadero poder. Las ejecuciones del gobernador Ho y el general Sheng Pao encontraron tanta resistencia porque estos hombres eran amigos del príncipe Kung. Las ejecuciones se llevaron a cabo por mi insistencia, pero ahora me daba cuenta de lo grande que iba a ser mi «deuda de sangre».

Carentes de preparación y a menudo enmudecidas, Nuharoo y yo dejábamos que el príncipe Kung dirigiera las audiencias como si nosotras no existiéramos. Aquella falta de respeto era tan evidente que pronto a la Corte le pareció que podía desdeñarnos abiertamente. Yung Lu temía que el ejército siguiera el mismo ejemplo.

Yo sabía que tenía que hacer valer mis derechos por mí y por Tung Chih, y tenía que hacerlo pronto. Cuando un funcionario de bajo rango de una ciudad del norte envió una carta quejándose del príncipe Kung, supe que había llegado el momento.

En un par de horas había redactado un edicto que presentaba el caso contra el príncipe Kung. Lo escribí concienzudamente ciñéndome a los hechos, evitando cualquier alusión innecesaria a la personalidad de mi cuñado. Luego hice lo más difícil: hablé con mi hijo e intenté explicarle lo que estábamos a punto de hacer. Tung Chih se quedó perplejo y con los ojos muy abiertos. Me parecía tan joven, tan desprotegido, incluso a pesar de sus espléndidos ropajes de seda blasonados con el símbolo imperial. No era mi intención amedrentarlo, y la pena me embargaba el corazón. Sin embargo, necesitaba que él lo comprendiera.

Luego, en nombre de mi hijo, hice llamar al príncipe Kung.

Un silencio asombrado reinaba en la audiencia cuando Tung Chih leyó el edicto que yo había escrito y colocado en sus manos. Aquello pilló a la Corte desprevenida, pues nadie osaba desafiar sus pretensiones. La noche anterior, había logrado convencer a Nuharoo de que se pusiera de mi lado, aunque no asistió al anuncio. En el edicto enumeré las numerosas leyes que Kung había violado. Mi argumentación era fuerte y mis pruebas sólidas. Mi cuñado no tenía más remedio que reconocer que había obrado mal.

Humillé al príncipe Kung despojándole de todos sus cargos y títulos.

Aquella misma noche pedí a Yung Lu que hablara en privado con él. Yung Lu hizo comprender a Kung que su única opción era reconciliarse conmigo.

—En cuanto hagáis públicas vuestras disculpas —le prometió Yung Lu en mi nombre—, su majestad os devolverá todos vuestros cargos y títulos.

Mi acción fue elogiada por los enemigos del príncipe Kung que la compararon a «desatar una peligrosa bestia». Me suplicaron que no le rehabilitase. Aquellos hombres no tenían ni idea de lo que yo quería del príncipe Kung. No tenían ni idea de que castigarlo era el único modo de volver a estar juntos. Solo le pedía que me tratara como a un igual.

Para acallar el rumor de que el príncipe Kung y yo éramos enemigos, emití otro edicto, concediendo a Kung permiso para hacer algo que anhelaba desde hacía tiempo: abrir una academia de élite, la Escuela Real de Ciencia y Matemáticas.

Tung Chih se quejó de dolor de estómago y fue excusado de asistir a la audiencia matutina. Por la tarde envié a An-te-hai para comprobar cómo estaba. Mi hijo pronto cumpliría trece años y llevaba siete siendo emperador. Comprendía por qué odiaba sus deberes y los rehuía siempre que le era posible, pero aun así, me decepcionaba.

No podía evitar pensar en Tung Chih mientras me sentaba en el trono y escuchaba a Yung Lu leer la carta de Tseng Kuo-fan sobre las sustituciones del gobernador Ho y Sheng Pao, que aún no habían concluido. Me forzaba a mí misma a concentrarme. Mantenía los ojos en la puerta y esperaba oír el anuncio de que mi hijo estaba viniendo. Por fin llegó. La audiencia, de cincuenta hombres, se puso de rodillas y lo saludó. Tung Chih fue a sentarse al trono y no se molestó en saludar con la cabeza.

Mi guapo hijo se había afeitado por primera vez. Últimamente había dado un estirón. Sus ojos brillantes y profundos y su voz agradable me recordaban los de su padre. Ante la Corte parecía seguro de sí mismo, pero yo sabía que su resentimiento no dejaba de crecer.

Yo dejaba solo a Tung Chih la mayor parte del tiempo porque así me lo habían ordenado. Nuharoo había dejado claro que era su deber hablar de las necesidades del emperador.

—Hay que dar a Tung Chih la oportunidad de que madure solo.

A la Corte le costaba controlar el desenfreno de Tung Chih. Al final, trajeron al hijo del príncipe Kung, Tsai-chen, para que fuera el compañero de estudios de Tung Chih. Aunque no me dieron voz ni voto en la decisión, me impresionaron las buenas maneras de Tsai-chen y me alivió ver que los dos muchachos se hicieron amigos de inmediato.

Tsai-chen era dos años mayor que Tung Chih, y su experiencia del mundo exterior había fascinado al joven emperador, que tenía prohibido cruzar las verjas imperiales y que haría cualquier cosa por que Tsai-chen le contara una historia. Los chicos también compartían el interés por la ópera china.

A diferencia de Tung Chih, Tsai-chen era un muchacho robusto y bien formado. Cabalgar era su pasión. Esperaba que por influencia de su amigo mi hijo eligiera la tradición de las banderas, las antiguas prácticas de los guerreros manchúes que habían conquistado China dos siglos antes. Las pinturas de nuestra familia retrataban a los emperadores manchúes tomando parte en acontecimientos durante todo el año: artes marciales, carreras de caballo, cacerías otoñales. Durante seis generaciones los emperadores manchúes siguieron la tradición, hasta mi marido, Hsien Feng. Para mí habría sido un sueño hecho realidad ver a Tung Chih montar un día su caballo.

—Esta noche salgo para Wuchang. —Yung Lu estaba de pie delante de mí.

—¿Para qué? —le pregunté, molesta por tan repentina noticia.

—Los señores de la guerra de la provincia de Jiang-hsi han solicitado el derecho a dirigir sus propios ejércitos privados.

—¿Acaso no lo hacen ya?

—Sí, pero quieren la sanción formal de la Corte —respondió Yung Lu—. Y está claro que no solo buscan evitar los impuestos: esperan fondos adicionales de la Corte.

—Es un asunto zanjado. —Aparté la cabeza—. El emperador Hsien Feng rechazó su propuesta hace mucho tiempo.

—Los señores de la guerra pretenden desafiar al emperador Tung Chih, majestad.

—¿Qué quieres decir?

—Se prepara una rebelión.

Miré a Yung Lu y comprendí.

—¿Puedes dejar el asunto en manos de Tseng Kuo-fan? —Me sentía incómoda dejando que Yung Lu fuera a la frontera.

—Los señores de la guerra pensarán más seriamente en las consecuencias de sus actos si saben que se están enfrentando directamente con vuestra majestad.

—¿Ha sido idea de Tseng Kuo-fan?

—Sí. El general ha insinuado que podríais beneficiaros de vuestras recientes victorias en la Corte.

—Tseng Kuo-fan quiere que soporte más derramamiento de sangre —dije—. Yung Lu, el general Tseng quiere pasarme su sobrenombre de «Cortacabezas» a mí, si a eso es a lo que te refieres con mis «recientes victorias». La idea no me atrae. —Hice una pausa y la emoción turbó mi garganta—. Quiero agradar, no que me teman.

Yung Lu sacudió la cabeza.

—Estoy de acuerdo con Tseng. Hoy en día vos sois la única persona a la que los señores de la guerra temen.

—Pero ya sabes cómo me siento.

—Sí, lo sé, pero pensad en Tung Chih, majestad.

Lo mire y asentí.

—Dejadme ir y arreglar el asunto en nombre de Tung Chih —dijo Yung Lu.

—Si vas no estarás seguro. —Empezaba a ponerme nerviosa y a hablar rápido—. Aquí necesito tu protección.

Yung Lu me explicó que ya había dejado todo preparado para mi seguridad.

No podía decirle adiós.

Sin mirarme, me pidió perdón y se marchó.

4

Era la primavera de 1868 y la lluvia empapaba el suelo. En mi jardín empezaban a pudrirse los tulipanes de invierno azules. Yo tenía treinta y cuatro años. El canto de los grillos llenaba mis noches. El olor a incienso flotaba en el aire procedente del templo del palacio, donde vivían las concubinas más viejas. Era extraño que aún no las conociera a todas. Las visitas eran puramente ceremoniales dentro de la Ciudad Prohibida. Las damas se pasaban el día tallando calabazas, criando gusanos de seda y bordando. En sus labores aparecían imágenes de niños, y yo continuaba recibiendo ropa que aquellas mujeres confeccionaban para mi hijo.

Se rumoreaba que a las esposas más jóvenes de mi marido, la dama Mei y la dama Hui, les habían echado una maldición secreta. Hablaban las palabras de los muertos e insistían en que tenían las cabezas empapadas en agua durante toda la temporada. Para demostrar su teoría, se despojaron de todos sus tocados y enseñaron a los eunucos que el agua había calado a través de las raíces de sus cabellos. También se decía que la dama Mei estaba obnubilada con imágenes de la muerte. Encargó nuevas sábanas de seda blanca y se pasaba los días lavándolas ella misma.

—Cuando muera quiero que me envuelvan en estas sábanas —decía con voz operística.

Entrenaba a sus eunucos en la práctica de envolverla en las sábanas.

Yo cenaba sola después de la audiencia de cada día. Ya no prestaba atención al desfile de platos refinados y comía de los cuatro cuencos que An-te-hai colocaba delante de mí. Solían ser verduras sencillas, brotes de soja, pollo con soja y pescado al vapor. Solía dar un paseo después de cenar, pero aquel día me fui directamente a la cama. Le dije a An-te-hai que me despertase en una hora porque tenía un importante trabajo que hacer.

Brillaba la luz de la luna y podía ver la caligrafía de un poema del siglo XI en la pared:

¿Cuántos chubascos y aguaceros puede soportar la primavera
antes de tener que regresar a su fuente?
Temo
que las flores de primavera se marchiten demasiado pronto.
Han perdido
pétalos
imposible contarlos.
La hierba fragante se extiende
hasta el horizonte.
Las silenciosas hojas de primavera solo se echan a perder.
Las telarañas atrapan, pero
la primavera no se quedará.

En mi mente apareció la imagen de Yung Lu y me pregunté si estaría sano y salvo.

—Mi señora —dijo An-te-hai en un susurro—, el teatro está lleno antes de que el espectáculo haya sido siquiera creado. —Mi eunuco se acercó encendiendo una vela—. La vida privada de su majestad ha sido la comidilla de las casas de té de todo Pekín.

Yo no pensaba permitir que aquello me afectase.

—Vete, An-te-hai.

—Los rumores ponen en evidencia a Yung Lu, mi señora.

Mi corazón se estremecía, pero no podía decir que no hubiera pensado en ello.

—Mis espías dicen que es vuestro hijo el que propaga los rumores.

—Tonterías.

El eunuco retrocedió hacia la puerta.

—Buenas noches, mi señora.

—Espera. —Me senté—. ¿Dices que mi hijo es quien los propaga?

—Es solo un rumor, mi señora. Buenas noches.

—¿Tiene algo que ver el príncipe Kung en todo esto?

—No lo sé. No creo que el príncipe Kung esté detrás de este rumor, sin embargo tampoco lo ha desmentido.

De repente me invadió la debilidad.

—An-te-hai, quédate un rato, ¿quieres?

—Sí, mi señora. Me quedaré aquí hasta que os durmáis.

—Mi hijo me odia, An-te-hai.

—No es a vos a quien odia. Es a mí. Más de una vez su joven majestad ha jurado que ordenaría que me mataran.

—Eso no significa nada, An-te-hai. Tung Chih es un niño.

—Yo también me decía eso, mi señora. Pero cuando lo miro, sé que lo dice en serio. Me da miedo.

—A mí también, y yo soy su madre.

—Tung Chih ya no es un niño, mi señora. Ya ha hecho cosas de hombres.

—Cosas de hombres, ¿a qué te refieres?

—No puedo deciros más, mi señora.

—Por favor, An-te-hai, continúa.

—Aún no tengo pruebas.

—Dime lo que sepas.

El eunuco insistió en que le permitiera guardar silencio hasta que obtuviera más información. Sin aguardar un instante, se marchó.

Durante toda la noche pensé en mi hijo. Me preguntaba si había sido el príncipe Kung quien había manipulado a Tung Chih para vengarse de mí. Se decía que después de disculparse por su comportamiento, Kung había puesto fin a su amistad con Yung Lu. Habían roto por el caso del general Sheng Pao.

Sabía que Tung Chih aún estaba desconcertado y enfadado por el modo en que yo había tratado a su tío. El príncipe Kung era lo más parecido a un padre que tenía y le había sentado muy mal haber tenido que leer en persona el edicto condenatorio ante su tío y ante toda la Corte. Apenas podía comprender la importancia de las palabras que leía, pero no se le pasó por alto la mirada de humillación en los ojos de su tío que lo rehuían. Sabía que mi hijo me culpaba por ello y por mucho más.

Tung Chih pasaba cada vez más tiempo con el hijo de Kung, Tsai-chen. Yo me alegraba de que pudiera escapar, aunque brevemente, de las presiones de la Corte en compañía del otro. En mi imaginación me unía a ellos en sus paseos por los jardines de palacio y los parques reales que se extendían más allá. Cuando regresaban con las caras arreboladas, me ponían de buen humor. Notaba en mi hijo más independencia, pero había empezado a preguntarme si era auténtica independencia o simplemente me evitaba a mí, su madre, a quien asociaba con la cansada asistencia a las audiencias, con la persona que le obligaba a hacer cosas que no tenía ganas de hacer.

Yo no sabía cómo acabar con su enojo salvo dejándolo solo y esperando a que se le pasara. Con el tiempo, solo nos veíamos durante las audiencias, que no hacían más que ahondar mi soledad y hacer mis noches más largas.

Cada vez más, mis pensamientos se dirigían hacia las viejas

concubinas y viudas del palacio del templo, para preguntarme si su destino no sería más tolerable que el mío.

Para protegerme de los rumores, Yung Lu se había trasladado a un confín lejano del imperio. Yo había sido el blanco de la incomprensión popular desde el día en que di a luz a Tung Chih, así que estaba acostumbrada. No esperaba que los rumores y pesadillas cesaran hasta que Tung Chih hubiera pasado por la ceremonia de ascenso oficial al trono.

Lo único que deseaba era tener una vida propia, una posibilidad que mucho me temía se estaba desvaneciendo. Por el bien del futuro de mi hijo, no podía apartarme de mis deberes como regente. Pero quedarme significaba verme envuelta en conflictos cuya solución no alcanzaba a vislumbrar. Me preguntaba qué vida llevaría Yung Lu en la frontera. Yo ponía toda mi voluntad en dejar de fantasear sobre nosotros como amantes, pero mis sentidos seguían traicionándome. Su ausencia hacía las audiencias insoportables.

Sabedora de que nunca estaría en brazos de Yung Lu, envidiaba a aquellas mujeres cuyos labios pronunciaban su nombre. Era el soltero más deseado de la nación y su menor movimiento era observado. Imaginaba que las casamenteras desgastaban el umbral de su puerta.

Para evitar la frustración, me mantenía ocupada y cultivaba amistades. Tendí la mano al general Tseng Kuo-fan en apoyo de su estrategia contra los campesinos Taiping rebeldes. En nombre de mi hijo le felicitaba por cada victoria.

El día anterior yo había concedido una audiencia a un nuevo hombre de talento, un discípulo y socio de Tseng Kuo-fan, Li Hung-chang. Li era un chino alto y guapo. Nunca había oído a Tseng Kuo-fan elogiar a alguien del modo en que elogiaba a Li Hung-chang; le llamaba «el invencible Li». Cuando detecté el acento de Li, le pregunté si era de Anhwei, mi provincia. Para mi gran alegría, lo era. Hablando en el dialecto de la provincia me contó que era de Hefei, a poca distancia de Wuhu, mi ciudad natal. En el curso de la conversación aprendí que era un hombre que se había hecho a sí mismo, como su mentor, Tseng.

Invité a Li Hung-chang a asistir a una ópera china en mi teatro. Mi verdadero propósito era averiguar más sobre él. Li era un erudito por formación y un soldado, ascendido hasta general, por profesión. Brillante hombre de negocios ya era uno de los hombres más ricos del país. Me hizo saber que su nuevo campo era la diplomacia.

Le pregunté a Li qué había hecho antes de venir a la Ciudad Prohibida. Respondió que estaba en trance de construir una línea de ferrocarril que algún día atravesaría China. Yo le prometí que asistiría a la inauguración de su ferrocarril; a cambio, me pidió si podía extender la línea hasta la Ciudad Prohibida. Se emocionó y me prometió que me construiría una estación.

El hecho de que empezara a hacer amigos fuera del círculo real molestó al príncipe Kung. La brecha que se había abierto entre los dos se hacía otra vez más grande. Ambos sabíamos que el motivo de nuestra disputa no era que yo reclutase aliados de talento —pues él los deseaba tanto como yo—, sino el poder.

Yo no pretendía rivalizar con nadie, y menos con el príncipe Kung. Confusa y frustrada me di cuenta de que existían diferencias fundamentales e imposibles de resolver. Comprendía las preocupaciones de Kung, pero no estaba dispuesta a dejarle gobernar el país a su modo.

El príncipe Kung ya no era el hombre de mente abierta y gran corazón que había conocido. En el pasado había dado cargos a la gente basándose en sus méritos y había sido el más fuerte defensor de abrazar a los diversos pueblos de China. Promocionó no solo a los chinos han, sino también a los empleados extranjeros, como al inglés Robert Hart, que durante años había estado al frente de nuestro servicio de aduanas. Pero cuando los chinos han ocuparon la mayoría de los puestos de la Corte, el príncipe Kung empezó a inquietarse y su punto de vista cambió. Mis relaciones con hombres como Tseng Kuo-fan y Li Hung-chang no hicieron más que empeorar las cosas.

El príncipe Kung y yo también teníamos diferencias con respecto a Tung Chih. Yo no sabía cómo había educado Kung a su hijo, pero me daba perfecta cuenta de que Tung Chih era aún un muchacho inmaduro. Por un lado, yo quería que el príncipe Kung se mantuviera firme, para que Tung Chih pudiera beneficiarse de una figura paterna. Por otro lado, quería que el príncipe dejara de ridiculizar a mi hijo delante de la Corte.

—Tung Chih tal vez tenga un carácter débil —le dije a mi cuñado—, pero ha nacido para ser el emperador de China.

El príncipe Kung propuso oficialmente que la Corte limitara mi poder.

Mi crimen se llamaba «cruzar la línea entre lo masculino y lo femenino». Yo podía aplastar el movimiento, pero cada vez era más difícil ofrecer cargos a quienes no eran machúes. La actitud anti-han del príncipe Kung empezaba a tener repercusiones negativas.

Los ministros han comprendían lo difícil de mi situación y se esforzaban todo lo posible por ayudar, incluso tragándose los insultos de sus colegas manchúes. La falta de respeto de la que era testigo diariamente me dejaba deshecha.

Cuando en una audiencia el príncipe Kung insistió en que volviera a contratar a unos funcionarios manchúes que habían incumplido sus obligaciones, yo abandoné la sala.

«¡Los manchúes son como fuegos artificiales defectuosos que no explotan!», fue lo que mi gente recordó de mis palabras. Y ahora la frase se está usando contra mi hijo.

Yo cargué con las consecuencias: perdí el cariño de mi hijo.

—¡Has hecho del príncipe Kung una víctima! —gritó mi hijo.

Recé al cielo para que me hiciera fuerte, pues creía en lo que estaba haciendo. ¡Que el príncipe Kung reflexione sobre el hecho de que no ha sido capaz de detenerme! Me dije a mí misma que no tenía nada que temer. Había estado gobernando la nación sin él y seguiría avanzando como era mi deber.

5

La era de mi hijo se denominó «el glorioso renacimiento de Tung Chih», aunque Tung Chih no había hecho nada para merecer tal elogio. El general Tseng Kuo-fan fue el hombre que trajo la gloria. Había combatido a las fuerzas de los Taiping desde 1864. Hacia 1868 había barrido del mapa a la mayoría de los rebeldes. Como Tseng fue elegido por mí, en el círculo de allegados de la Corte me llamaban «la vieja Buda», por la sabiduría.

En agradecimiento, recompensé al general Tseng con un ascenso que, para mi sorpresa, rechazó. Me lo explicó en una carta que me dirigió:

> No es que no me sienta honrado Me siento más que honrado. Lo que no quiero es que mis colegas me vean como un símbolo de poder. Temo que si me ascendéis de rango eso alimente la avidez de poder del gobierno. Me gustaría que todos los generales de mi alrededor se sintieran cómodos e iguales a mí. Quiero que mis soldados sepan que soy uno de ellos, que lucho por una causa, no por el poder y el prestigio.

En mi respuesta escribí:

> Como corregentes, lo único que Nuharoo y yo deseamos es que reine la paz y el orden, y esta meta simplemente no puede ser lograda sin que usted esté al mando. Hasta que no acepte el ascenso, nuestras conciencias no podrán descansar.

Tseng Kuo-fan aceptó a regañadientes.

Como gobernador de más alto rango al mando de las provincias de Jiangsu, Jiang-hsi, y Anhwei, Tseng Kuo-fan se convirtió en el primer chino han cuyo rango era igual al de Yung Lu y el príncipe Kung.

Tseng trabajaba incansablemente, pero continuaba siendo «demasiado cauteloso» en opinión de los demás. Mantenía la distancia con respecto al trono. Su recelo era el recelo clásico; ¡cuántas veces a lo largo de la extensa historia de China, en el mismo momento en que un poderoso general recibía honores, se empezaban a tramar planes para asesinarlo! Esto ocurría sobre todo cuando el gobernante temía que el general llegase a tener más poder que él.

Tung Chih se estaba contagiando de la actitud negativa de su tío Kung hacia los han. Le supliqué a los dos que vieran las cosas de otra manera y me ayudaran a recuperar la confianza de Tseng Kuo-fan. Yo creía que si a Tseng se le proporcionaba estabilidad, sería mi hijo el que se beneficiaría.

En nombre de Tung Chih hice saber a Tseng Kuo-fan que le protegería. Cuando Tseng me reveló sus dudas, intenté tranquilizarlo: le prometí que no me retiraría hasta que mi hijo demostrara suficiente madurez como para asumir el trono.

Convencí a Tseng de que no correría ningún riesgo si actuaba como era digno de él. Con mi aliento, el general empezó a planear batallas más importantes y de más amplio alcance. Reunió tropas desde el norte y fue avanzando ininterrumpidamente hacia el sur, hasta que estableció el cuartel general cerca de Anking, una ciudad de importancia estratégica cercana a Anhwei. Entonces Tseng Kuo-fan ordenó a su hermano, Tseng Kuo-quan, que emplazara su ejército fuera de la capital Taiping de Nankín.

An-te-hai elaboró un mapa para ayudarme a visualizar los movimientos de Tseng. El mapa parecía una preciosa pintura. An-te-hai distribuía banderitas de colores por toda su superficie. Yo veía a Tseng enviar al general manchú Chou Tsung-tang hacia el sur para rodear la ciudad de Hangchow, en la provincia de Chekiang. Al general Peng Yu-lin se le asignó cercar la ribera del río Yangtze. Li Hung-chang, el hombre de confianza de Tseng Kuo-fan, recibió el encargo de cortar la retirada al enemigo cerca de Soochow.

Las banderas cambiaban cada día en el mapa. Antes del día de año nuevo de 1869, Tseng lanzó un ataque formidable, que envolvió a los Taiping como un rollo de primavera. Para asegurar más su posición, hizo entrar tropas desde el norte del Yangtze. Para el asedio final, trabajó con Yung Lu, cuyos soldados llegaron por la retaguardia para cortar la vía de aprovisionamiento de los Taiping.

—El cerco es tan estrecho como una bolsa sellada —dijo An-te-hai sacando pecho y poniéndose en el papel de Tseng—. ¡Nankín está cayendo!

Yo movía las banderitas como si fueran piezas en un tablero de ajedrez. Se convirtió en un placer. Junto a los movimientos de Tseng Kuo-fan, podía seguir los mecanismos de su mente y me encantaba su brillantez.

Durante días me senté junto al mapa, comí allí y me mantuve al día de las novedades de la batalla. Un informe reciente me dijo que los Taiping habían retirado sus últimas tropas de Hangchow. Fue un error estratégico fatal. Li Hung-chang pronto rodeó el resto del ejército rebelde en Soochow. El homólogo de Li, el general Chou Tsung-tang, entro y tomó Hangchow. Los rebeldes perdieron su base. Con todas las fuerzas imperiales sobre el terreno, Tseng Kuo-fan se lanzó a la carga.

Tung Chih aplaudió y Nuharoo y yo lloramos cuando el informe de la victoria definitiva llegó a la Ciudad Prohibida. Nos montamos en nuestros palanquines y fuimos al Altar Celestial a consolar al espíritu de Hsien Feng.

Una vez más, en nombre de Tung Chih decreté rendir honores a Tseng Kuo-fan y a sus colegas generales. Pocos días más tarde recibí un detallado informe de Tseng confirmando la victoria. Luego Yung Lu regresó a la capital. Compartimos nuestra emoción a nuestro habitual modo silencioso. Bajo la mirada atenta de mis damas de honor y An-te-hai, Yung Lu me informó de su papel en las batallas y elogió el liderazgo del general Tseng. Expresando su preocupación me contó que Tseng casi había perdido la vista debido a una grave infección ocular. El retraso en el tratamiento había empeorado su estado.

Convoqué a Tseng Kuo-fan a una audiencia privada en cuanto regresó a Pekín. Con su suelta túnica de seda y su sombrero con la pluma de pavo real, el general se arrojó a mis pies. Mantenía la frente humillada para expresar su gratitud. Mientras esperaba a que le diera permiso para que se levantara, yo me puse en pie y le hice una reverencia. Ignoré la etiqueta; me parecía lo más adecuado.

—Deje que le eche un buen vistazo, Tseng Kuo-fan —dije con lágrimas en los ojos—. Estoy muy contenta de que haya regresado sano y salvo.

Se levantó y fue a sentarse en la silla que An-te-hai le había proporcionado.

Me sorprendió ver que ya no era el hombre vital que recordaba de hacía solo unos años antes. La magnífica túnica no podía ocultar su fragilidad. Tenía la piel enjuta y sus pobladas cejas parecían copos de nieve. Tenía unos sesenta años, pero una ligera joroba le hacía parecer una década más viejo.

Después del té que nos sirvieron le propuse que me siguiera hasta el salón, donde podría sentarse más cómodamente. No se movió hasta que le dije que estaba cansada de sentarme en una silla cuya marquetería se me clavaba en la espalda. Sonreí y le dije que el atildado mobiliario de la sala de audiencias era solo para la ostentación.

—Lo ve, Tseng Kuo-fan, apenas puedo oírle. —Señalé la distancia que mediaba entre los dos—. No es fácil para ninguno de los dos. Por un lado, se considera grosero si levanta la voz. Por otro lado, no soporto no oírle.

Tseng asintió y se acercó para sentarse a mi lado, a mi izquierda. No sabía lo que yo había luchado para poder celebrar aquella reunión. Los manchúes del clan y el príncipe Kung habían hecho caso omiso de mi petición de honrar a Tseng con una audiencia privada. Alegué que de no haber sido por Tseng Kuo-fan, la dinastía manchú habría llegado a su fin.

Nuharoo se había negado a sentarse a mi lado cuando le pedí su apoyo. Al igual que el resto, no valoraba a Tseng Kuo-fan. Al final le convencí para que respaldara la invitación, pero, pocas horas antes de que tuviera lugar el encuentro, volvió a cambiar de opinión. Yo estaba fuera de mí de rabia.

Nuharoo cedió.

—Si tuvieras una sola gota de sangre real... —dijo suspirando.

Cierto: no tenía ni una sola gota, pero era precisamente eso lo que me acercaba a Tseng Kuo-fan. Al tratarlo con respeto, me estaba respetando a mí misma.

Mis negociaciones con el clan imperial habían acabado en un compromiso: me reuniría con Tseng durante quince minutos.

—He oído que ha perdido la vista, ¿es cierto eso? —pregunté mientras miraba avanzar el reloj de la pared—. ¿Puedo saber cuál es su ojo malo?

—Los dos —respondió Tseng—. Tengo el ojo derecho casi completamente ciego, pero el izquierdo aún percibe la luz. En un día claro puedo ver figuras borrosas.

—¿Se ha recuperado de las demás enfermedades?

—Sí, puedo decir que sí.

—Parece que no tiene problemas para arrodillarse y levantarse. ¿Su cuerpo está aún sano?

—No es lo que era.

La idea de acabar la reunión hacía que me flaqueara la voz.

—Tseng Kuo-fan, ha trabajado duramente para el trono.

—Ha sido un placer serviros, majestad.

—Me gustaría poder invitarle a verme otra vez, pero me temo que no podría mantener mi promesa.

Nos sentamos y permanecimos en silencio.

Como exigía la etiqueta, Tseng mantenía los ojos bajos, fijos en un lugar del suelo. El broche de acero de su capa de montar hacía un sonido metálico cada vez que cambiaba de postura. El general parecía buscar mi situación exacta. Estaba segura de que no podía verme aunque tuviera los ojos muy abiertos. Buscó su taza tanteando el aire con la mano. Cuando An-te-hai trajo panecillos dulces de sésamo, Tseng casi tiró la bandeja con el codo.

—Tseng Kuo-fan, ¿se acuerda de la primera vez que nos vimos? —intenté levantar nuestro ánimo.

—Sí, claro —asintió el hombre—. Fue hace catorce años... en la audiencia con el emperador Hsien Feng.

Levanté la voz un poco para asegurarme de que podía oírme.

—Usted era fuerte y tenía un pecho robusto. Sus cejas enfurruñadas me hicieron pensar que estaba enfadado.

—¿Ah sí? —sonrió—. Entonces era muy impaciente. Quería vivir para satisfacer las expectativas de su majestad.

—Y lo ha logrado. Ha conseguido más de lo que nadie podía esperar. Mi marido habría estado orgulloso. Ya he visitado su altar para comunicarle las buenas noticias que usted le ha traído.

Tseng bajó la cabeza y empezó a llorar. Al cabo de un rato levantó la vista y atisbó en dirección hacia mí, haciendo un esfuerzo por vislumbrar algo. Pero la luz de la sala era parca y volvió a bajar la mirada.

An-te-hai entró para recordarnos que se había acabado el tiempo.

Tseng se recompuso para decirme adiós.

—Acabad vuestro té —dije con suavidad.

Mientras él bebía, yo miraba las montañas plateadas y las olas del mar bordadas en su capa.

—¿Le parecería bien que le pidiera a mi médico que le visitara?

—Sería muy amable, majestad.

—Prométame que se cuidará, Tseng Kuo-fan. Cuento con volver a verle. Pronto, espero.

—Sí, majestad. Tseng Kuo-fan hará todo lo posible.

Nunca volví a verlo. Tseng Kuo-fan murió menos de cuatro años después, en 1873.

Si pienso en ello, me sentí bien rindiendo personalmente honores a aquel hombre. Tseng me abrió los ojos al mundo más amplio que había al otro lado de la Ciudad Prohibida. No solo me hizo comprender cómo las naciones occidentales se beneficiaban de su Revolución industrial y prosperaban, sino que también me demostró que China tenía la oportunidad de hacer grandes cosas. El último consejo que Tseng Kuo-fan dio al trono fue el de crear una marina fuerte. Su histórica hazaña, la victoria sobre los rebeldes Taiping, me inspiró confianza para perseguir ese sueño.

6

Desde niño, a Tung Chih se le había enseñado a pensar que yo era su subordinada más que su madre. Y ahora que había cumplido los trece años, yo debía tener cuidado con lo que le decía. Como si estuviera volando una cometa en un viento caprichoso, lo sujetaba con un fino bramante. Aprendí a callarme cada vez que soplaba una brisa tensa.

Una mañana, poco tiempo después de mi última reunión con el general Tseng, An-te-hai solicitó verme un momento. El eunuco tenía algo importante que contarme, y me pidió perdón antes de abrir la boca.

Le dije que se levantara varias veces, pero An-te-hai seguía de rodillas. Cuando le ordené que se acercara, se aproximó a mí de rodillas y se colocó en un lugar donde yo podía oír su susurro.

—Su joven majestad ha sido infectado por una terrible enfermedad —dijo An-te-hai muy serio.

Me puse en pie.

—¿De qué estás hablando?

—Mi señora, tenéis que ser fuerte... —Me tiró de la manga hasta que volví a sentarme.

—¿Qué ocurre? —Me levanté de un salto otra vez.

—Es... bueno, se ha contagiado en los burdeles locales.

Durante un momento no lograba entender el significado de sus palabras.

—Me informaron de las ausencias nocturnas de Tung Chih —prosiguió An-te-hai—, así que le seguí. Siento no haber podido ofreceros antes la información.

—Tung Chih posee miles de concubinas —le espeté—. No tiene necesidad de... —Me callé al darme cuenta de que estaba comportándome como una estúpida—. ¿Cuánto tiempo lleva visitando burdeles? —le pregunté recuperando la compostura.

—Unos meses. —An-te-hai me sujetó por el codo.

—¿Cuáles? —pregunté, temblando.

—Distintos burdeles. Su joven majestad temía ser reconocido, así que evitó aquellos que frecuentan las personalidades de la Corte.

—¿Quieres decir que Tung Chih ha ido a los que usan los plebeyos?

—Sí.

No podía soportar la idea.

—¡No dejéis que os abrume la desesperación, mi señora! —gritó An-te-hai.

—¡Haz que venga Tung Chih! —aparté al eunuco de un empujón.

—Mi señora. —An-te-hai se postró ante mí—. Tenemos que hablar de la estrategia.

—No hay nada de que hablar. —Levanté la mano y señalé hacia la puerta—. Le plantearé a mi hijo la verdad. Es mi obligación.

—¡Mi señora! —An-te-hai golpeó el suelo con la frente—. Un herrero no golpearía una barra de hierro mientras está fría. Por favor, mi señora, pensadlo bien.

—An-te-hai, si temes a mi hijo, ¿no me temes también a mí?

Debí haber escuchado a An-te-hai y esperar. Si hubiera controlado mis emociones, como cuidadosamente había hecho en la

Corte, An-te-hai no habría acabado pagando por ello. No habría perdido a ambos, a mi hijo y a An-te-hai.

De pie, delante de mí, Tung Chih parecía haber salido de una alberca. El sudor perlaba su frente. Constantemente se secaba la cara y el cuello con un pañuelo. Tenía la tez llena de manchas y la mandíbula de granos. Yo pensaba que el estado de su piel se debía a la edad, que los elementos de su cuerpo estaban desequilibrados. Cuando le pregunté por los burdeles, él lo negó todo. Hasta que no hice entrar a An-te-hai, Tung Chih no admitió lo que había hecho.

Le pregunté si había visto al doctor Sun Pao-tien y Tung Chih me respondió que no había necesidad porque no estaba enfermo.

—¡Que venga Sun Pao-tien! —ordené.

Mi hijo miró a An-te-hai con los ojos entornados.

Cuando llegó el doctor Sun Pao-tien se armó una buena. Cuanto más se esforzaba Tung Chih en mentir, más sospechaba el doctor. Pasaron días hasta que Sun Pao-tien anunció lo que había descubierto, y yo sabía que me rompería el corazón.

Envié a An-te-hai a inspeccionar el palacio de Tung Chih. Cancelé la audiencia del día y busqué entre las pertenencias de mi hijo. Además de opio encontré libros de naturaleza ilícita.

Mandé llamar a Tsai-chen, el hijo de quince años del príncipe Kung, y el compañero más íntimo de Tung Chih. Le presioné y le engatusé hasta que confesó que había sido él quien había prestado los libros y había llevado a Tung Chih a los burdeles. Sin mostrar ningún arrepentimiento, Tsai-chen describió los burdeles como «óperas» y a las prostitutas como «actrices».

—¡Que venga el príncipe Kung! —ordené.

El príncipe Kung estuvo tan sorprendido como yo, lo que me hizo percatarme de que la situación era peor de lo que había imaginado.

Cuando prohibí a Tsai-chen que volviera a visitarlo jamás, Tung Chih se enfadó aún más.

—Yo te despediré —le dijo mi hijo a su amigo.

—¡Tsai-chen se irá con su padre! —le dije a mi hijo. Luego le ordené a An-te-hai que bloqueara la puerta para que Tung Chih no pudiera salir.

—¡Puñado de cadáveres! —gritó Tung Chih dando patadas a An-te-hai y a los demás eunucos—. ¡Hongos! ¡Serpientes venenosas!

Mientras esperaba los resultados del doctor Sun Pao-tien, visité a Nuharoo para informarle de lo que había pasado. Sin mencionar el vergonzoso comportamiento de Tung Chih, se preocupó por la posibilidad de que hubiera contraído una enfermedad venérea, pero se preocupó aún más por la reputación del emperador, y de la suya, pues como madre de rango superior era responsable de las decisiones importantes de la vida personal de Tung Chih. Nuharoo propuso que empezáramos en ese mismo momento con la selección de una consorte imperial «para que Tung Chih pueda empezar su vida como hombre adulto».

An-te-hai guardó silencio en el camino de regreso a mi palacio. La expresión de sus ojos era la de un perro apaleado.

Al principio, Tung Chih no demostró ningún interés en la selección de la consorte. Nuharoo estaba decidida a llevarla a cabo de cualquier modo. Cuando llamé a Tung Chih para que concertáramos una fecha en la que pudiéramos examinar a las doncellas, él quiso en cambio hablar de la «mala conducta» de An-te-hai y de cuál sería el castigo adecuado.

—Lo que está pasando entre nosotros no debe interferir en nuestras obligaciones —dije, ignorando a mi hijo y arrojándole un informe—. Esta mañana ha llegado esto. Quiero que le eches una mirada.

—Los misioneros extranjeros han hecho conversos —dijo

Tung Chih mientras hojeaba el documento—. Sí, soy consciente de ello. Han atraído a vagos y a bandidos ofreciéndoles comida y refugio gratis, y han ayudado a los criminales. El tema no es la religión como ellos pretenden.

—Tú no has hecho nada al respecto.

—No, no he hecho nada.

—¿Por qué no? —intenté mantener la calma sin alterar la voz, pero no pude—. ¿Era más importante ir de putas por toda la ciudad?

—Madre, todos los tratados protegen a los cristianos. ¿Qué puedo hacer? ¡Fue mi padre quien los firmó! Intentas decirme que estoy arruinando la dinastía, pero no soy yo. Los extranjeros se estaban abriendo camino en China antes de que yo naciera. Mira esto: «Los misioneros exigen el alquiler de los últimos trescientos años de antiguos templos chinos que según declaran son antiguas propiedades de la iglesia». ¿Tiene algún sentido para ti?

Me quedé sin habla.

—Me gustaría creer que los misioneros son hombres y mujeres buenos —prosiguió mi hijo—, que solo su código moral es engañoso. Estoy de acuerdo con el príncipe Kung en que el cristianismo concede demasiada importancia a la caridad y demasiada poca a la justicia. Además, no es mi problema, y tú no deberías cargármelo a mí.

—Los extranjeros no tienen derecho a traer sus leyes a China. Y tu problema es arreglarlo, hijo.

—El asunto de dirigir la nación me pone enfermo, y punto. Lo siento, madre, tengo que irme.

—Todavía no he terminado. Tung Chih, aún no tienes suficiente conocimiento como para saber qué hay que hacer.

—¿Cómo no voy a saber lo suficiente? Tú has hecho de los papeles de la Corte mis libros de texto. Me han considerado débil desde que tengo uso de razón. Tú eres la sabia, la vieja Buda que todo lo sabe. Yo no envío espías a invadir tus habitaciones y a vaciar tus armarios, pero eso no significa que sea estúpido y no sepa nada. Te quiero, madre, pero... —se quedó callado y rompió a llorar.

En los momentos más oscuros de mi vida, yo acudía a An-te-hai y le pedía que me consolara. No me daba vergüenza.

Habría sido inimaginable para cualquier mujer soportar la idea de que su cuerpo fuera tocado por un eunuco, una criatura infernal, pero yo me sentía tan inferior como un eunuco.

Aquella noche, la voz de An-te-hai me calmó. Me ayudaba a escapar de la realidad. Me llevaba a continentes lejanos para experimentar viajes exóticos. An-te-hai tenía el rostro colmado de emoción cuando sopló las velas y fue a acostarse a mi lado en la cama.

—He encontrado a mi héroe —susurró An-te-hai—. Al igual que yo, fue un desventurado. Nació en 1371 y lo castraron a los diez años. Por suerte, el amo para el que servía era un príncipe que fue bueno con él. A cambio, le prestó un servicio excepcional y ayudó al príncipe a convertirse en emperador de la dinastía Ming...

El sonido del búho nocturno se acalló y las nubes iluminadas por la luna se aquietaron al otro lado de la ventana.

—Se llamaba Cheng Ho, el más grande explorador del mundo. Se puede encontrar su nombre en todos los libros de navegación, pero ninguno revela que fue un eunuco. Nadie conoció que su profundo sufrimiento lo hizo extraordinario. La capacidad para soportar las penalidades que solo otro eunuco puede comprender.

—¿Cómo sabes que Cheng Ho era un eunuco? —le pregunté.

—Lo descubrí por accidente, en el Registro Imperial de Eunucos, un libro que nadie más se molestaría en leer.

An-te-hai reconocía en Cheng Ho un sueño hecho realidad.

—Como almirante de la Flota del Tesoro, Cheng Ho dirigió siete expediciones navales a puertos de todo el sudeste asiático y el océano Índico. —An-te-hai hablaba con pasión en la voz—. Mi héroe viajó hasta el mar Rojo y el este de África, exploró más de treinta naciones en sus siete viajes. La castración hizo de él un hombre roto, pero nunca amputó su ambición.

An-te-hai caminó hacia la ventana en la oscuridad, vestido con su túnica de seda blanca.

—A partir de ahora tendré una fecha de nacimiento —anunció ante la radiante luna.

—¿No tienes ya una?

—Es una fecha inventada, porque nadie, ni siquiera yo mismo, sabe cuándo nací. Mi nuevo cumpleaños será el 11 de julio, en memoria y para celebrar la primera expedición naval de Cheng Ho, que zarpó el 11 de julio de 1405.

Esa noche, en mi sueño, An-te-hai se convirtió en Cheng Ho. Vestía una magnífica túnica de la Corte Ming y estaba en mar abierto, rumbo hacia el lejano horizonte.

—... hizo alarde del poder de dos generaciones de emperadores chinos —me despertó la voz de An-te-hai. Aunque él estaba profundamente dormido.

Me senté y encendí una vela, miré al eunuco durmiente y de repente me sentí otra vez abatida al volver a pensar en Tung Chih. Tenía la necesidad de ir hasta mi hijo y abrazarle fuerte.

—Mi señora. —An-te-hai hablaba con los ojos cerrados—. ¿Sabíais que la flota de Cheng Ho estaba compuesta por más de sesenta enormes navíos? ¡Una tripulación de casi treinta mil hombres! ¡Tenían un barco para llevar los caballos y otro solo para llevar el agua potable!

7

Nuharoo vino a verme en el octavo aniversario de la muerte de nuestro marido. Después de saludarme, anunció que había decidido cambiar los nombres de todos los palacios de la Ciudad Prohibida. Empezó por su propio palacio. En lugar de llamarse Palacio de la Paz y la Longevidad, su nuevo nombre sería el de Palacio de la Meditación y la Transformación. Nuharoo dijo que su maestro de *feng shui* le había aconsejado que cada diez años se debía cambiar el nombre de los palacios ocupados por mujeres para confundir a los fantasmas que encantaban los viejos palacios.

A mí no me gustó la idea, pero Nuharoo no era el tipo de persona que transigiera cuando se le metía algo en la cabeza. El problema era que si cambiábamos el nombre de un palacio, también deberíamos cambiar los nombres que tenían asociadas todas sus partes: las puertas de palacio, los jardines, los senderos, las dependencias de los criados. No obstante, ella se adelantó. La Puerta de Nuharoo era ahora la Puerta de la Reflexión en lugar de la Puerta del Viento Apacible. Su jardín se llamaba ahora el Despertar de la Primavera en lugar de la Selva Maravillosa. El sendero principal que solía ser el Pasaje de la Luz de la Luna era ahora el Pasaje de la Mente Clara.

En mi opinión, los nuevos nombres no eran tan delicados como los antiguos. El antiguo nombre del estanque de Nuharoo, Onda de Primavera, era mejor que el nuevo, Gotas de Zen. También me gustaba más el Palacio de la Esencia Congregada que el Palacio del Gran Vacío.

Durante meses Nuharoo se dedicó a trabajar en los nombres. Se retiraron más de cien tablillas y placas y se crearon y se instalaron otras nuevas. El serrín llenaba el aire mientras los carpinteros lijaban las tablas. Había pintura y tinta por todas partes, y Nuharoo ordenaba a los calígrafos cuyo estilo encontraba deficiente repetir su trabajo.

Le pregunté a Nuharoo si la Corte había aprobado sus nuevos nombres. Sacudió la cabeza.

—Tardaría demasiado en explicar a la Corte la importancia que tiene, y no les gustaría porque es caro. Es mejor no molestarles para nada.

Empezó a llamar a los palacios por los nuevos nombres que ella les había dado. Aquello causó gran confusión. No se notificó el cambio a ninguno de los departamentos imperiales, que solo recibían órdenes de la Corte. Los jardineros tenían grandes dificultades para averiguar dónde se suponía que tenían que trabajar. Los porteadores de palanquines iban a los palacios equivocados a recoger y a dejar a sus pasajeros, y el departamento de suministros se hacía un lío y enviaba artículos a direcciones equivocadas.

Nuharoo dijo que había inventado un nombre excelente para mi palacio.

—¿Qué te parecería el Palacio de la Ausencia de Confusión?

Siempre se había llamado Palacio de las Largas Primaveras.

—¿Qué quieres que te diga?

—¡Di que te encanta, dama Yehonala! —me llamó por mi título formal—. Es mi mejor obra. ¡Debería encantarte! Mi deseo es que los nuevos nombres te inspiren para retirarte del mundo en busca de placeres más tranquilos.

—Me sentiría más que feliz retirándome mañana mismo, si pudiera olvidarme de la amenaza de que nos derroquen.

—No te pido que dejes de asistir a las audiencias —dijo Nuharoo dándose golpecitos en ambas mejillas con su pañuelo de seda—. Los hombres pueden ser perversos y su comportamiento debe ser controlado.

Yo sabía que no lo decía en serio, pues siempre me había aconsejado que dejara los asuntos de gobierno a los hombres. Pero lo que me asombró de veras fue el modo que tenía de conseguir poder aparentando no querer tener nada que ver con ello.

Me alegré de que la mayoría de los palacios a los que se les cambió el nombre fueran las dependencias interiores ocupadas por concubinas. Pues no quedó ningún registro oficial de los cambios, todos salvo Nuharoo seguían llamando a los edificios por sus viejos nombres. Para evitar ofenderla, se añadió la palabra «viejo» a todos los nombres. Por ejemplo, se aludía a mi palacio como el Viejo Palacio de las Largas Primaveras.

Con el tiempo Nuharoo se cansó del juego. Admitió que los nuevos nombres creaban confusión. Los eunucos de su casa estaban tan confundidos que se perdían mientras intentaban cumplir sus órdenes. Nuharoo pretendía enviarme un pastel de semillas de loto, pero acabó en la mesa del guarda de la puerta.

—Los eunucos son estúpidos —concluyó Nuharoo.

Así que todo volvió a ser como antes, y los nuevos nombres pronto pasaron al olvido.

An-te-hai me envió a Li Lien-ying, que ahora era su más leal discípulo, para que me diera un masaje en la cabeza. Con un buen masaje notaba que la tensión de mi cuerpo se disolvía como la arcilla en el agua. Me miré al espejo y vi las arrugas que me habían salido sin darme cuenta en la frente lisa. Tenía bolsas bajo los ojos. Aunque conservaba la belleza de mis rasgos, el lustre de la juventud había desaparecido.

No le conté a An-te-hai mi conversación con Tung Chih,

pero él la intuía. Envió a Li Lien-ying a custodiarme por la noche y sacó su esterilla de dormir de mi habitación. Años más tarde, descubrí que mi hijo había amenazado al eunuco. An-te-hai tenía que irse o sería «retirado», lo que significaba asesinado. Para asegurarse de que ningún eunuco establecía una relación íntima conmigo, An-te-hai hizo que mis asistentes de cámara fueran rotativos. Tardé un tiempo en darme cuenta de sus intenciones.

Entre mis asistentes, yo adoraba a Li Lien-ying, que me había servido desde que era un niño. Tenía un carácter dulce y era tan capaz como An-te-hai, pero no podía hablar con él como lo hacía con An-te-hai. Como maestro del servicio a su amo, Li Lien-ying era un artesano, pero An-te-hai era un artista. Por ejemplo, An-te-hai había estado maquinando durante algún tiempo cómo podía entrar Yung Lu en mi jardín interior. Había dispuesto que se hicieran reparaciones en el puente y en el tejado alrededor de mi palacio, para que pudieran entrar trabajadores del exterior, y con ellos guardias imperiales. An-te-hai creía que eso daría a Yung Lu la oportunidad de supervisarlo. El plan no había funcionado, pero An-te-hai perseveró en su esfuerzo.

Li Lien-ying era un eunuco mucho más popular que An-te-hai. Tenía talento para hacer amistades, una habilidad de la que An-te-hai carecía. Los criados nunca sabían cuándo aparecería An-te-hai para inspeccionar su trabajo. Y si no estaba satisfecho, hacía una escena, intentaba «educarlos».

Entre los criados empezó a circular el rumor de que An-te-hai pronto sería sustituido como eunuco jefe por Li Lien-ying. An-te-hai se puso furioso de celos y empezó a sospechar que Li le había robado mi afecto. Un día An-te-hai encontró una excusa para interrogar a Li. Cuando Li protestó, An-te-hai lo acusó de ser poco respetuoso y ordenó que lo azotaran.

Para mostrar ecuanimidad, hice que azotaran a An-te-hai, lo dejé sin comer durante tres días y lo encerré en las dependencias de los eunucos. Una semana más tarde fui a verlo. Estaba sentado en su pequeño patio examinándose los moretones.

Cuando le pregunté qué había hecho durante su encierro, me enseñó algo que había construido con trozos de madera y retales de harapos.

Me quedé admirada de lo que vi.

—¡Una nave dragón en pequeño!

Era un barco en miniatura que tenía como modelo un buque de la flota de Cheng Ho. No era mayor que un brazo de An-te-hai, pero tenía intrincados detalles, con velas, jarcias y contenedores de carga.

—Algún día me gustaría ir al sur a ver la tumba de Cheng Ho en Nankín —dijo An-te-hai—. Haré una ofrenda y pediré a su espíritu que me acepte como discípulo lejano.

El verano de 1869 fue caluroso y húmedo. Tenía que cambiarme de camisa dos veces al día. Si no, el sudor hacía que el tinte se me corriera sobre la túnica de la Corte. Como la Ciudad Prohibida tenía pocos árboles, no había modo de escapar del calor. El sol calentaba los caminos de piedra. Cada vez que los eunucos regaban el suelo con agua, se oía un siseo y se veía ascender un vapor blanco.

La Corte intentó acortar las audiencias. Trajeron bloques de hielo y los carpinteros inventaron sillas con un cajón para meter los bloques. Los reunidos, que llevaban las túnicas de Corte más pesadas, se sentaban directamente encima del hielo. Por la noche, debajo de los cajones se habían formado charcos de agua. Parecía como si los ministros se hubieran orinado.

Nuharoo llevaba un vestido de color musgo cuando entró en el Salón de la Nutrición Espiritual durante una pausa de la audiencia. Los eunucos empezaron a mover los ventiladores de madera para levantar un poco de viento. Nuharoo hizo una mueca porque los ventiladores hacían un ruido terrible, como portazos de puertas y ventanas.

Se sentó elegantemente en una silla enfrente de mí. Nos mirábamos el vestido, el maquillaje y el cabello mientras intercambiábamos saludos. Yo odiaba llevar maquillaje en verano, y me ponía muy poco. Bebí té y me esforcé por parecer interesada. En aquel momento yo ya conocía a Nuharoo lo bastante como para saber que cualquiera que fuera su propuesta no tendría nada que ver con las necesidades de la nación. En el pasado yo había hecho varios intentos por resumirle los asuntos de la Corte, pero ella cambiaba de tema o simplemente me ignoraba.

—Como tienes que volver a la audiencia, seré breve. —Nuharoo bebió un poco de té—. He estado pensando que a los muertos les gustaría oír a los vivos llorar el día en que sus espíritus regresen a casa. ¿Cómo sabemos que nuestro esposo no desea lo mismo?

Yo no sabía qué responder a sus palabras, así que murmuré algo así como que la montaña de documentos de la Corte que había sobre mi mesa no hacía más que crecer.

—¿Por qué no creamos un cuadro del Cielo para recibir a los espíritus? —dijo Nuharoo—. Podemos vestir a las doncellas con los trajes de diosas de la luna y diseminarlas en barcos decorados del lago Kun Ming. Los eunucos pueden esconderse en las colinas y detrás de los pabellones y tocar flautas e instrumentos de cuerda. ¿No le gustaría eso a Hsien Feng?

—Me temo que sería muy caro —dije lisa y llanamente.

—¡Sabía que dirías eso! —Hizo un puchero—. El príncipe Kung es el responsable de que estés de tan mal humor. Además, ya he ordenado la fiesta. Tenga o no tenga taels la Corte, el ministro de Hacienda es el responsable de pagar el memorial del emperador. Es un pequeño gesto.

Entre audiencias, me ocupé de cosas que el príncipe Kung consideraba que carecían de importancia. Por ejemplo, un artículo me había llamado la atención. Lo habían publicado en *La Actua-*

lidad de la Corte, un periódico que leían muchos funcionarios gubernamentales. Reproducía el ensayo del hombre que ese año había sacado la mejor nota en los exámenes para el funcionariado, titulado «El gobernante que superó al primer emperador de China».

El autor adulaba a mi hijo más allá de lo creíble. La elección del título era alarmante. Me decía que algo malsano crecía en el núcleo de nuestro gobierno.

Pedí a los jueces la lista de los que habían aprobado el examen. Cuando me la entregaron, tracé un círculo con un pincel rojo sobre el nombre del autor. Lo quité del primer puesto y devolví la lista.

No es que no me gustara la adulación, pero sabía distinguir entre el bombo hueco y el elogio merecido. Sin embargo, la gente tendía a fiarse de los artículos del periódico. Lo que temía era que si no conseguía frenar la tendencia hacia la adulación, el régimen de mi hijo acabaría perdiendo a sus críticos valiosos.

—No he oído el silbido de las palomas. ¿Qué ha sido de ellas? —le pregunté a An-te-hai.

—Las palomas se han ido —respondió el eunuco.

Aunque sus movimientos no habían perdido la clase y sus gestos eran elegantes, An-te-hai parecía nervioso y el brillo había desaparecido de sus grandes ojos.

—Deben haber decidido ir en busca de un hogar mejor.

—¿Ha sido porque las has descuidado?

An-te-hai se quedó en silencio y luego hizo una reverencia.

—Las he soltado, mi señora.

—¿Por qué?

—Porque las jaulas no eran para ellas.

—¡Las jaulas son enormes! ¡El palomar real es tan grande como un templo! ¿Qué más quieren las palomas? Si crees que necesitan más espacio, pide al carpintero que agrande las jaulas. Puedes hacerlas de dos pisos de alto si quieres. ¡Haz veinte jaulas, cuarenta, cien!

—No es el tamaño, mi señora, ni el número de jaulas.

—¿Entonces qué es?

—Es la propia jaula.

—Antes no te molestaba.

—Ahora sí.

—Tonterías.

El eunuco bajó la cabeza.

—Es doloroso estar encerrado —dijo al cabo de un rato.

—¡Las palomas son animales, An-te-hai! Tu imaginación se ha vuelto loca.

—Tal vez, pero es la misma imaginación que encuentra un error suponer que vuestra vida está llena de felicidad y gloria, mi señora. Lo bueno es que las palomas son distintas a los loros. Las palomas pueden volar, mientras que los loros están encadenados. Los loros se ven obligados a servir, a agradar y a copiar las palabras de los hombres. Mi señora, también hemos perdido a nuestro loro.

—¿A cuál?

—A Confucio.

—¿Cómo?

—El pájaro se negó a decir lo que le habían enseñado. Había estado hablando su propio idioma y por tanto fue castigado. El eunuco que lo entrenaba hizo lo que pudo. Lo intentó con trucos que funcionaron en el pasado, como no darle de comer, pero Confucio era obstinado y no volvió a decir palabra. Murió ayer.

—Pobre Confucio. —Recordaba al hermoso e inteligente pájaro que mi marido me había regalado—. ¿Qué puedo decir? Confucio tenía razón cuando decía que los hombres nacen malos.

—Las palomas tienen suerte —dijo An-te-hai mirando hacia el cielo—. Subieron allí arriba y desaparecieron entre las nubes. No lamento haberlas ayudado a escapar, mi señora. En realidad me siento feliz por lo que hice.

—¿Y qué hay de las flautas de junco que atabas a las patas de las palomas? ¿Has dejado que se lleven la música con ellas? Les darán de comer bajo cualquier techo si llevan la música.

—Les quité las flautas, mi señora.

—¿Todas?

—Sí, todas.

—¿Por qué has hecho tal cosa?

—¿Acaso no son pájaros imperiales, mi señora? ¿No tienen derecho a la libertad?

Me preocupaba Tung Chih. Quería saber lo que hacía a cada momento y si el doctor Sun Pao-tien tenía éxito con el tratamiento. Ordené que me enviaran el menú de Tung Chih porque no confiaba en que se estuviera alimentando adecuadamente. Ordené que unos eunucos siguieran a su amigo Tsai-chen para asegurarme de que los dos muchachos no se veían.

Estaba intranquila y una fuerza misteriosa me decía que mi hijo corría serio peligro. Tanto Tung Chih como el doctor Sun Pao-tien me evitaban. Tung Chih incluso se iba a trabajar en los papeles de la Corte para que le dejara en paz, pero mi preocupación no disminuía; pronto se convirtió en miedo. En mis pesadillas, Tung Chih me pedía ayuda y yo no podía alcanzarlo.

En un esfuerzo por distraerme, ordené una representación de ópera *pon-pon* e invité al círculo íntimo de la Corte. Todos se horrorizaron porque la ópera *pon-pon* se consideraba un entretenimiento para pobres. Yo había visto representar estas óperas en los pueblos cuando era niña. Después de que mi padre fuera degradado de su cargo, mi madre había ordenado una representación para alegrarse y cambiar de ánimo. Yo recordaba lo mucho que me había gustado. Desde que había llegado a Pekín deseaba ver otra vez una, pero me dijeron que aquella forma inferior de ópera estaba prohibida en palacio.

La compañía teatral era pequeña, solo dos mujeres y tres hombres y tenían trajes viejos y un atrezzo penoso. Tuvieron problemas para traspasar la puerta porque los guardias no se creían que yo los había mandado llamar. Ni siquiera Li Lien-ying pudo convencer a los guardias, solo los dejaron entrar cuando apareció An-te-hai.

Antes de la ópera, saludé al maestro músico en privado. Era un hombre escuálido y medio ciego, con ojos legañosos. Supuse que vestía su mejor túnica, pero estaba llena de remiendos. Le agradecí que hubiera venido y ordené a la cocina que alimentara a los actores antes de que subieran al escenario.

El decorado era sencillo. Una simple cortina roja hacía de telón de fondo. El maestro se sentó en un taburete. Afinó su erhu, un instrumento de dos cuerdas, y empezó a tocar. Produjo un sonido que me recordó el desgarro de un tejido. La música era como un lamento de pena, sin embargo fue extrañamente tranquilizadora para mis oídos.

Cuando la ópera había empezado, miré a mi alrededor y noté que era la única que quedaba entre el público, junto a An-te-hai y Li Lien-ying. Todos los demás se habían marchado en silencio. La melodía no era como yo la recordaba. El tono parecía el viento cabalgando en lo alto del cielo. El universo parecía lleno de ese sonido de tejidos desgarrados. Imaginé que así era como sonarían los espíritus que eran capturados. Con el ojo de la mente pude ver los campos pedregosos y bosques de abetos cubrirse gradualmente de arena.

Finalmente la música cesó. El maestro bajó la cabeza hasta el pecho como si se hubiera quedado dormido. El escenario se quedó en silencio. Imaginé la Puerta del Cielo abrirse y cerrarse en la oscuridad.

Dos mujeres y un hombre entraron en escena. Vestían grandes blusones azules. Cada uno tenía un palo de bambú y una campana china hecha de cobre. Rodearon al maestro y tocaron la campana al ritmo del erhu.

Como si se hubiera despertado de repente, el hombre empezó a cantar. Estiraba el cuello como un pavo y tenía una estridente voz aguda, como las chicharras cantando en el día más caluroso del verano:

Hay una vieja langosta
que vive en un agujero bajo una roca gigante.
Sale a mirar el mundo
y regresa.
Levanto la roca para saludarla.
Desde que la he visto
la langosta se queda en su agujero.

Día tras día,
año tras año,
silenciosamente
envuelta en la oscuridad y el agua,
criatura confiada
debe de ser la langosta.

Oye el sonido de la tierra
y es testigo de sus cambios.
El musgo de su caparazón crece
de un hermoso verde.

Tocando las campanas al ritmo, los otros tres actores se unieron al cantante:

¡Oh, langosta,
no te conozco!
¿De dónde vienes?

¿Dónde está tu familia?
¿Qué te ha hecho emigrar y esconderte en este agujero?

Me habría gustado que mi hijo se hubiera quedado durante toda la representación.

8

Había empezado a leer *El romance de los tres reinos*, la historia de un emperador chino del período siguiente a la dinastía Han, que duró cuatrocientos años. Los seis volúmenes eran gruesos y pesados como grandes ladrillos. El libro era una mera crónica de victorias, una detrás de otra, sin fin aparente. Yo tenía la esperanza de llegar a conocer los intereses de los personajes, no solo sus empresas militares. Quería saber por qué luchaban aquellos hombres, cómo había sido educado cada héroe y qué cometido había desempeñado su madre.

Después de leer el primer volumen, llegué a la conclusión de que el libro no iba a proporcionarme lo que me interesaba. Podía enumerar los nombres de todos los personajes, pero seguía sin comprender a los hombres. Los versos y poemas sobre las batallas famosas eran exquisitos, pero no podía captar las razones por las que combatían. Para mí no tenía sentido que los hombres lucharan solo por luchar. Al final, me consolé pensando que yo estaría a salvo —y realizaría grandes obras— mientras pudiera distinguir a los hombres buenos de los malos. Durante lo que serían mis cincuenta años detrás del trono, llegaría a aprender que aquello no era así. A menudo los peores planes los presentaron mis mejores hombres, y con las mejores intenciones.

Aprendí a confiar en mi instinto más que en mi opinión. Mi

falta de perspectiva y experiencia me había vuelto precavida y atenta. En ocasiones la inseguridad me hacía dudar de mi instinto, lo cual se reflejaba en decisiones que podía llegar a lamentar. Por ejemplo, expresé mis reservas cuando el príncipe Kung propuso que contratáramos a un tutor inglés para instruir a Tung Chih sobre asuntos internacionales. La Corte también se oponía a la idea. Coincidía con los grandes consejeros en que Tung Chih estaba en una edad en que era muy impresionable y podía ser fácilmente manipulado e influenciado.

—Su joven majestad aún tiene que comprender lo que China ha sufrido —alegó un consejero—. La noción de que Inglaterra es responsable del declive de nuestra dinastía aún no ha arraigado lo suficiente en la mente de Tung Chih.

Los demás estuvieron de acuerdo.

—Permitir que Tung Chih sea educado por los ingleses significa traicionar a nuestros antepasados.

El recuerdo de la muerte de mi marido aún estaba fresco. El olor de la cremación en nuestra casa —el Gran Jardín Circular, Yuan Ming Yuan— no se había disipado. No podía imaginar a mi hijo hablando inglés y confraternizando con los enemigos de su padre.

Tras pasar varias noches en vela, concilié mi mente. Rechacé la propuesta del príncipe Kung y le dije que «su joven majestad, el emperador Tung Chih, debía comprender quién era por encima de cualquier otra cosa».

Lamentaría haber tomado esa decisión el resto de mi vida.

Si Tung Chih hubiera aprendido a comunicarse con los ingleses o viajado para estudiar en el extranjero, tal vez habría sido un emperador distinto. Se habría inspirado en su ejemplo y habría sido testigo de su liderazgo. Podía haber desarrollado un futuro que mirase hacia delante para China, o al menos habría puesto interés en intentarlo.

Era una tarde despejada cuando Nuharoo anunció que todo estaba dispuesto para la selección de la esposa de Tung Chih. Yo seguí adelante porque sentía que tenía que hacerlo. Para asegurar que Nuharoo continuaría apoyándome en la Corte, necesitaba mantener la armonía entre las dos. Yo no estaba preparada para ver a Tung Chih casado; no conseguía acostumbrarme a la idea de que era un hombre adulto. ¿Acaso no era ayer cuando lo sostenía como un bebé en mis brazos? Nunca antes había sentido de manera tan aguda el dolor de que me robaban el tiempo que debía compartir con mi hijo.

Debido a las restricciones de Nuharoo y a mi horario de la Corte, yo apenas había estado presente en la infancia de Tung Chih. Aunque había conservado en el marco de la puerta las marcas de medir la estatura de mi hijo en el transcurso de los años, poco sabía de sus cosas favoritas o de sus ideas, solo que él se resentía de las expectativas que yo depositaba en él. No podía soportar que yo le hiciera preguntas, e incluso mis saludos matinales eran recibidos con una mueca de disgusto. Le contó a todo el mundo que Nuharoo era más fácil de complacer. El hecho de que ella y yo compitiéramos por su cariño no hacía sino empeorar las cosas. Era comprensible que sintiera poco respeto hacia mí; yo estaba desesperada por conseguir su amor. Sin embargo, cuanto más suplicaba yo, menos deseaba él estar conmigo.

Ahora de repente era un adulto. Mi tiempo para estar cerca de él había llegado a su fin.

Con una sonrisa en el rostro, Tung Chih entró en el Gran Salón vestido de oro. A diferencia de su padre, él participaría en la elección. Miles de exquisitas doncellas de toda China fueron conducidas a través de las puertas de la Ciudad Prohibida para desfilar ante los ojos del emperador.

—A Tung Chih nunca le ha gustado madrugar, pero hoy estaba en pie antes que los eunucos —me explicó Nuharoo.

No estaba segura de si debía tomarme aquello como una

buena noticia. Sus visitas a los burdeles me obsesionaban. Con la ayuda del doctor Sun Pao-tien, Tung Chih parecía tener la enfermedad bajo control. Pero nadie estaba seguro de si estaba completamente curado.

Ahora que había ascendido oficialmente al trono, Tung Chih tenía la libertad de hacer lo que se le antojara con su vida privada. Para él, matrimonio equivalía a libertad.

—Las travesuras de Tung Chih son fruto del aburrimiento —dijo Nuharoo—. ¿Cómo explicas si no sus éxitos en los estudios?

Me preguntaba si los tutores de Tung Chih estaban diciendo la verdad sobre su progreso académico. Nuharoo habría despedido inmediatamente a un tutor que se atreviera a informar de cualquier fallo. Yo tanteé a los tutores sobre la auténtica capacidad de Tung Chih sugiriendo que se presentara a los exámenes para el funcionariado nacional. Cuando los formidables tutores se pusieron nerviosos y evitaron cualquier discusión sobre el tema, supe cuál era la verdad.

—Tung Chih necesita que le atribuyan responsabilidades, para poder madurar —aconsejó el príncipe Kung.

Yo sentía que era la única alternativa concebible, pero no podía evitar preocuparme. El ascenso de Tung Chih al trono significaba que yo tendría que ceder el poder. Aunque hacía tiempo que anhelaba retirarme, sospechaba que no sería Tung Chih sino la Corte y el príncipe Kung quienes asumirían el poder que yo tenía.

Nuharoo también estaba deseando que me retirase. Decía que anhelaba mi compañía.

—Tendremos mucho que compartir, sobre todo cuando lleguen los nietos.

¿Se sentiría más segura después de que yo renunciara al poder? ¿O tendría otras intenciones? Con Tung Chih al mando, Nuharoo tendría más influencia en sus decisiones. ¿Acaso no había aprendido yo que ella nunca era lo que parecía?

Decidí acatar la propuesta de la Corte, no porque creyera que Tung Chih estaba preparado, sino porque ya era hora de que se hiciera cargo de su vida. Como decía Sun Tzu en *El arte de la guerra*: «Uno nunca sabrá cómo ha de luchar en una guerra hasta que luche en una guerra».

El 25 de agosto de 1872 concluyó la selección de consortes imperiales. Tung Chih apenas tenía diecisiete años.

Nuharoo y yo celebramos nuestra «jubilación». Nos llamarían las Grandes Emperatrices Viudas, aunque ella solo tenía treinta y siete años y yo casi treinta y ocho.

La nueva emperatriz seleccionada era una belleza de dieciocho años y ojos de gata llamada Alute. Era hija de un funcionario mongol de viejo cuño. El padre de Alute estaba emparentado con un príncipe que era primo lejano de mi marido.

Tung Chih fue afortunado por tener una chica así. La Corte no había aprobado su elección solo porque era hermosa. La razón por la que la Corte había dado su consentimiento a Alute era que el matrimonio serviría para sanar la discordia entre el trono manchú y el poderoso clan mongol.

—Aunque Alute sea mongola, nunca se le ha permitido jugar bajo el sol ni montar a caballo —dijo orgullosamente Nuharoo, pues Alute había sido de su elección—. Por eso tiene una tez tan clara y unos rasgos tan delicados.

A mí Alute no me impresionaba demasiado. Era tan tímida que parecía muda. Cuando tuvimos tiempo para estar juntas, la conversación era titubeante. Estaba de acuerdo con cualquier cosa que yo dijera, así que poco pude hacerme a la idea de quién era realmente. Nuharoo dijo que yo estaba portándome como una madre quisquillosa.

—Mientras nuestra nuera haga lo que nosotras le digamos, ¿qué importancia tiene saber lo que piensa?

Yo habría preferido a una muchacha de diecisiete años y

ojos vivos llamada Foo-cha. Aunque era menos exótica que Alute, Foo-cha estaba muy capacitada. Tenía un rostro oval, ojos en forma de cuarto creciente y una tez bronceada por el sol. Era hija de un gobernador provincial y había sido secretamente educada en literatura y poesía, lo cual no era frecuente. Foo-cha era dulce, pero tenía carácter. Cuando Nuharoo y yo le preguntamos qué haría si su marido pasara mucho tiempo coqueteando con ella e ignorase sus tareas oficiales, Foo-cha respondió:

—No lo sé.

—Debería haber respondido que intentaría convencer a su marido para que cumpliera con su obligación, y no con su devoción. —Nuharoo cogió el lápiz y tachó el nombre de Foo-cha.

—Pero, ¿no es sinceridad lo que estamos buscando? —alegué, sabiendo que Nuharoo no se dejaría convencer.

Tung Chih parecía interesado en Foo-cha, pero se enamoró perdidamente de Alute.

No insistí en que Tung Chih hiciera a Foo-cha emperatriz. Foo-cha se convertiría en la segunda esposa de Tung Chih.

La boda imperial se fijó para el 16 de octubre. Empezaron los preparativos, sobre todo la compra de todos los artículos y materiales ceremoniales, bajo la supervisión de Nuharoo. Como un modo de aplacarme, Nuharoo me permitió decidir en el tema de la boda y propuso que An-te-hai se encargara de las compras.

Cuando conté al eunuco la decisión de Nuharoo, se emocionó.

—Será un viaje agotador en el que tendrás que atravesar una gran distancia en un corto período de tiempo —le advertí.

—No os preocupéis, mi señora, iré por el Gran Canal.

Yo estaba intrigada por la idea de An-te-hai. El Gran Canal era la antigua maravilla de la ingeniería de mil trescientos kilómetros de longitud que unía Tungchow, cerca de la capital, con Hangchow, en el sur.

—¿Por qué tramo del canal viajarás? —le pregunté.

—Hasta el final, Hangchow —respondió An-te-hai—. Será un sueño hecho realidad. La cantidad de compras que me han pedido que haga requerirá una flota de barcos, ¡tal vez tan grande como la de Cheng Ho! ¡El jefe eunuco de la dinastía celestial Qing será el Gran Navegante! ¡Oh, no puedo ni imaginar el viaje! Me detendré en Nankín para comprar la mejor seda. Presentaré mis respetos a la tumba de Cheng Ho. ¡Mi señora, me habéis hecho el hombre más feliz de la tierra!

Yo no sabía que mi favorito no regresaría nunca.

Los acontecimientos que rodean la muerte de An-te-hai siguen siendo un misterio, pero fue claramente una venganza de mis enemigos. Mi único consuelo es que, por un momento, An-te-hai había sido completamente feliz. No me di cuenta de lo mucho que lo quería y lo necesitaba hasta que se fue. Muchos años más tarde llegaría a la conclusión de que tal vez no fue tan malo para él. Aunque gozaba de mi bendición y de una gran riqueza, no podía soportar vivir en un cuerpo de eunuco.

Por las mañanas me sorprendía a mí misma buscando el sonido de las pisadas de An-te-hai en el patio, y luego su precioso rostro aparecía ante mí en el espejo. Por las noches esperaba su sombra en mi mosquitera y su voz canturreando las melodías de mi ópera favorita.

Nadie me contó cómo había muerto mi favorito. El informe, fechado dos semanas antes de que yo lo recibiera, lo había enviado el gobernador Ting de la provincia de Shantung y declaraba que An-te-hai había sido arrestado y juzgado por violar la ley provincial. En el informe, Ting pedía permiso para castigar al eunuco, pero no mencionaba las medidas que iba a tomar.

Pedí que enviara a An-te-hai de regreso a Pekín para que yo lo castigara, pero el gobernador Ting afirmó que mi mensajero no había llegado a tiempo.

En mi mente no cabía ninguna duda de que el gobernador Ting conocía las circunstancias de An-te-hai. Ting debía de tener un poderoso respaldo o nunca habría tenido el valor para desafiarme.

Al final, todas las pruebas apuntaban a tres personas: el príncipe Kung, Nuharoo y Tung Chih.

El día que An-te-hai murió, me di por vencida con Tung Chih, pues me di cuenta del poco afecto que mi hijo sentía por mí.

Se esperaba que yo olvidara a An-te-hai. «Al fin y al cabo era solo un eunuco», dijo todo el mundo.

Si yo hubiera sido perro, habría ladrado al príncipe Kung, que me enviaba invitaciones a banquetes que celebraban las embajadas extranjeras; a Nuharoo, que me suplicaba que le acompañara en sus óperas; y a mi hijo, que me envió una cesta de frutas recogidas con sus propias manos en el huerto imperial.

Mi corazón estaba destrozado y los añicos bañados en tristeza. Cuando me acostaba en la cama, era imposible penetrar en la oscuridad. Imaginaba palomas blancas rodeando mi techo y la voz de An-te-hai llamándome con dulzura.

Durante mi investigación, intenté encontrar pruebas que exoneraran a Tung Chih. Cuando no pude negar la evidencia, solo esperé que mi hijo hubiera sido manipulado por los demás y que no fuera realmente culpable.

—Quiero saber exactamente dónde, cuándo y cómo murió mi favorito —le dije a Li Lien-ying, el sucesor de An-te-hai—. Quiero conocer la versión de An-te-hai de la historia y su última voluntad.

Nadie se atrevía a presentarse.

—Nadie del palacio o la Corte hablará por An-te-hai, y nadie está dispuesto a testificar —me informó Li Lien-ying.

Envié a Yung Lu, que llegó tan rápido como pudo de las provincias del norte. Cuando entró en el vestíbulo de mi palacio, corrí hacia él y casi me caí de rodillas.

Me ayudó a sentarme en una silla y esperó a que dejara de llorar. Me preguntó amablemente si estaba segura de que An-te-hai era inocente. Yo le pregunté qué quería decir. Respondió que durante el viaje al sur, el comportamiento de An-te-hai había sido, si no criminal, al menos fuera de lo común.

—¿Por qué haces frente común con mis enemigos?

—Juzgo solo basándome en hechos, majestad. —Yung Lu

permaneció firme—. Si queréis que averigüe la verdad, tendréis que estar dispuesta a aceptarla.

—Te escucho —dije después de respirar hondo.

—Perdonadme, majestad, pero An-te-hai podría no ser la persona que creíais conocer.

—No tienes derecho a... —Volví a echarme a llorar—. ¡Tú no conocías a An-te-hai, Yung Lu! Tal vez fuera un eunuco, pero en el fondo era un auténtico hombre. Nunca he conocido a nadie que amara la vida más que An-te-hai. Si hubieras conocido sus historias, sus sueños, sus poemas, su amor por la ópera, su sufrimiento, habrías comprendido al hombre.

Yung Lu parecía escéptico.

—An-te-hai era un experto en etiqueta y leyes dinásticas —continué—. Nunca las habría violado. Sabía las consecuencias. ¿Me estás diciendo que quería morir?

—Por favor, examinad los hechos y luego preguntaos de qué otro modo se explican —dijo Yung Lu tranquilamente—. An-te-hai hizo algo que no debía. Estoy seguro de que tenéis razón en que conocía las consecuencias. De hecho, debió haber pensado en el resultado de sus acciones antes de cometerlas. Esto complica el caso. No podéis negar que An-te-hai ofreció a sus enemigos una oportunidad para eliminarlo. —Yung Lu me miró fijamente—. ¿Por qué convertirse a sí mismo en un blanco?

Me sentía perdida y sacudí la cabeza.

Yung Lu solicitó permiso para reunir un equipo de investigadores profesionales. En un mes, me fue presentado un informe detallado. Además del gobernador Ting, entre los testigos se encontraban compañeros eunucos de An-te-hai, barqueros, propietarios de tiendas, sastres, artistas locales y prostitutas.

El tiempo le fue favorable cuando An-te-hai surcaba el Gran Canal. El eunuco había cumplido su misión en las fábricas de Nankín, donde se tejió la seda y los brocados para la futura boda imperial. An-te-hai también inspeccionó el progreso de los vestidos que Nuharoo y yo habíamos pedido, así como los de Tung Chih y sus nuevas esposas y concubinas. Después, An-te-hai visitó la tumba de su héroe, el navegante de la dinastía Ming, Cheng Ho. Yo solo alcanzaba a imaginar su emoción.

Recordaba vivamente el momento en que An-te-hai vino a despedirse. Vestía una túnica de satén verde larga hasta los pies con un dibujo de olas del mar. Parecía hermoso y lleno de energía. Tenía grandes esperanzas en que aquello fuera un nuevo comienzo para él.

Hacía solo unos meses que An-te-hai se había casado. Era la comidilla de todo Pekín. Para la población de eunucos, An-te-hai era un ejemplo de esperanza en que ellos también podían redimirse de su estatus. Mentalmente, el matrimonio podía de algún modo devolverle la hombría y darles paz, pero las cosas no habían salido bien.

An-te-hai se trasladó de las dependencias de los eunucos para vivir con sus cuatro esposas y concubinas. Tanto él como yo esperábamos que sus nuevas compañeras le levantaran el ánimo. Podía tener doncellas de buenas familias, pues estaba ofreciendo una fortuna en dotes, pero compró mujeres de los burdeles. Supongo que pensaba que entenderían su sufrimiento y aceptarían mejor, o al menos mostrarían más sensibilidad hacia lo que él no podía ofrecerles como marido. An-te-hai evitó a propósito elegir a las mujeres hermosas. Buscaba especialmente a aquellas que habían sobrevivido a los malos tratos de los hombres. La primera esposa era una mujer de veintiséis años que estaba muy enferma y la habían abandonado para que muriera en el burdel.

Fue difícil hacer un cumplido a las damas de An-te-hai cuando las trajo ante mí. Parecían hermanas, todas tenían un rostro apagado. Se lanzaron rápidamente a coger galletas de la bandeja y sorbían ruidosamente el té.

Al cabo de un mes o así de la boda, An-te-hai volvió a trasladarse a la Ciudad Prohibida. El jefe eunuco no mencionaba su vida hogareña, pero todo el mundo, salvo yo, parecían saber exactamente lo que había ocurrido. Supe por Li Lien-ying que las esposas de An-te-hai no habían satisfecho sus expectativas. Las mujeres eran rudas, groseras, vocingleras e irracionalmente exigentes. Se complacían en ridiculizar sus defectos. Una de ellas se fugó para tener una relación con un antiguo cliente. Cuando An-te-hai lo descubrió, persiguió a la mujer y la azotó hasta casi matarla.

El día en que An-te-hai partió para su viaje de compras, sus problemas recientes parecían un recuerdo lejano, pero yo aún estaba preocupada por él. El viaje era largo y la empresa ardua.

—Alegraos por mí, mi señora —me tranquilizó—. Me siento como un pez que vuelve a su arroyo natal.

—Es un viaje de tres meses. Tal vez puedas empezar otra vez a buscar una esposa —me burlé.

—Una decente, esta vez. Seguiré vuestro consejo y traeré una muchacha de buena familia.

Nos separamos en el puerto del Gran Canal, donde aguardaba una procesión de juncos. An-te-hai estaba de pie en una de las dos grandes barcazas dragón, decoradas con un dragón volante y un fénix. Estaba segura de que a las autoridades locales les impresionaría semejante presentación. Estarían ansiosos por responder a las peticiones de An-te-hai y ofrecerle su protección.

—Regresa para tu cumpleaños, An-te-hai —le despedí con la mano mientras él embarcaba.

Mi favorito sonrió, con una brillante sonrisa; la última.

Mis enemigos describieron la expedición de An-te-hai como un alarde de fantasía. Se dijo que el eunuco estaba borracho la mayor parte del tiempo.

«Contrató músicos y vistió túnicas de dragón como un emperador —decía el informe del gobernador Ting—. Danzando al son de las flautas y los címbalos, An-te-hai recibía las felicitaciones de su séquito. Su conducta era ilegal y caracterizada por la locura.»

La Corte se hizo eco: «La ley dice que el castigo para cualquier eunuco que viaje fuera de Pekín es la muerte». Habían olvidado que aquel no era el primer viaje de An-te-hai. Hacía más de una década, cuando tenía dieciséis años, An-te-hai viajó solo desde Jehol hasta Pekín en una misión secreta para ponerse en contacto con el príncipe Kung. No fue castigado sino felicitado por su heroísmo.

Nadie parecía oír mis razones. An-te-hai podía haberse comportado de manera insensata, incluso haber infringido la ley, pero el castigo no era proporcionado al crimen, sobre todo cuando había sido aplicado contra mi deseo expreso. Estaba claro que la Corte intentaba justificar el crimen del gobernador Ting. Lo que más rabia me daba era lo bien construida que estaba la trama. Me proporcionaron la suficiente información concreta como para vislumbrarla a grandes rasgos, pero sin embargo nada podía hacer.

An-te-hai fue decapitado el 25 de septiembre de 1872. Tenía treinta años. No había modo en que yo hubiera podido evitar el asesinato, porque mis enemigos querían que fuera un preludio de mi propia muerte.

Podía haber ordenado el castigo del gobernador Ting. Podía haberle depuesto de su cargo u ordenado su decapitación, pero sabía que sería un error; habría caído directamente en la trampa de mis enemigos. Si An-te-hai hubiera estado a mi lado, me habría aconsejado:

—Mi señora, no os enfrentáis solo al gobernador y a la Corte, sino también a la nación y a su cultura.

Quería un careo con el príncipe Kung. No podía demostrar su implicación, pero sabía que había apoyado el asesinato de An-te-hai. Mi relación con el príncipe Kung ya no tenía salvación.

96

Al librarse de An-te-hai, me había hecho saber que era capaz del dominio completo.

Nuharoo no quería hablar de la muerte de mi eunuco. Cuando fui a su palacio, sus asistentes fingieron que no me oían llamar a su puerta. Eso solo sirvió para confirmarme que Nuharoo era culpable. Podía aceptar que no le gustase An-te-hai, pero nunca le perdonaría que hubiera tomado parte en su asesinato.

Tung Chih ni siquiera se molestó en ocultar su placer porque An-te-hai hubiera muerto. Parecía confundido por mi tristeza y llegó a la conclusión de que An-te-hai era exactamente lo que él pensaba: mi amante secreto. Tung Chih dio torpemente una patada al altar que había colocado en una habitación que había reservado para llorar a An-te-hai.

A través de la confesión de un músico local que An-te-hai había contratado durante su viaje, empezaron a aflorar las razones más hondas y oscuras que subyacían a su muerte.

Una noche, An-te-hai nos pidió que tocáramos más fuerte nuestros instrumentos —decía el relato del músico—. Era más de medianoche. Yo temía que atrajéramos la atención de las autoridades locales, así que le supliqué que nos dejara parar. Pero el eunuco jefe insistió en que continuáramos y nosotros obedecimos. Nuestras barcazas estaban brillantemente iluminadas, y los juncos estaban decorados con faroles de colores. Era como un festival. Solíamos surcar las aguas después de anochecer y los aldeanos nos seguían durante kilómetros por la ribera. Algunos de los lugareños eran invitados a subir a bordo y unirse a la fiesta. Bebíamos hasta el amanecer. Tal como yo había predicho, las autoridades intervinieron. Al principio An-te-hai consiguió mantenerlos a raya. Señalaba la bandera amarilla que ondeaba en nuestra barcaza que tenía un mirlo en ella, y le decía al funcionario que contara cuántas patas tenía. El mirlo tenía tres patas. «No ofendáis a este pájaro, porque representa al emperador», le dijo An-te-hai.

A An-te-hai le gustaba la música y nos hicimos amigos. Me contó lo desgraciado que había sido. Me impresionó cuando dijo que estaba buscando la manera de poner fin a su vida. Pensé que estaba borracho, así que no tomé en serio sus palabras. ¿Cómo puede nadie creer que el eunuco más poderoso de nuestra época estaba sufriendo? Pero enseguida llegué a creerle, porque me daba cuenta de que estaba invitando a los problemas. Me asustó. Por suerte me fui el día antes de que apareciera el gobernador Ting. Aún sigo sin comprender por qué An-te-hai desperdició una buena vida.

Tal vez An-te-hai quiso quitarse la vida; tal vez decidió que ya tenía bastante. Yo debería haber sabido que él era más valiente que los demás. Su vida era como una gran ópera, y fue la reencarnación de Cheng Ho.

Era más de medianoche y en el patio de la Ciudad Prohibida había cesado cualquier sonido. Encendí las velas preferidas de An-te-hai perfumadas de jazmín y le leí un poema que había compuesto.

¡Qué hermosos los lagos y las colinas del sur!,
con llanuras que se extienden como una hebra de oro.
A menudo, con una copa de vino en la mano, tú has estado aquí
para entretenernos, por ebrios que pareciéramos.

Junto al estanque de los lirios brillan las lámparas recién encendidas,
tú tocas la Melodía del Agua de noche.
Cuando regreso, el viento se ha ido, la luna radiante recubre
de hierba esmeralda las olas del río.

10

Después de la boda de Tung Chih, los astrólogos nos ordenaron que Nuharoo y yo buscáramos una fecha propicia para que el emperador asumiera el poder. Las estrellas señalaron el 23 de febrero de 1873. Aunque Tung Chih ya se ocupaba de sus deberes, el ascenso al trono no se consideraría oficial hasta que concluyeran largas y elaboradas ceremonias. Podían durar meses. Tenían que estar presentes todos los poderosos ancianos de los clanes y todos tendríamos que visitar templos ancestrales y celebrar los adecuados rituales ante el altar. Tung Chih tenía que pedir a los espíritus permiso, bendición y protección.

Poco después de su investidura, el Tsungli Yamen, el Ministerio de Asuntos Exteriores, recibió una nota de los embajadores de varias naciones extranjeras solicitando una audiencia. El consejo había recibo antes peticiones semejantes, pero siempre había alegado la juventud de Tung Chih como motivo para rechazarlas. Ahora Tung Chih aceptó la petición. Con la ayuda del príncipe Kung, repasaba concienzudamente la etiqueta.

El 29 de junio de 1873, mi hijo recibió a los embajadores de Japón, Gran Bretaña, Francia, Rusia, Estados Unidos y Holanda. Los invitados fueron convocados a las nueve de la mañana y conducidos al Pabellón de la Luz Violeta, un gran edificio donde Tung Chih se sentaba en el trono.

Yo estaba nerviosa porque era la primera aparición de mi hijo ante el mundo. No tenía idea de los retos a los que se enfrentaría, y deseaba que causara una buena impresión. Le dije que China no podía permitirse otro malentendido.

Yo no asistí al acontecimiento, pero hice lo que haría cualquier madre: me aseguré de que mi hijo comiera un buen desayuno y me ocupé de los detalles de su traje: comprobé los botones de su túnica de dragón, las joyas de su sombrero, los encajes de sus adornos. Después de lo que le había hecho a An-te-hai, yo me había jurado retirar a Tung Chih todo mi afecto, pero no podía cumplir mis palabras. No podía no amar a mi hijo.

Pocos días más tarde, el príncipe Kung me envió una copia de una publicación extranjera llamada *The Peking Gazette*. Me hizo saber que Tung Chih lo había hecho bien: «Los ministros han admitido que la virtud divina ciertamente emanaba del emperador, de ahí el temor y el temblor que sentían incluso aunque no mirasen a su majestad».

Me vino a la mente la idea: ahora puedo retirarme. Dejaría los asuntos de la Corte a otros, tendría tiempo para placeres privados con los que solo había podido soñar. La jardinería y la ópera eran dos intereses que yo había planeado seguir. En concreto, sentía curiosidad por cultivar verduras. Mi deseo de plantar tomates y coles había agriado la expresión del ministro imperial de jardines, pero volvería a intentarlo. La ópera siempre había sido mi placer especial, y tal vez tomaría lecciones de canto para poder cantar mis canciones favoritas. Y por supuesto soñaba con los nietos: en una visita especial a Alute y Foo-cha, prometí a mis nueras que ascenderían de categoría si conseguían darme descendencia. Me había perdido la crianza de Tung Chih cuando era un bebé y quería una nueva oportunidad.

Cuando me senté a pintar para mi hijo, me encontré a mí

misma probando temas distintos. Además de flores y pájaros, pintaba peces en un estanque, ardillas jugando en los árboles, ciervos ante campos extensos. Seleccioné algunas de mis mejores pinturas para que fueran bordadas.

—Para mis nietos —dije a los sastres reales.

Mi hijo quería empezar a restaurar mi antiguo jardín, Yuan Ming Yuan, que los extranjeros habían incendiado nueve años antes. Si no me hubiera preocupado el coste, habría estado encantada.

—Yuan Ming Yuan era el símbolo del orgullo y el poderío de China —insistió mi hijo—. Madre, será un regalo para tu cuadragésimo cumpleaños.

Le dije que no podía aceptar tal regalo, pero dijo que él se las arreglaría con los gastos.

—¿De dónde saldrá el dinero? —le pregunté.

—El príncipe Kung ya ha contribuido con veinte mil taels —respondió mi hijo emocionado—. Se espera que amigos, parientes, ministros y otros funcionarios sigan su ejemplo. Madre, por una vez intenta disfrutar de la vida.

Habían pasado nueve años desde la última vez que visitara Yuan Ming Yuan. El lugar había sido aún más destrozado por el viento, el tiempo, los carroñeros y los ladrones. Las malas hierbas, altas como un hombre, cubrían toda la zona. Mientras me encontraba junto a los rotos pilares de piedra, oía el crujido de las ruedas de carruajes y las pisadas de los eunucos, y recordaba el día en que escapamos por los pelos del avance de los ejércitos enemigos.

Nunca le había contado a Tung Chih que Yuan Ming Yuan era el lugar donde fue concebido. En aquel momento yo lo tenía todo: el único deseo del emperador Hsien Feng era complacerme. Aunque breve, había sido real, y había llegado en el momento de mi mayor desespero. Me había gastado todo lo que tenía en sobornar al jefe eunuco Shim para conseguir una sola noche con su majestad. Cuando el emperador Hsien Feng

me ridiculizó, arriesgué mi vida al hablarle abierta y sinceramente. Fue mi audacia la que me ganó sus respetos, y luego su adoración. Recordaba la voz de Hsien Feng llamándome dulcemente «mi Orquídea». Recuerdo el incansable deseo que sentía por mí en la cama, en todas partes, y el mío por
él. La felicidad que ambos sentíamos. Las lágrimas que bro-
taban cuando hacíamos el amor. A sus eunucos les aterroriza-
ba que su majestad desapareciera durante la noche, mientras
que mis eunucos esperaban junto a la verja para recibirlo. Como «dama de la noche» se suponía que debía estar preparada,
como un plato de comida que se ofrecía a su majestad, pero era
su majestad quien se ofrecía a mí. Gozaba con su propio
amor.

Más tarde, cuando Hsien Feng se unió a otras damas, experimenté algo muy parecido a la muerte. Era imposible seguir
viviendo, pero no podía quitarme la vida porque Tung Chih
estaba dentro de mí.

El primer lugar que Tung Chih quería restaurar era el palacio donde yo había pasado la mayor parte de mi vida con Hsien
Feng. Le di las gracias a Tung Chih y le pregunté cómo se había
enterado de que aquel palacio era especial para mí.

—Madre —respondió, sonriente—, cuando guardas silencio sobre algo, sé que lo haces porque es lo que más quieres.

Nunca dudé de los motivos de Tung Chih. No sabía que la verdadera razón por la que tenía tantas ganas de reconstruir Yuan
Ming Yuan era alejarme de él para poder continuar su vida secreta, que pronto lo destruiría.

Los consejeros reales alentaban a Tung Chih porque estaban
deseosos de que me retirase. Les molestaba recibir órdenes mías
y tenían ganas de gobernar sin que yo interfiriera. Con su aprobación, Tung Chih ordenó que empezara la restauración antes
incluso de que llegaran los fondos. El proyecto estuvo plagado

de problemas desde el principio. Cuando el principal proveedor de madera fue sorprendido malversando fondos, estos cesaron. Era el principio de una pesadilla interminable.

Un funcionario local escribió una carta indignada a la Corte acusando a Tung Chih de ceder ante mi codicia. Describió la restauración de Yuan Ming Yuan como un despilfarro de los fondos nacionales. «La dinastía anterior a la nuestra, la Ming, fue una de las más largas de China, duró dieciséis soberanos —señalaba el funcionario—. Pero los últimos emperadores Ming desperdiciaron sus energías en el placer. Al final del siglo XVI, la dinastía Ming entró en coma, en espera de ser derrocada. Las arcas del tesoro estaban vacías, los impuestos se volvieron imposibles, y las tradicionales señales de mal gobierno —inundaciones, sequías y hambrunas— proliferaban por doquier. La gente transfirió su lealtad a un nuevo líder porque la dinastía había perdido el derecho al Mandato del Cielo.»

La Corte no necesitó que un funcionario insignificante les recordara que el país aún estaba devastado por la reciente rebelión Taiping y que los levantamientos musulmanes en el oeste no habían sido aún reprimidos. Sin embargo, reprendieron al funcionario por «obstruir el deber filial del emperador para con su madre». Tung Chih estaba decidido a ver cumplido su objetivo, pero al cabo de un año y unos gastos descomunales, el príncipe Kung le presionó para que abandonara el proyecto.

Durante años me culparon por lo que ocurrió en Yuan Ming Yuan, pero yo ya no estaba en situación de aconsejar a Tung Chih; estaba oficialmente retirada. Lo que me sorprendió fue que el príncipe Kung cambiara de idea. Él fue el primero en apoyar la restauración con una donación para que empezaran las obras, pero luego fue de los que suplicaron a Tung Chih que anulara el proyecto.

En una de sus rabietas, Tung Chih acusó a su tío de haberle hablado de modo irrespetuoso y lo degradó. Fue Nuharoo la que le convenció de que le devolviera el cargo después de unas semanas.

Yo me mantuve al margen porque sentía que Tung Chih necesitaba aprender a ser emperador. Habría sido demasiado fácil para él dar órdenes a los demás sin sufrir las consecuencias.

11

Un caluroso día del verano de 1874, observaba a mi eunuco Li Lien-ying cortar las gardenias del jardín. Quitaba y tiraba capullos de flores y retoños laterales, luego cortaba los tallos en trozos de menos de un centímetro, haciendo un corte con cuidado debajo de un nudo.

—En este punto se formarán nuevas raíces —explicó mientras metía los injertos en macetas—. La próxima primavera las plantas estarán listas para salir en el jardín.

Al cabo de un mes los esquejes no dieron ninguna hoja nueva. Para comprobar si las raíces estaban creciendo, Li Lienying tiró con cuidado de un esqueje. No encontró resistencia, lo que indicaba que las raíces no se estaban formando. Se dijo a sí mismo que tuviera paciencia y esperara unos días más.

—Llevo años haciendo esto —me dijo—. Así es como hacemos los esquejes de los viejos jardines de gardenias.

Pero los esquejes empezaron a marchitarse y acabaron muriendo. El eunuco creía que era una señal del cielo de que algo terrible estaba a punto de ocurrir.

—No pasará nada —le dijo el maestro jardinero a Li—. Tal vez fuera tu torpeza, tal vez el agua estuviera contaminada por orina de un animal, o había insectos ocultos en el musgo. En cualquier caso, las plantas murieron por sufrir demasiada tensión.

Yo no pude evitar pensar en mi hijo. Había vivido como una planta de invernadero, protegido hasta ahora de los rigores e incertidumbres del jardín.

Tung Chih pilló un resfriado y no salió durante meses. Tenía fiebre y en otoño su cuerpo estaba muy débil.

—Tung Chih necesita salir al exterior y hacer ejercicio —instó el príncipe Kung.

Los otros tíos de mi hijo, el príncipe Ts'eng y el príncipe Ch'un, suponían que la disipada vida nocturna de Tung Chih había empezado a pasar factura a su salud. Cuando el doctor Sun Pao-tien pidió una reunión para hablar del verdadero estado de Tung Chih, fue rechazado.

Yo no soportaba ver a Tung Chih postrado en su lecho de enfermo. Me recordaba los últimos días de su padre. Reuní a Alute, a Foo-cha y las demás esposas y les pregunté, mientras se arrodillaban ante mí, si tenían alguna idea de lo que le pasaba a su marido.

Su revelación me conmocionó: Tung Chih no había dejado de frecuentar los burdeles.

—Su majestad prefiere las flores silvestres —se quejó Foo-cha.

A Alute le molestó mi interrogatorio. Le expliqué que no pretendía entrometerme ni ofenderla y que no tenía ningún interés en perturbar su intimidad.

Con las cejas enarcadas en forma de dos espadas voladoras, Alute dijo que, como emperatriz de China, tenía derecho a no responder.

—Es algo entre Tung Chih y yo —insistió. Su tez blanca lisa como la porcelana se sonrojó.

Yo traté de no demostrar mi irritación. Le dije que solo pretendía ayudar.

—No dudo de vuestros motivos —me dijo Alute—. Es... que no me siento inferior en cuanto a estatus.

Aquello me confundió.

—¿De qué estás hablando? ¿Quién te hace sentir «inferior en estatus»?

Alute hizo un gesto con la cabeza a las demás esposas.

—Aquí todas temen decir lo que piensan delante de vos, pero yo voy a hacerlo. Emperatriz Viuda, Tung Chih es vuestra responsabilidad, no la nuestra.

Me sentí ofendida.

—Alute, no tienes derecho a hablar por las demás.

—Entonces hablaré por mí. Como madre de su majestad, ¿habéis preguntado a vuestro hijo qué le pasa?

—No os habría pedido ayuda si hubiera podido hablar con él.

—Debe de haber un motivo para que abandonara la Ciudad Prohibida por una casa de putas.

—Estás enfadada, Alute. ¿De veras crees que es culpa mía?

—Sí, lo creo.

—Pruebas, Alute.

La muchacha se mordió el labio.

—El emperador Tung Chih estaba bien conmigo hasta que vos le dijisteis que fuera a ver a Foo-cha. Vos no podíais soportar la idea de que tuviera un hijo conmigo y no con Foo-cha. ¡Por eso Tung Chih se hartó de todas nosotras, porque estaba harto de vos!

Tal vez Alute tuviera razón, pero yo la rechacé debido a su grosería.

—¡Alute, cómo te atreves! No tienes derecho a faltarme al respeto.

—¡Pero el hijo de mi vientre sí!

Me quedé atónita. Pedí a Alute que repitiera lo que acababa de decir.

—Estoy embarazada —anunció llena de orgullo.

—¡Oh, Alute! —Yo estaba encantada—. ¿Por qué no me lo has dicho? ¡Felicidades! ¡Levántate! ¡Levántate! ¡Bueno, debo compartir esta maravillosa noticia con Nuharoo! ¡Vamos a tener un nieto!

—Aún no, majestad. —Me detuvo—. Hasta que Tung Chih no regrese a mí, no estoy segura de tener la fuerza necesaria para llevar a buen término el embarazo.

—Tung Chih es... —intenté encontrar palabras para consolarla—. Duele cuando sabes que él está con otras damas. Créeme, Alute, sé cómo te sientes.

—Odio lo que estáis diciendo. —Alute empezó a llorar.

—Bueno —dije sintiéndome culpable—, alégrate de que tienes el hijo de Tung Chih.

—La decisión de que el niño venga al mundo no depende de vos ni de mí. Mi cuerpo y mi alma padecen tanto dolor que puedo sentir que buscan venganza. Me temo que algo inesperado va a suceder.

—Es la voluntad del cielo que tengas un hijo, Alute. La semilla del dragón sobrevivirá a pesar de todo.

Sin pedir permiso, Alute se acercó a la ventana y me dio la espalda. Fuera los robles gigantes estaban desnudos.

—Han estado cayendo nueces de roble por todas partes —dijo Alute sacudiendo la cabeza—. Cuesta caminar sin pisarlas. Es un mal presagio. ¿Qué voy a hacer? No estoy hecha para soportar el sufrimiento.

—Alute —dije con dulzura—, estoy segura de que no ocurre nada malo. Solo estás cansada, eso es todo.

Alute no hizo caso; seguía mirando por la ventana. Su voz se volvía cada vez más fina y distante.

—Se hace cada vez más fuerte. Oigo el sonido de las nueces cayendo y rompiéndose en el suelo, día y noche.

Contemplé la espalda de mi nuera. Llevaba el sedoso cabello negro intrincadamente trenzado y recogido en un moño. Las horquillas de flores rosadas tachonadas con diamantes centelleaban en la luz. De repente, comprendí por qué fue la primera opción de Tung Chih: al igual que él, ella tenía sus propias ideas.

Fue una mañana de principios de invierno cuando el doctor Sun Pao-tien irrumpió con la noticia de que mi hijo no viviría.

Me puse a temblar delante del médico como un árbol joven en una tormenta. Imaginé farolillos rojos flotando desde el techo.

Intenté comprender al médico, pero no podía. Sun Pao-tien me explicaba cuál era el estado de salud de Tung Chih, pero parecía que hablase una lengua extranjera. Entonces, debí de desmayarme. Cuando recuperé la consciencia, Li Lien-ying estaba delante de mí. Siguiendo las instrucciones del médico, presionaba el pulgar entre mi nariz y la parte de arriba de mi labio superior. Intenté apartarlo, pero no tenía fuerzas.

—Tung Chih ha sido visitado por las flores celestiales —le oí decir por fin.

—Dile al doctor Sun Pao-tien —respiré hondo y grité—: ¡que si hay algún error, no dudaré en castigarlo!

Después de comer el doctor volvió. Arrodillado empezó su informe.

—El estado de su majestad se ha complicado. No puedo estar seguro de qué es lo que ha entrado primero en su cuerpo, la viruela o una enfermedad venérea. En cualquier caso, su estado es mortal, escapa a mi poder para curarlo o siquiera para controlarlo.

El doctor confesó que para él había sido un auténtico padecimiento presentar la verdad. Su equipo médico había sido acusado de atraer la mala suerte a su majestad. Todo el mundo intentaba mantener en secreto la enfermedad de Tung Chih.

Le pedí al doctor que me perdonara y le prometí que controlaría mis emociones.

Se hizo un esfuerzo por estabilizar el estado de Tung Chih. En diciembre de 1874, las manchas de su cuerpo se secaron y le bajó la fiebre. Los palacios celebraron los signos de recuperación, pero fue prematuro. Pocos días más tarde, Tung Chih volvió a tener fiebre, que persistió.

No consigo recordar cómo mataba el tiempo. Mi mente solo era capaz de formular un único pensamiento: salvar a mi hijo. Me negué a creer que Tung Chih moriría. Sun Pao-tien aconsejó que pidiera a médicos occidentales una segunda opinión.

—Tienen instrumentos para sacar fluidos corporales y muestras de sangre a su majestad —susurró, sabiendo que se suponía que no debía hacer aquella insinuación—. Pero dudo que su diagnóstico sea distinto.

La Corte rechazó mi petición de que lo visitaran médicos occidentales, temerosa de que los extranjeros se aprovecharan del estado de salud de Tung Chih y lo consideraran una oportunidad para invadirnos.

Yo me tumbaba junto a mi hijo febril. Escuchaba el sonido de su respiración fatigosa. Le ardían las mejillas. En sus horas de vigilia se lamentaba y gemía débilmente.

Tung Chih pidió que Nuharoo y yo volviéramos a asumir la regencia. Al principio yo me negué porque sabía que no sería capaz de concentrarme en los asuntos de la Corte, pero Tung Chih insistió. Cuando leí su decreto a la nación, me di cuenta de lo que mi ayuda significaba para él.

Aquel escrito en tinta sobre papel de arroz fue la última caligrafía de mi hijo. Entre todas las cosas, me entristeció el hecho de que mi nieto nunca vería el modo en que su padre sostenía el pincel.

«Ruego a las dos emperatrices que tengan piedad de mi estado y me permitan ocuparme de mí mismo —decía el edicto de Tung Chih—. Al ocuparse de los asuntos de Estado durante un tiempo, las emperatrices coronarán su gran bondad hacia mí y yo les mostraré gratitud eterna.»

Cada día, después de la audiencia, iba a sentarme con Tung Chih. Hablaba con el doctor Sun Pao-tien y los asistentes de

Tung Chih. Examinaba las crecientes pústulas en la piel de mi hijo y deseaba que estuvieran en mi propio cuerpo. Suplicaba la clemencia del cielo y rezaba:

—Por favor, no seas tan cruel con una madre.

Ordené que nadie perturbara el descanso de Tung Chih, pero el médico me aconsejó que dejara que mi hijo viera a quien le diera la gana.

—Su majestad tal vez no tenga otra oportunidad.

Yo accedí. Me sentaba al lado de mi hijo para asegurarme de que nadie lo fatigaba.

Alute se negó a acudir cuando Tung Chih la mandó llamar. Dijo que no entraría en la habitación a menos que yo no estuviera allí.

Yo consentí en marcharme.

Eran las dos de la madrugada cuando mi hijo abrió los ojos. Aunque aún le ardían las mejillas, estaba de buen humor. Me pidió que me sentara junto a él. Le ayudé a incorporarse sobre las almohadas. Le supliqué que dejara que le diera un poco de avena, pero él negó con la cabeza.

—Vamos a divertirnos un poco antes de que muera —consiguió esbozar una sonrisa luminosa.

Yo me vine abajo y le dije que no sabía de qué diversión hablaba. Por lo que a mí se refería mi felicidad acabaría si él moría.

Tung Chih me cogió la mano y me la apretó.

—Echo de menos la luna —dijo—. ¿Me ayudarías a salir al patio?

Le puse una manta sobre los hombros y le ayudé a salir de la cama. El mero hecho de vestirse representaba un esfuerzo y pronto se quedaba sin aliento.

Con un brazo sobre mis hombros, salió al patio.

—¡Qué noche más hermosa! —suspiró.

—¡Hace demasiado frío, Tung Chih! —protesté—. Volvamos dentro.

—Quedémonos un momento, madre. Estoy disfrutando.

Sobre el fondo iluminado por la luna, los árboles y arbustos parecían recortes de papel negro. Miré a mi hijo y lloré. La luz de la luna le blanqueaba el rostro, dándole el aspecto de una escultura de piedra.

—¿Recuerdas cuando intentabas enseñarme poesía, madre? Yo estaba desesperado.

—Sí, claro. Era demasiado para ti. Habría sido demasiado para cualquier niño.

—Lo cierto es que no estaba inspirado. Mis profesores dijeron que antes tenía que sentirlo y luego describirlo. —Tung Chih se rió con una risa débil—. Yo escribía, pero no sentía nada. Lo creas o no, desde que tengo los días contados, estoy muy inspirado.

—Basta, Tung Chih.

—Madre, tengo un poema para ti, justo aquí. —Se señaló la cabeza—. ¿Puedo recitártelo?

—No quiero oírlo.

—Madre, te gustará. Se llama: «A un amor».

—No, no lo escucharé.

Tung Chih empezó suavemente:

Me separo, pero para viajar otra vez en sueños persistentes
por el pasillo de filigrana serpenteante y la sinuosa balaustrada,
en el patio solo la luna de primavera está llena de compasión
por mí, que parto, aún reluciente, sobre las flores caídas.

La mañana del 12 de enero de 1875 mi hijo murió. El Salón de la Nutrición Espiritual se llenó de flores de ciruelo recién cortadas, sus pequeños pétalos como de cera y sus tallos desnudos se erguían elegantemente en los jarrones. Las flores eran las favoritas de Tung Chih. Una vez soñó que las cogía en la nieve, algo que nunca se le permitió hacer. Yo vestía mi túnica de luto, bordada con las mismas flores de ciruelo que había estado cosiendo hasta últimas horas de la noche. Giraron el rostro de Tung Chih hacia el sur y lo vistieron con túnicas que presentaban los símbolos de la longevidad. Tenía diecinueve años y había sido emperador desde 1861. Había gobernado durante dos años.

Me senté junto al ataúd de Tung Chih mientras los artesanos acababan los herrajes. Inclinados sobre la estructura, los pintores daban los últimos toques. El ataúd estaba lleno de dragones dorados tallados y pintados.

Alisé las frías mejillas de mi hijo con los dedos. La etiqueta no me permitía abrazarlo ni besarlo. Tung Chih murió con un rosario de herpes alrededor de la boca. Durante las últimas dos semanas le habían salido herpes por todas partes, que pudrían su cuerpo desde el interior. Tenía la boca y las encías llenas de llagas, tantas que no podía tragar. No quedaba un solo trozo de su piel sin infectar. Le habían salido pústulas entre los dedos de las manos y los pies y rezumaban pus. La pasta negra medicinal que Sun Pao-tien le había aplicado le daba un aspecto grotesco.

Cada día de las últimas semanas había lavado a mi hijo, cada día descubría un nuevo brote de sífilis. La nueva brotaba encima de la vieja. Sus manos y sus pies parecían raíces de jengibre.

Cuando era demasiado para mí, salía de la habitación y caía de rodillas. No podía levantarme. Li Lien-ying me recordaba que no había comido nada.

Por las tardes, Li Lien-ying me perseguía con un cuenco de sopa de pollo en las manos. Sostenía el cuenco en alto fuera de mi alcance porque yo ya había tirado de un puntapié varios cuencos.

Me habían salido ampollas en las manos. Había estado trabajando mucho, cortando en pedazos gallinas, patos, peces y serpientes y ofreciéndolos en altares expiatorios.

—Los demonios hambrientos tienen que ser bien alimentados. ¡Ahora están tan llenos que dejarán en paz a mi hijo! —gritaba levantando la vista al cielo.

El humo de incienso hacía que la Ciudad Prohibida pareciera que se quemaba. Mis lágrimas discurrían como una fuente incesante. El doctor Sun Pao-tien decía que sería mejor que ya no le consultara. Fui a un lama, que me aconsejó que me concentrara en la vida futura de Tung Chih.

—La túnica eterna y el ataúd serán un buen comienzo.

El lama me dijo que no había ofrecido a los dioses mi total sumisión. En lugar de ayudar a mi hijo, solo estaba haciendo más profundo su dolor.

Pensé en quitarme la vida para acompañar a mi hijo. Mientras buscaba la manera, me di cuenta de que me seguían. Eunucos y doncellas rondaban siempre a mi alrededor. Sus expresiones normalmente plácidas eran ahora de preocupación. Murmuraban a mis espaldas. Cada vez que me levantaba de la cama a medianoche, un coro de toses se levantaba entre mis eunucos.

Mi jefe de cocina escondió los cuchillos y la lejía, mis damas de honor hicieron desaparecer todas las cuerdas. Cuando ordené a Li Lien-ying que me consiguiera opio, trajo al doctor Sun Pao-tien. Los guardias imperiales me impedían el paso cuando intentaba salir por las puertas de la Ciudad Prohibida. Cuando amenacé con castigarlos, dijeron que Yung Lu les había dado órdenes de que me protegieran de cualquier peligro.

Mi hijo murió en mis brazos mientras el sol se levantaba. Los arbustos de gardenia del patio fueron víctimas de una mortal helada tardía, se les ajaron las hojas y se pusieron negras. Las ardillas habían dejado de saltar de árbol en árbol. Se sentaban en las ramas a comer nueces y parloteaban ruidosamente. Caían plumas del cielo cuando una bandada de patos salvajes volaba por encima de nuestras cabezas.

Recuerdo que estaba abrazando a Tung Chih y notaba cómo se iba debilitando su corazón. Recuerdo haberme dormido sentada, así que no sabía exactamente cuándo había dejado de latir su corazón.

El jefe eunuco de Nuharoo llegó con el mensaje de que su ama estaba demasiado acongojada por la pena como para salir de su palacio.

La Corte había empezado los preparativos para la ceremonia conmemorativa. Se enviaron mensajeros para que los gobernadores principales empezaran su viaje hacia la capital.

Después de que el doctor y su equipo se retiraran, la Ciudad Prohibida se quedó en silencio. Desapareció el sonido de pisadas, así como el olor amargo de las medicinas herbales de Tung Chih.

Los eunucos y doncellas envolvieron todas las dependencias de los vivos con telas de seda blanca. Sacaron de los armarios, lavaron y plancharon los trajes de luto que una vez vestí para mi marido, para que estuvieran listos y me los pudiera poner para mi hijo.

Tung Chih fue trasladado de su cama por última vez. Yo ayudé a cambiarlo. Su túnica eterna estaba hecha de hilo de oro. Mi niño parecía un muñeco durmiente con los miembros rígidos. Le lavé la cara con bolas de algodón. No me gustaba cómo había preparado su cara el maquillador real, una capa tras otra de pintura, con un recubrimiento de cera para sellar el maquillaje. Mi hijo estaba irreconocible; su rostro tenía el brillo del cuero.

Por fin me dejaron a solas con Tung Chih. Toqué su maquillaje. Le lavé las capas de pintura. Su piel volvió a ser otra vez la misma, aunque marcada por la sífilis. Me incliné sobre él y le besé la frente, los ojos, la nariz, las mejillas y los labios. Le puse aceite de semillas de algodón por la cara, empezando por la frente. Me esforcé porque no me temblara la mano apretando el brazo contra el reposabrazos de mi sillón. Le pinté los labios y las mejillas con un toque de carmín para que se pareciera a como yo lo recordaba. Dejé el resto de sus rasgos intactos.

Tung Chih tenía una frente amplia y hermosa. Las cejas solo le habían crecido hasta parecer dos finas pinceladas. Cuando era joven, el color de sus cejas era tan claro que parecía que no las tuviera. Nuharoo nunca estaba satisfecha con el maquillaje que Tung Chih solía llevar en las audiencias, sobre todo el de sus cejas. Muchas veces había llegado tarde a la Corte porque Nuharoo insistía en volver a maquillarlo.

Los ojos claros de Tung Chih habían sido la alegría de mi vida. Al igual que los míos tenían grandes párpados superiores y forma de almendra. En opinión de mi madre, su mejor rasgo era su nariz recta. Le quedaba bien con sus pómulos salientes, que eran característicos de los manchúes. Sus labios eran carnosos y sensuales. Aun muerto seguía siendo guapo.

Seguí el consejo del lama e intenté tratar la muerte de mi hijo como un acontecimiento natural de la vida, pero el remordimiento había empezado su camino tortuoso. Mi corazón estaba anegado en su propio veneno.

El ataúd de Tung Chih era tan grande como el de su padre. Lo llevarían a hombros ciento sesenta hombres. Cuando Li Lien-ying me dijo que había llegado el momento de decirle adiós, me puse en pie para caer de rodillas poco después. Li me sujetó por los brazos y yo me levanté como una vieja de cien años. Nos acercamos al ataúd, donde miré por última vez a mi hijo.

Li Lien-ying preguntó si a Tung Chih le gustaría llevarse con él su viejo juguete favorito: una maqueta de Pekín hecha de papel. El círculo interior de la ciudad se quedaría con él; el exterior se guardaría para la ceremonia de la cremación de papel, para ayudar a Tung Chih a encontrar su camino.

—Sí —le dije.

Junto al ataúd, el eunuco pidió perdón a mi hijo por tener que desmontar la ciudad interior para que cupiera.

—Aquí está vuestra callejuela de la Escalera —dijo Li Lien-ying—. Como su majestad puede ver parece una escalera que sube una cuesta. Aquí está la calleja del Saco y la calleja del Encalado, las calles por las que podemos entrar pero no salir. Y ahora, en este lado, los callejones de Soochow. Su majestad me preguntó una vez si las calles originales fueron construidas por gentes del sur. Tal vez no fueran de Soochow sino de Hangchow. Su majestad no tenía tiempo para perder en detalles y diferencias insignificantes, pero ahora el tiempo está a vuestro favor.

Por un momento mi mente voló a otro lugar y Li Lien-ying se convirtió en An-te-hai. ¿Qué habría dicho An-te-hai de todo aquello? Él nunca tuvo un servicio fúnebre. Pocos lo mencionaron después de su ejecución. Sus esposas y concubinas dividieron su fortuna y pronto lo olvidaron. Nadie lo lloró. Yo contraté secretamente a un escultor que hizo una lápida para la tumba de An-te-hai. Debido a mi posición nunca pude visitar el lugar y no tenía ni idea de cómo era su última morada. Fue una desgracia para Tung Chih que nunca se hiciera amigo de An-te-hai.

Cuando acabó de cerrar el ataúd, Li Lien-ying siguió hablando a mi hijo muerto.

—Nunca tuve oportunidad de explicaros lo que significa la calleja del Dios Caballo o el templo del Dios Caballo. Vuestros antepasados podrían preguntaros esto, y es importante que estéis preparado. Los primeros manchúes eran pueblos que vivían a lomos de caballo. Sin la ayuda de sus caballos, no habrían conquistado China. Los manchúes adoran, admiran y respetan a los caballos. En Pekín construyeron templos para venerar a caballos legendarios que habían muerto en batallas importantes. Tal vez en vuestra próxima vida, majestad, tengáis la oportunidad de visitar las callejas y templos que honran a los caballos.

Fue a su muerte cuando Tung Chih conoció la ciudad en la que había vivido. Con la ayuda de mi eunuco, quemé el resto de la ciudad, la ciudad exterior, para que el espíritu de mi hijo se la llevara. Los nombres fueron copiados de los originales: calleja del Pozo de Agua Dulce, calleja del Pozo de Agua Amarga, calleja del Pozo de Tres Ojos, calleja del Pozo de Cuatro Ojos, mercado de la Oveja, mercado del Cerdo, mercado del Asno. El mercado de las Verduras estaba al lado de la fábrica de flechas de la dinastía, y el campo de maniobras militar, el lugar de la gran valla, se llenó de caballos y soldados de papel.

También dentro de la cremación ritual estaba la zona de tiendas de papel que reproducía el callejón del Pozo Real, el más grande de Pekín, que tenía kilómetros de longitud. Li Lien-ying no olvidó el cadalso, que se llamaba Mercado del Ganado. Creía que Tung Chih necesitaría todo aquello para gobernar en su próxima vida. Ordené que incluyeran el famoso Horno de Porcelana, que era la librería más famosa de Pekín, que había sido construida en un antiguo horno abandonado. Como mi hijo tendría mucho tiempo para apreciar los detalles, añadimos el callejón de la Cola de Perro, el callejón de las Hachuelas y el callejón de la Cortina Abierta.

Hacía frío y estaba oscuro cuando regresamos a mi palacio. Li Lien-ying intentó cerrar las ventanas, pero yo le frené.

—Déjalas abiertas. El espíritu de Tung Chih podría venir a visitarnos.

La gigantesca luna pálida que pendía sobre los árboles desnudos me trajo recuerdos. Recordé una vez, en Jehol, que Tung Chih me suplicó que le dejara bañarse en las fuentes termales. Se lo prohibí porque estaba resfriado. Recuerdo que respiré el aire fresco y deseé poder criar a Tung Chih en aquel lugar. Esa noche estuvimos entre los altos bambúes silvestres. Las hojas danzaban en la brisa. La espesa hiedra colgaba a unos catorce o quince metros desde robles centenarios como si fueran cortinas del cielo. Los jazmines en la sombra a cada lado del sendero parecían olas del océano congeladas.

Fui a la biblioteca a buscar material que pudiera ayudarme a elaborar las notas necrológicas de Tung Chih. Un libro delgado, *Hogar convaleciente para las flores de ciruelo invernales*, captó mi atención. El autor era J. Z. Zhen de la primera dinastía Qing. Cuando empecé a leerlo ya no pude dejar el libro.

En el sur de China, sobre todo en Soochow y Hangchow, es muy popular un árbol de flores de ciruelo. Se ha convertido en el tema de famosos pintores. Sin embargo, la belleza del árbol reside en su enfermedad; se preferían las formas anormales, las ramas torcidas con nudos gigantes y las raíces al descubierto. Los árboles rectos y saludables se consideraban sosos y sin gusto. Se le quitaban las hojas y el árbol se reducía a troncos desnudos.

Cuando los arboristas comprendieron lo que sus clientes querían, empezaron a modelar los árboles. Para reprimir el crecimiento normal, los árboles se vendaban como los pies de las mujeres. Se les ponían alambres a las ramas para que adquiriesen las formas deseadas. Los árboles crecían hacia los lados y hacia abajo. Cuando se liberaban, se consideraban «fabulosos» y «elegantes».

Ahora, las flores de ciruelo de invierno de toda China están enfermas porque los criadores han invitado a los gusanos a crear nudos. El modelado de las ramas en formas grotescas hizo que el árbol sufriera una muerte lenta, mientras los mercaderes se aprovechaban.

Un hombre reunió su fortuna familiar y fue al vivero local. Compró cientos de macetas de ciruelos de invierno enfermos. Convirtió su casa en una clínica de reposo, el hombre empezó a cuidar los árboles. Cortó los alambres, destruyó las macetas y plantó los árboles en el suelo. Dejó en paz a los árboles para que crecieran de manera natural y cubrió el suelo con rico abono. Aunque el ciruelo de invierno más enfermo no sobrevivió a la enfermedad, el resto sí lo hizo.

Tung Chih era como aquellos ciruelos de invierno, pensé cerrando el libro. Desde su nacimiento, había estado curvado y retorcido en una vitrina. Había soñado que él nadaba en el lago que había cerca de mi ciudad natal de Wuhu. Incluso fantaseé con que montaba a lomos del búfalo de agua como los muchachos que conocí cuando era una niña. Pero Tung Chih era un ciruelo de invierno que estaba atado con alambres, desviado. Su aprendizaje incluía todo salvo el sentido común. Se le enseñó el orgullo, pero no la comprensión, la venganza, pero no la compasión, la sabiduría universal, pero no la verdad. Las ceremonias y las audiencias interminables le desesperaban. Tung Chih consiguió la forma deseada, pero a costa de su vida. Le privaron del conocimiento de sí mismo y del mundo, le arrebataron opciones y oportunidades. ¿Cómo no iba a crecer sesgado?

Su coqueteo con muchachas de burdel había sido el intento

de Tung Chih por descubrir quién era él debajo de la máscara de emperador. Tal vez poseyera la naturaleza de un cazador y necesitara perseguir la libertad y la aventura. Tres mil concubinas compitiendo por sus semillas de dragón mataron al cazador que había en él. Si yo hubiera visto las cosas desde este punto de vista, podría haber aprendido de su sufrimiento. Después de su funeral descubrí materiales de lo más obsceno en su dormitorio. Estaba escondido dentro de sus almohadas, entre sus sábanas, bajo su cama. Los libros eran del peor gusto y de la peor calidad. El mundo privado de mi hijo, el emperador de China.

Recuerdo que mi marido me dijo una vez:

—Tú has venido a ocupar mi lecho como un ejército —dijo en tono enfadado.

Yo había contribuido a crear en mi hijo el mismo desagrado, que hizo de su muerte una auténtica venganza.

Envié a Li Lien-ying a invitar a mi nuera Alute a tomar el té. Para mi consternación, ella me respondió con un mensaje amenazando con suicidarse.

Yo estaba confundida y pedí una explicación.

—Tendré derecho a la regencia cuando dé a luz un hijo —declaró Alute en respuesta a mi mensaje—. Y espero que me cedáis el poder. Sin embargo, me han dicho que jamás renunciaréis porque solo vivís para ese poder. No veo otra opción más que retirarme de este mundo indecente. He decidido llevarme a mi hijo no nato conmigo.

Nunca había tomado a Alute en serio cuando actuaba así. Tenía que hacer la vista gorda cuando ella no se molestaba en ser amable o humilde delante de mí. No le gustó mi regalo de boda, un vestido de verano de seda verde clara bordada. Criticaba abiertamente mi gusto e insistía en redecorar su palacio entero. Cuando la invité a mi ópera favorita, *El pabellón de la peonía*, tuvo la cabeza vuelta durante toda la representación. Ella creía que, como viuda imperial, yo debería avergonzarme por disfrutar de una tonta ópera romántica.

A mí me desagradaba, pero la dejaba en paz. Pensé que si era así conmigo, sería igual con los eunucos, las doncellas y las concubinas, que a su vez le harían mucho daño. La Ciudad Prohibida era un lugar donde las mujeres la tomaban unas contra otras. Parecía que Alute tomó mi silencio como una invitación a insultarme más.

¿Sería Alute capaz de gobernar el país, suponiendo que mi nieto fuera hombre y ella asumiera la regencia? Parecía creer que podía manejar una crisis nacional sin instrucción ni experiencia. Desde fuera veía el atractivo y la gloria de mi cargo. Yo, por el contrario, veía reflejos de una espada de doble filo. Si Alute demostraba cierta aptitud y mérito, yo la ayudaría con mucho gusto.

Todo lo que hacía Alute me indicaba que era una consentida y no tenía ni idea de las consecuencias de sus actos. En lugar de participar en el luto de su marido, se pasaba los días con importantes miembros de la Corte, mis oponentes.

Si Alute me daba la oportunidad, yo podía mostrarle el camino, pero ella no podía concebir que transferir el poder implicaría enfrentarse a facciones políticas en la Corte y en el gobierno de toda la nación.

Ella no creía que pudiera haber una contienda. Alute me hizo saber que no quería mi ayuda y que desconfiaba fuerte y definitivamente de mí.

¿Cómo podía una muchacha inocente odiarme tanto? Yo estaba más sorprendida que disgustada. Aunque Alute había sido elegida por Nuharoo, no creía que Nuharoo fuera consciente de la intensidad del odio de Alute.

Temía a esa muchacha de Alute y me preocupaba mi nieto. El hecho de que Alute se hubiera planteado quitar la vida de su hijo no nato me espantaba. ¿Qué no le haría a China si le dieran el poder absoluto?

Escribí a Alute después de que rechazara mi propuesta de una solución sensata para las dos: «Los ministros, gobernadores y comandantes en jefe de China no estarán dispuestos a servir a menos que su gobernante demuestre ser digno de su devoción y sus vidas. No será tan fácil como asistir a una cena, hacer un bordado o ver una ópera».

Alute me respondió con su suicidio.

Dejó a la Corte una carta abierta, que no podía haber escrito sola. El lenguaje era vago y sus metáforas oscuras.

> Cuando un pájaro está muriendo, su canto es triste —empezaba Alute—. Cuando una dama está muriendo, sus palabras son amables. Este es el estado en el que me encuentro hoy. Una vez acompañé a una joven en su muerte, y no podía caminar derecha. Un paseante le dijo: «¿Tienes miedo?». Ella respondió: «Lo tengo». «Si tienes miedo, ¿por qué no das la vuelta?» La chica respondió: «Mi miedo es una debilidad íntima, pero mi muerte es un deber público».

¿Creía Alute que tenía el deber de morir? Yo solo lo consideraba una protesta y un castigo contra mí. No solo había perdido a Tung Chih sino también a su hijo no nato. Ningún enemigo podía destruirme más.

La doncella de Alute dijo que su ama estaba complacida con la decisión de poner fin a su vida. Alute trató el suicidio como un acontecimiento que había que celebrar. Recompensó a sus criados con dinero y recuerdos por ayudarla. Se convocó a los criados para que contemplaran su acto suicida. Alute declaró que el que se atreviera a interrumpirla sería azotado hasta la muerte. Cuando llegó la mañana de la fecha fijada, Alute se administró opio y luego se vistió con una túnica eterna. Despidió a los criados.

Alute se encerró en su dormitorio, y por la tarde ella estaba muerta.

El opio que tomó Alute lo introdujo a escondidas en la Ciudad Prohibida su padre, que estaba al tanto de los planes de su hija. Aunque estaba contra él, como patricio leal al que habían concedido un alto título real tras la boda de su hija, cumplió con su deseo. Temía que la mala conducta de su hija le costara su propia vida. Después de proporcionar a Alute el opio suficiente como para matarse, escribió a la Corte que no había tenido nada que ver con la acción de su hija.

Hice llamar al padre y le pregunté si él había dicho algo que molestara a Alute.

—Le dije que dejara de incordiaros, majestad —respondió el hombre.

Me dio pena Alute, pues su familia no la había apoyado. Más que eso, estaba resentida contra ella por haber matado a mi nieto no nato. Luego caí en la cuenta de que ningún médico me había confirmado el embarazo de Alute, ni había visto su vientre hinchado.

El doctor Sun Pao-tien acudió cuando solicité su presencia. Me informó que ese examen nunca había tenido lugar porque Alute nunca le había permitido la entrada.

¿Era posible que todo fuera fingido?

Si el embarazo era falso, el suicidio de Alute cobraría más sentido. Habría acabado siendo una de tantas damas del jardín trasero de Tung Chih. No se le habría adjudicado el papel de regente porque no tenía hijos. Al acompañar a Tung Chih a la tumba, acrecentaría su virtud y recibiría honores. Mientras tanto, su carta hacía recaer directamente la responsabilidad de su muerte en mí.

Detrás de los tímidos modales de Alute había una mente fuerte y voluntariosa, un carácter inquieto con una monstruosa ambición.

Mis oponentes hicieron buen uso de Alute. Me asqueaba

mirar a su padre, que parecía inofensivo. No podía perdonar a un hombre que había alentado a su hija a quitarse la vida. Si así era como había educado a Alute, tal vez fue una suerte que ella no tuviera el niño.

En la imaginación de Alute yo suponía una gran amenaza. Podía haber estado fantaseando sobre su vida como regente, y yo era el único obstáculo que necesitaba superar. Por el modo en que Alute eligió las palabras de su carta parecía segura de sí misma. El hecho de que no dudara de que llevaba dentro un hijo varón era en sí una prueba de un trastorno mental.

Habría tenido un nieto o no, la posibilidad seguía obsesionándome. Lo que me entristecía era que la muerte de su marido no había despertado ninguna compasión en Alute. Si realmente hubiera amado a Tung Chih, no habría asesinado a su hijo.

Me dolía pensar en la posibilidad de que mi hijo fuera privado de su único amor. La idea me llevó a otras posibilidades, como las razones que había tras la afición de Tung Chih a las putas. ¿Era porque se le negó cariño? Tung Chih no era un ángel, pero era un niño que siempre había estado hambriento de amor.

Intenté detener mis pensamientos para que no se adentrasen en la culpa. Me dije a mí misma que Tung Chih y Alute fueron un día amantes sinceros y que eso debería contar y seguir contando.

Antes de la primavera, un funcionario me acusó de «precipitar la recaída del emperador». No le presté atención; la idea era ridícula. Lo que no esperaba es que la historia empezara a circular y fuera recogida y publicada por un respetable periódico inglés. Hacía de mí el centro de un escándalo internacional: la principal sospechosa del «asesinato» del emperador Tung Chih.

La amante Alute estaba visitando a Tung Chih en su lecho de enfermo —decía el artículo—. Ella se quejaba de que su suegra se entrometía en sus vidas y de su carácter dominante, y esperaba feliz el día en que Tung Chih volviera a ponerse bien. En ese momento entró la iracunda Emperatriz Viuda, la dama Yehonala. Entró como una furia en la habitación, cogiendo a Alute por los cabellos y golpeándola mientras Tung Chih sufría una terrible crisis nerviosa, que hizo que le volviera la fiebre y finalmente lo mató.

13

Soñé con hielo que flotaba sobre un lago y se estaba fundiendo, delgado y frágil. El hielo no parecía hielo sino trozos de papel de arroz. Tung Chih no tenía ni idea de cómo era el invierno en el sur de China. Estaba acostumbrado al hielo sólido de los inviernos de Pekín. Nunca se le permitió patinar en el lago helado de palacio; en lugar de ello, observaba a sus primos jugar todo el día. Todo lo más que se permitía a Tung Chih era atarse paja alrededor de los zapatos para poder caminar sobre el hielo con la ayuda de sus eunucos.

En los recuerdos de mi niñez, el invierno siempre era frío y húmedo. Cuando el viento del norte soplaba fuerte contra las ventanas y zarandeaba sonoramente los cristales como si alguien estuviera llamando, madre anunciaba que había llegado la parte más cruda del invierno. Como en el sur la temperatura nunca baja por debajo del punto de congelación, pocas casas tenían calefacción.

Recuerdo que madre sacaba todas nuestras ropas de invierno de unas cajas hechas de madera de sándalo. Nos poníamos gruesas chaquetas de algodón, sombreros y pañuelos, y todos olíamos a sándalo. Cuando en casa hacía frío, la gente salía a la calle para calentarse al sol. Por desgracia, la mayoría de los inviernos del sur no tienen sol. El aire era húmedo y el color del cielo permanecía gris hasta que pasaba la temporada.

Hoy me he despertado en una habitación caldeada. Li Lien-ying estuvo tan agradecido cuando no aparté mi desayuno que casi rompe a llorar. Me sirvió una comida al estilo del sur: gachas de avena calientes con tofu en conserva, raíces de verduras y cacahuetes, con algas asadas y semillas de sésamo. Me dijo que había estado enferma y había dormido un día entero.

Me levanté; tenía la nuca rígida y dolorida. Noté que habían cambiado los faroles rojos de la habitación por otros blancos. Volvieron los pensamientos sobre Tung Chih, y mi corazón sufrió un dolor desgarrador. Me di impulso para levantarme y mis ojos vieron una montaña de documentos apilados sobre la mesa.

—¿Qué es lo que debo saber? —pregunté.

No hubo respuesta. Li Lien-ying me miró como si no me comprendiera. Me di cuenta de que estaba acostumbrada a las maneras de An-te-hai y que Li Lien-ying aún no había aprendido el papel de ser mi eunuco secretario.

—Tienes que hacerme un resumen completo, empezando por el tiempo.

Pero Li Lien-ying aprendía rápido.

—Ha estado soplando un viento helado procedente de las tormentas de arena del desierto —empezó, ayudándome a vestirme—. Anoche se encendieron braseros en los patios.

—Continúa.

—Li Hung-chang acercó su ejército desde Chihli cumpliendo vuestras órdenes. Ha protegido la Ciudad Prohibida. Los gobernadores de dieciocho provincias se han apresurado a venir hasta aquí, algunos en carruaje y otros a caballo. En este momento están entrando por las puertas. A Yung Lu se le ha comunicado la situación y estará aquí en cuestión de días.

Estaba sorprendida.

—Yo no he dictado esas órdenes ni he mandado llamar a nadie.

—La emperatriz Nuharoo lo hizo.

—¿Por qué no me informó de ello?

—La emperatriz Nuharoo estuvo aquí varias veces mientras vos dormíais —explicó Li Lien-ying—. Sus palabras exactas fueron: «Tung Chih no ha dejado ningún heredero, debemos elegir un emperador».

—¡Al Salón de la Nutrición Espiritual! ¡Que traigan un palanquín! —ordené.

A Nuharoo le alivió verme entrar en el salón.

—Se han propuesto tres candidatos. —Me presentó las notas del debate del día—. Todos los miembros del clan imperial estarán presentes.

Aunque mi fatiga persistía, intenté aparentar que nunca había dejado la Corte. Examiné los candidatos. El primero era un niño de dos meses llamado P'u-lun, nieto del hijo mayor del emperador Tao Kuang, mi cuñado el príncipe Ts'eng. Como la generación «Tsai» Tung Chih iba seguida por la generación «P'u», el niño era el único nominado que cumplía con la ley de la familia imperial, que establecía que el sucesor al trono no podía ser miembro de la misma generación que su predecesor.

Rápidamente rechacé a P'u-lun. El motivo era que mi marido me había contado que el abuelo de P'u-lun, el príncipe Ts'eng, había sido adoptado de una rama más joven de la familia imperial, de modo que no era una auténtica línea de sangre.

—No conocemos ningún precedente de que el nieto de un hijo adoptado ascienda al trono —dije.

La verdad de mi rechazo era que yo tenía alguna idea del tipo de hombre que era el príncipe Ts'eng. Aunque la búsqueda del placer era su pasatiempo, era un político radical corrupto. Sentía poco respeto por mí hasta que se enteró de la muerte de mi hijo. Sabía que yo tendría el poder de elegir un heredero.

Cuando un partidario del príncipe Ts'eng, un funcionario de la Corte, aportó un documento de los archivos de la dinastía

Ming demostrando la legimitidad del príncipe, recordé a la Corte:

—El reinado de ese príncipe Ming en concreto acabó en desastre, el propio príncipe fue capturado y asesinado por los mongoles.

El siguiente niño varón en la línea de sucesión era el hijo mayor del príncipe Kung, Tsai-chen, el antiguo compañero de juegos de Tung Chih. Por mucho que lo intentaba, no conseguí olvidar el hecho de que fue él quien introdujo a Tung Chih en los burdeles. Rechacé a Tsai-chen diciendo:

—La ley requiere que el padre vivo de un emperador se retire a la vida privada y no creo que la Corte pueda funcionar sin el príncipe Kung.

Tenía ganas de gritar a Nuharoo y a la Corte: ¿Cómo vamos a confiar a un mujeriego las responsabilidades de la nación? ¡Habría ordenado decapitar a Tsai-chen si no hubiera sido el hijo del príncipe Kung!

El último de la línea sucesoria era Tsai-t'ien, mi sobrino de tres años, hijo del príncipe Ch'un, el hermano pequeño de mi marido, que era también el marido de mi hermana, Rong. Aunque si elegíamos a Tsai-t'ien estaríamos violando la ley que decía que no podían pertenecer a la misma generación, no teníamos otra opción.

Al final tanto Nuharoo como yo dimos nuestros votos a Tsai-t'ien. Hicimos saber que adoptaríamos al niño si la Corte aceptaba nuestra propuesta. De hecho, yo ya había pensado en adoptar a Tsai-t'ien. La idea se me ocurrió cuando me enteré de que tres de los hijos de mi hermana habían muerto «por accidente» en su infancia. Las muertes se consideraban obra del destino, pero yo era consciente del estado mental de Rong. El príncipe Ch'un se quejaba del creciente deterioro del estado de su esposa, pero no se tomó ninguna medida y Rong no recibió ningún tratamiento. Cuando nació, me preocupó la supervivencia de Tsai-t'ien. Hablé con Rong sobre la posibilidad de adoptarlo, pero ella insistió en hacerse cargo del bebé.

Tsai-t'ien pesaba menos de lo que debía para su edad y sus movimientos parecían de madera. Sus niñeras informaban de que lloraba toda la noche, mientras su madre seguía creyendo que si le daba al niño una comida entera lo mataría.

El padre del niño era partidario de la adopción.

—Estoy dispuesto a brindar todo mi apoyo para que mi hijo escape de su madre —me dijo el príncipe Ch'un—. ¿No es suficiente que hayan muerto tres de mis hijos bajo los cuidados de tu hermana?

Cuando expresé mi preocupación por el hecho de que lo separaran de Tsai-t'ien, él dijo que estaría bien, pues tenía más hijos con sus demás esposas y concubinas.

Después, la Corte oyó un informe sobre el carácter y la historia del padre del nominado. No era sorprendente que se descubriera que el príncipe Ch'un era un hombre de «carácter doble». Sabía por mi marido, el emperador Hsien Feng, que su «hermano Ch'un temblaba como una hoja y se desmayaba ante las broncas de su padre». Y sin embargo, también era el «gran fanfarrón» de la familia. El príncipe Ch'un representaba a la línea dura del clan manchú. Aunque pretendía no tener interés en la política, era un antiguo rival de su hermano, el príncipe Kung.

—Mi marido no puede evitar ser un hombre sincero debido a que sus mentiras son demasiado burdas —solía decir mi hermana.

El príncipe Ch'un no se cansaba de contar al mundo su filosofía de la vida. Constantemente expresaba su repugnancia por el poder y la riqueza. En el salón tenía colgado un pareado en su propia caligrafía que advertía a sus hijos de que la riqueza corrompe, destruye y provoca el desastre. «Sin poder significa sin peligro —decía el pareado—. Y sin riqueza significa sin desastre.» Aunque Ch'un era príncipe, no tenía títulos importantes ni tenía una función en la Corte. Sin embargo, no se había cortado a la hora de pedir un aumento de su renta anual. Incluso criticaba al príncipe Kung, quejándose de la compensación de su hermano por haber dado fiestas a diplomáticos extranjeros.

A pesar de todo eso, y con Yung Lu trabajando en segundo plano para convencer a los miembros del clan, la Corte dio su aprobación al príncipe Ch'un. Tsai-t'ien fue seriamente considerado y finalmente elegido. El último obstáculo que quedaba era que Tsai-t'ien era primo hermano de Tung Chih y según la ley no podía oficiar en la tumba de Tung Chih. En otras palabras, Tung Chih no podía adoptar a su primo como hijo y heredero.

Después de días de discusiones, la Corte decidió llevar a cabo otra votación abierta.

Fuera soplaba el viento y las linternas del salón parpadeaban. Contaron los votos: siete hombre votaron al nieto del príncipe Ts'eng, P'u-lun, tres votaron por el hijo del príncipe Kung, Tsai-chen, y quince votaron por el hijo del príncipe Ch'un, mi sobrino Tsai-t'ien.

Aunque el príncipe Ch'un dijo a la Corte que no sería necesario obtener la aprobación de su mujer sobre la adopción oficial de Tsai-t'ien, yo dejé bien claro que la decisión no sería válida hasta que la Corte recibiera el consentimiento de Rong.

Hierbajos hasta la altura de la rodilla obstruían los prados y la hiedra cubría los senderos. Dentro de la gran mansión de mi hermana, había pañales, comida, platos, botellas, juguetes y almohadas manchadas desparramados por todas partes. Por el suelo corrían cucarachas y las moscas zumbaban por las ventanas. Los eunucos y doncellas de Rong le dijeron a Li Lien-ying en voz baja que su ama no les permitía limpiar.

—¡Orquídea! —Rong salió a saludarme.

Parecía como si acabara de salir de la cama. Vestía un pijama rosa claro con un dibujo de flores y en la cabeza llevaba un sombrero de lana que habría sido adecuado para una tormenta de nieve. Su aliento olía a podrido. Le pregunté cómo estaba y por qué llevaba ese sombrero.

—Extrañas criaturas han invadido mi mente —dijo Rong guiándome por el abarrotado pasillo—. He tenido dolores de cabeza.

Entramos en el salón y se dejó caer en un gran sillón.

—Las criaturas se alimentan de mí. —Acercó una bandeja de plata llena de galletas y empezó a comer—. Les encantan los dulces, ¿lo ves? Me dejan en paz siempre que como galletas. Astutas criaturas, son malísimas.

Mi hermana ya no era delgada ni hermosa. Los aldeanos de Wuhu solían decir: «Cuando una mujer se casa y da a luz, se convierte de una flor a un árbol». Rong era un oso. Estaba el doble de gorda de lo que era. Le pregunté cómo se sentía por que su hijo fuera elegido emperador.

—No lo sé. —Hacía mucho ruido al comer—. Su padre es un estafador.

Le pregunté qué quería decir.

Se limpió la boca y volvió a desplomarse en el sillón. Tenía un vientre como un almohadón.

—Gracias al cielo no estoy embarazada. —Sonrió, con migas de galletas pegadas a la boca—. Pero le he dicho a mi marido que sí. —Se inclinó hacia delante y susurró—: Dice que es imposible, porque llevamos años sin hacer tú ya sabes qué. Le dije que ese embarazo era fruto de los demonios. —Empezó a reír—. ¡Eso le asusta más que un escorpión!

Yo no sabía qué decir. A mi hermana le pasaba algo terrible.

—Orquídea, tú estás increíblemente delgada. Estás horrible. ¿Cuánto pesas?

—Poco más de cincuenta kilos —respondí.

—Te he echado de menos desde el entierro de nuestra madre. —Al instante Rong se echó a llorar—. Nunca te has preocupado por verme a menos que fuera por negocios.

—Sabes que eso no es verdad, Rong —dije con sentimiento de culpa.

Entró un eunuco con el té.

—¿No te he dicho que en esta casa no se sirve té? —gritó Rong al eunuco.

—Pensé que a la invitada le gustaría...

—¡Vete! —dijo Rong.

El eunuco recogió las tazas y dirigió a Li Lien-ying una mirada de resentimiento.

—¡Idiota cabeza hueca! —dijo Rong—. Nunca aprende.

—He venido a ver a Tsai-t'ien —dije después de mirar a mi hermana.

—El mocoso está durmiendo la siesta —respondió Rong.

Fuimos a la habitación del niño. Tsai-t'ien estaba durmiendo bajo las mantas, acurrucado como un gatito. Se parecía mucho a Tung Chih. Le acaricié.

—No quiero a este hijo. —La voz de Rong era extrañamente clara—. No me ha dado más que problemas y no puedo más con él. En serio, Orquídea, estará mejor sin mí.

—Basta, Rong, por favor.

—Tú no lo entiendes. Yo también estoy asustada.

—¿De qué?

—No siento ningún amor por este hijo: viene de debajo de la tierra. Hizo que sus tres hermanos murieran para que él pudiera tener la oportunidad de entrar en mi cuerpo y vivir. Cuando estaba embarazada lo deseaba mucho, pero después de que naciera, supe que había cometido un terrible error. No dejo de soñar con mis tres hijos muertos. —Rong empezó a sollozar—. Sus fantasmas han venido a contarme algo sobre su hermano menor.

—Ya se te pasará, Rong.

—Orquídea, ya no puedo soportarlo más. Llévate a mi hijo, ¿quieres? Me harás un gran favor, pero debes tener mucho cuidado con su espíritu poseído por los demonios. Te quitará la paz. Su truco es llorar todo el tiempo. ¡Nadie consigue dormir! Orquídea, llévate mi problema. ¡Estrangula a este hijo del demonio si es necesario!

—Rong, no me lo llevaré porque tú quieras abandonarlo. Tsai-t'ien es tu hijo y merece tu amor. Déjame que te diga, Rong, que lo único que lamento es no haber sido capaz de querer a Tung Chih lo suficiente...

—¡Oh, Mulan, la heroína! —gritó Rong.

Despertado por su madre, Tsai-t'ien abrió los ojos. Al cabo de un momento empezó un llanto sofocado.

Como si le diera asco, Rong se apartó de él y volvió a su sillón.

Yo cogí en brazos a Tsai-t'ien. Le froté con cariño la espalda. Olía a orina.

Rong vino, me quitó a su hijo y lo volvió a dejar en la cuna.

—¡Le das un dedo y te coge el brazo!

—Rong, tiene solo tres años.

—¡No, tiene trescientos! Es un maestro de la tortura. Finge llorar pero se está divirtiendo.

Una rabia y una tristeza abrumadoras me asaltaron. Notaba que no podía quedarme en esa habitación. Empecé a caminar hacia la puerta.

Rong me siguió.

—Orquídea, espera un minuto.

Me detuve y miré hacia atrás.

Pinzó la nariz del niño con los dedos.

Tsai-t'ien empezó a gritar, esforzándose por respirar.

Rong apretó.

—¡Llora, llora, llora! ¿Qué es lo que quieres?

Tsai-t'ien intentaba liberarse desesperadamente, pero su madre no lo soltaba.

—¿Te mato o te callas?, ¿te callas? —Rong puso las manos alrededor del cuello de Tsai-t'ien hasta que empezó a ahogarlo. Ella se rió histéricamente.

—¡Rong! —Perdí toda mi compostura y corrí hacia ella. Le clavé las uñas en las muñecas.

Mi hermana gritó.

—¡Suelta a Tsai-t'ien! —le dije.

Rong forcejeó y no soltaba al niño.

—Escucha, Rong. —Le retorcí las muñecas más fuerte—. Ahora te habla la emperatriz Tzu Hsi. Voy a llamar a los guardias y te acusarán de asesinar al emperador de China.

—¡Buen chiste, Orquídea! —escupió Rong.

—Por última vez, hermana, suelta a Tsai-t'ien u ordenaré que te arresten y te decapiten.

Empujé a Rong contra la pared y le apreté la barbilla con el codo.

—A partir de este momento, estés o no de acuerdo con la adopción, Tsai-t'ien es mi hijo.

14

Amparados por la oscuridad, un destacamento de guardias al mando de Yung Lu desfilaron por las calles hasta la residencia del príncipe Ch'un y Rong. Cogieron a Tsai-t'ien, que dormía, y se lo llevaron a la Ciudad Prohibida, donde pasaría el resto de su vida. Los pies de los soldados y los cascos de sus caballos habían sido envueltos en paja y sacos para que la noticia del sucesor del emperador no se propagase por la ciudad antes de tiempo y provocase las algaradas y disturbios que solían acompañar un cambio de gobernante.

Estaba amaneciendo cuando Tsai-t'ien llegó al palacio. Yo le esperaba vestida con mi túnica oficial. Apenas despierto, me presentaron a Tsai-t'ien. En el Salón de los Antepasados, oficiada por el ministro de etiqueta de la Corte y con la asistencia de otros ministros, celebramos la ceremonia de adopción. Cogí en brazos a Tsai-t'ien y me puse de rodillas. Ambos nos postramos ante los retratos de la pared. Mi hijo adoptivo estaba vestido con una túnica de dragón de seda. Lo llevé hasta el ataúd de Tung Chih, donde, con la ayuda de los ministros, completó la ceremonia tocando el suelo con la frente.

Sostuve a Tsai-t'ien en brazos mientras recibía a su Corte. Estábamos rodeados por la luz de velas y linternas. Volvieron a atormentarme los recuerdos de Tung Chih.

El 25 de febrero de 1875, mi sobrino, ahora mi hijo, asumió

el trono del dragón. Fue proclamado emperador Kuang-hsu, el emperador de la Gloriosa Sucesión. Cambió su nombre de Tsai-t'ien por el de Kuang-hsu. Los campesinos del país empezarían a contar los años con este «primer año del emperador Kuang-hsu».

Tal como habíamos hecho antes, Nuharoo y yo anunciamos a la Corte y a la nación que «anhelábamos ceder los asuntos de gobierno tan pronto como el emperador completara su educación». En nuestro decreto también explicábamos los motivos que nos habían movido a elegir a Tsai-t'ien para el trono y por qué se convertiría en nuestro heredero por adopción de su tío el emperador Hsien Feng en lugar de por adopción de Tung Chih.

«En cuanto Kuang-hsu tenga un heredero varón —declaramos—, el niño será ofrecido a su tío Tung Chih como heredero para que su adopción sea oficiada en su tumba.»

Mis oponentes se opusieron a nuestro decreto.

«Estamos profundamente consternados por el blasfemo incumplimiento de los ritos ancestrales del emperador Tung Chih», declararon. En los lugares de reunión y las casas de té del centro de la ciudad empezaron a divulgarse difamantes calumnias y chismorreos. Una mentira insinuaba que Kuang-hsu era hijo mío y de Yung Lu. Otra insinuaba que el padre era An-te-hai. Un juez local llamado Wu K'o-tu captó drásticamente la atención de la nación: se envenenó a sí mismo como protesta y calificó la sucesión de «indebida e ilegítima».

En mitad del caos, mi hermano me envió un mensaje diciendo que debía concederle permiso para verme. Cuando Kuei Hsiang llegó vestido con una túnica de satén bordada con coloristas símbolos de la buena suerte, tenía a su hija con él.

—Tu sobrina tiene cuatro años —empezó—, y no se le ha concedido un nombre imperial.

Le dije que había elegido un nombre, y me disculpé explicándole que había estado demasiado consternada y no me había ocupado de demasiadas cosas.

—El nombre es Lan-yu, o simplemente Lan. El nombre significa «honorable abundancia».

Kuei Hsiang estaba entusiasmado.

Le eché un buen vistazo a mi sobrina. Tenía una frente bulbosa y una barbilla pequeña y puntiaguda. Al tener la cara estrecha se le acentuaban más los incisivos superiores. Parecía insegura, lo cual no era de extrañar dado cómo había sido criada. Mi hermano era lo que los chinos llamarían «un dragón en casa pero un gusano fuera de ella». Un manchú típico: tenía poco respeto por las mujeres y consideraba a esposas y concubinas como su propiedad. No era cruel, pero tenía tendencia a ridiculizar a los demás. Yo no había sido testigo de cómo trataba a su hija, pero la conducta de esta me ofrecía más de lo que necesitaba saber.

—Mi esposa cree que nuestra hija es una belleza, pero yo le digo que Lan es tan normal que tendremos que hacerle un descuento a su pretendiente —se rió impresionado por su propio sentido del humor.

Ofrecí a Lan una magdalena, y mi sobrina me dio las gracias en una voz casi inaudible. Comía como un ratón y se limpiaba la boca después de cada bocado. Fijó los ojos en el suelo, y me pregunté si había encontrado algo interesante que mirar. Se lo pregunté bromeando.

—Migas —respondió.

Repuse que mi hermano llevara a Lan a visitar a la princesa Jung, la hija de mi marido. La princesa había sufrido una gran desgracia; su madre, la dama Yun, se había suicidado, pero ella se había convertido en una joven muy amable.

—¿Qué quieres que aprendamos de la muchacha? —preguntó Kuei Hsiang.

—Pídele a Jung que te cuente la historia de cómo sobrevivió —le respondí—. Será la mejor lección para Lan. Y, por favor, hermano, no menosprecies a tu hija. Yo creo que Lan es hermosa.

Al oír mis palabras, Lan levantó la vista. Cuando su padre respondió: «Sí, majestad», ella sonrió.

—Conozco a la princesa Jung —dijo Lan con su vocecilla—. Estudió en Europa, ¿verdad?

—Lo intentó, pero la Corte le obligó a regresar a casa —suspiré—. Sin embargo, es su valor lo que yo admiro. Tiene un espíritu positivo y lleva una vida productiva. La conocerás cuando venga a ayudarme en mi trabajo.

—Pero, Orquídea —protestó mi hermano—. Prefiero tu influencia, no la influencia de la hija de una desgraciada concubina.

—Es mi influencia, Kuei Hsiang —dije—. Jung vivió conmigo y ella fue testigo de cuántos sueños míos no se hicieron realidad. Lo que importa es el valor de mantener vivos los sueños a pesar de los pesares.

Mi hermano pareció confundido.

Kuang-hsu lloraba durante horas sin parar, y yo empezaba a sentirme decepcionada. Le cantaba canciones de cuna hasta que me hartaba de sus melodías. Comparaba la situación de Kuang-hsu con el modo en que los campesinos cultivan el arroz. «Se debe cortar las raíces de los brotes de arroz para fortalecer los granos», dice el refrán popular. Recuerdo haber trabajado en los campos de arroz y ayudar a romper las raíces. El sonido desgarrador al principio me preocupaba, pues no creía que el arroz sobreviviera. Dejaba una pequeña parcela sin tocar, para ver qué pasaba. Los brotes desgarrados salían más sanos y fuertes que los que no habían sido desgarrados.

Los cuidadores de Kuang-hsu decían:

—Su joven majestad continúa mojando la cama cada noche y le da miedo la oscuridad y la gente.

Mi hijo adoptivo también tenía problemas para hablar, tenía la expresión de un prisionero y estaba triste todo el tiempo. Al cabo de unos meses, empezó a perder peso.

Mandé llamar a las antiguas nodrizas de Kuang-hsu. Me contaron que al nacer Kuang-hsu había sido un bebé feliz. Fue su madre, mi hermana, quien intentó «corregir su mala educación» pegándole cada vez que intentaba comer o reír.

Nuharoo y yo nos desvivíamos para hacer feliz al niñito. Kuang-hsu temblaba y gritaba cuando los técnicos clavaban clavos o serraban madera. El trueno de verano se convirtió en otro problema. Los días calurosos antes de que llegara la lluvia, debíamos cerrar su puerta y su ventana para que el ruido no le molestase. Kuang-hsu no se atrevía a salir solo. En la cocina ya no se permitía que cortaran verduras; los cocineros usaban tijeras en lugar de cuchillos. Se dio instrucciones a las doncellas para que guardaran silencio mientras lavaban los platos. Li Lienying usaba un tirachinas para espantar a los pájaros carpinteros.

Para facilitar al emperador la transición, ordené que una de sus antiguas nodrizas viniera a vivir a la Ciudad Prohibida con nosotros. Tenía la esperanza de que Kuang-hsu encontrara consuelo en ella, pero Nuharoo echó inmediatamente a la nodriza.

—Kuang-hsu debe olvidar todas sus anteriores condiciones —insistió—. Debe y será tratado como si hubiera nacido en palacio.

Empezaban a aparecer tensiones entre Nuharoo y yo, algo que era demasiado familiar y me recordaba a cuando yo criaba a Tung Chih. Yo temía que volviéramos a enzarzarnos en otra batalla.

Durante una discusión especialmente acalorada en la que casi llegamos a las manos, Nuharoo me ordenó que me fuera y yo salí hecha una furia. Ella se encargaba del cuidado de Kuang-hsu, lo que para ella significaba dejar al niño con sus eunucos. Nuharoo no era de las que dedican tiempo y energía a un niño. Resultó que sus frustrados eunucos hicieron lo que más temía Kuang-hsu: encerrarlo dentro de un armario y asustarlo golpeando fuerte la puerta.

Cuando Li Lien-ying se enteró de lo ocurrido y protestó, el jefe eunuco de Nuharoo respondió:

—Su joven majestad tiene fuego en el pecho. Démosle la oportunidad de cantar y se le apagará.

Por primera vez, y sin pedir permiso a Nuharoo, ordené que azotaran a su jefe eunuco. En cuanto al resto de los criados, se quedaron sin comer durante dos días. Yo sabía que no era culpa de los criados; sencillamente hacían lo que les decían. Pero los azotes fueron necesarios para advertir a Nuharoo de que había llegado al límite de mi paciencia.

Nuharoo le dijo a Li Lien-ying que en todos los años que llevábamos juntas nunca me había visto actuar con tanta rabia. Ella me llamó arpía pueblerina y luego se retiró. En lo más hondo debía saber que yo me creía responsable de la muerte de Tung Chih, y la hacía responsable a ella también. La sabiduría de Nuharoo le decía que sería una estupidez echar sal en mis heridas.

Yo quería pasar tanto tiempo con Kuang-hsu como me fuera posible, pero en los dos años que siguieron me sentía como un acróbata haciendo girar platos sobre finos palillos, que intentaba desesperadamente mantener una docena de platos en el aire, sabiendo que hiciera lo que hiciese alguno acabaría rompiéndose.

La economía de China se derrumbaba bajo el peso de las compensaciones de guerra. Las potencias extranjeras amenazaban con invadirnos porque sus pagos se retrasaban, o eso decían. Mis audiencias se dedicaban a debatir cómo usar a los extranjeros unos contra otros con el fin de ganar tiempo. A diario llegaban noticias de levantamientos campesinos y peticiones de ayuda de funcionarios locales.

No tenía ni tiempo para bañarme como era debido. Tenía el pelo tan sucio que me dolían las raíces. No podía esperar a comer las elaboradas comidas que me preparaban; solía comer mi comida fría en mi mesa de trabajo. Mantuve la promesa de que siempre leería un cuento a mi hijo, pero a menudo me quedaba dormida antes del final. Él me despertaba para que acabara, y yo le daba un beso de buenas noches y volvía al trabajo.

Cuando Kuang-hsu tenía siete años, desarrollé un insomnio crónico, que pronto fue seguido por un persistente dolor en el abdomen. El doctor Sun Pao-tien me dijo que tenía una dolencia de hígado.

—Vuestro pulso me dice que vuestros fluidos no guardan el debido equilibrio. El riego para vuestro sistema es grave.

Un día me sentía demasiado agotada para trabajar. Nuharoo me dijo que ella se encargaría de las audiencias hasta que yo recuperara fuerzas.

Eso me hizo feliz, porque podía concentrarme en lo que más deseaba: criar a Kuang-hsu. Varias veces me equivoqué y le llamé Tung Chih. Cada vez, Kuang-hsu se sacaba el pañuelo y me enjugaba las lágrimas con sorprendente paciencia y compasión. Su ternura innata me conmovía. A diferencia de Tung Chih, Kuang-hsu se estaba convirtiendo en un niño dulce y cariñoso. Me preguntaba si era porque era débil, y por eso comprendía lo que era sufrir.

Con el paso del tiempo, Kuang-hsu también empezó a revelar un fuerte sentido de la curiosidad. Aunque nunca consiguió vencer por completo sus temores, fue adquiriendo cada vez más confianza en sí mismo. Tenía modales exquisitos y deleitaba a las visitas con preguntas entusiastas sobre el mundo exterior. Le encantaba leer, escribir y escuchar historias.

Durante años el ministro de etiqueta imperial había protestado por permitir a Kuang-hsu dormir en mi habitación. Insistí en que fuera así hasta que estuviera preparado para enfrentarse sin miedo a su enorme dormitorio. Me acusaron de malcriarlo y cosas peores, pero no me importó.

—Para empezar, para la Corte Kuang-hsu nunca fue un niño —me quejaba a Nuharoo.

Kuang-hsu pronto empezó a desarrollar intereses propios. Se enamoró de los relojes y se pasaba interminables horas en la sala del gran reloj de palacio, donde se exhibían relojes de todo tipo, regalos de reyes, reinas y embajadores extranjeros. Aquello me agradaba, pues en mis primeros días en palacio yo también me sentí atraída por aquellos objetos nuevos e intrincados. Yo había perdido pronto el interés por ellos, pero Kuang-hsu nunca se cansaba de sus sonidos e intentaba averiguar qué «cantaban» los relojes.

Una tarde Li Lien-ying acudió a mí con expresión aterrada.

—¡Su joven majestad ha destruido los grandes relojes!

—¿Cuáles?

—¡El reloj del emperador Hsien Feng Clock y el de Tung Chih!

Fui a comprobarlo y descubrí que los relojes estaban desmontados y las minúsculas piezas dispersas sobre la mesa como huesos de pollo rebañados.

—Confío en que sepas cómo volver a montarlos —le dije a Kuang-hsu.

—¿Y si no puedo? —preguntó Kuang-hsu, con un destornillador en la mano.

—Reconoceré tu mérito por intentarlo —le alenté.

—¿Y si te enfadas porque el pájaro de tu reloj favorito ya no canta?

—Bueno, no puedo decir que me haga feliz, pero un relojero experto sabrá cómo arreglarlo.

15

Yung Lu estaba ante mí, ataviado con su túnica de satén púrpura de la Corte. El hielo de mi corazón empezaba a fundirse en el sol de primavera. Como amantes fantasmas, nuestros lugares de encuentro eran los sueños. Al alba volvíamos a meternos en nuestra piel humana, pero los sueños continuaban. Vestida con mis trajes y maquillaje, imaginaba mi cabeza contra su pecho y mis manos sintiendo su calor. Yo caminaba con pasos de una elegante emperatriz, pero sentía la pasión de una aldeana.

Tras la muerte de An-te-hai, no tenía a nadie con quien compartir mis pensamientos sobre Yung Lu. Cuando cumplí los cuarenta, acepté el hecho de que Yung Lu y yo no consumaríamos nuestra pasión. Vivíamos bajo la mirada de toda la nación. Revistas y periódicos vivían de vender rumores sobre nosotros.

No había ningún lugar donde Yung Lu y yo pudiéramos estar juntos sin ponernos en peligro. El dinero que se ofrecía a cambio de información sobre mi vida privada tentaba a los eunucos, doncellas y sirvientes de rango inferior para que espiasen, se entrometieran y contaran historias.

Sin embargo, momentos como ese me recordaban lo imposible que era negar mi amor. Mis emociones encontraban su destino en presencia de Yung Lu. La mirada de sus ojos me rescataba del miedo y evitaba que me sumiera en pensamientos autodestructivos. Cualquiera que fuera el sufrimiento que estuviera padeciendo, él me aseguraba que estaba conmigo. En las audiencias y en la Corte yo confiaba en su criterio y en su apoyo. Era mi crítico más severo y sincero, me guiaba para que viera todos los aspectos de cualquiera que fuera la cuestión que tuviera ante mí, pero una vez yo había tomado una decisión, se ocupaba de que se cumplieran mis órdenes.

—¿Qué pasa? —pregunté.

—Yo... —Su expresión era la de un verdugo reticente. Respiró hondo y expulsó las palabras de su pecho—. Voy... voy a casarme.

Yo contuve los sentimientos que me asaltaban. Con un tremendo esfuerzo, conseguí reprimir las lágrimas.

—No necesitas mi permiso —conseguí decir.

—No es por eso por lo que estoy aquí. —Su voz era baja pero clara.

—Entonces ¿por qué estás aquí? —Me volví para mirarle, enfadada y aterrada.

—Solicito vuestro permiso para trasladarme —dijo con calma.

—¿Qué tiene eso que ver con...? —me detuve porque había comprendido.

—Mi familia irá conmigo —añadió.

—¿Adónde vas? —me oí a mí misma preguntar.

—A Sinkiang.

Sinkiang estaba en el extremo noroeste, era un estado musulmán, una remota región desértica, tan alejada de la capital como era posible.

No era mi intención derrumbarme, pero empezaba a perder el control.

—¿De veras crees que puedo sobrevivir sin ti?

Yung Lu guardó silencio.

—Tú sabes quién soy yo. Sabes de qué estoy hecha y sabes

la razón que me hace aparecer cada mañana en las audiencias.

—Majestad, por favor...

—Quiero... que me informes de que estás a salvo para poder descansar tranquila.

—No ha cambiado nada.

—¡Pero te vas!

—Os escribiré. Prometo...

—¿Cómo? Sinkiang es imposible de alcanzar.

—No será fácil, majestad, pero... Será bueno para vos que me vaya —insistió.

—Convénceme.

Miró alrededor de la sala. Aunque los eunucos y doncellas se hacían invisibles, no se habían ido. Podíamos oír sus movimientos en el patio.

—Los musulmanes se han levantado, majestad. La provincia está sacudida por disturbios. Ahora nuestras tropas la tienen bajo control, pero a duras penas. En la crisis más reciente, grandes grupos de rebeldes se han estado reuniendo a lo largo de la frontera de la provincia de Kansu.

—¿Por qué tienes que ir tú a la frontera? ¿No es más importante la capital?

Yung Lu no respondió.

—Nuharoo y yo no podemos hacerlo sin ti.

—Mis hombres ya tienen un calendario para salir, majestad.

—¡Un exilio autoimpuesto, de eso se trata!

Me miró fijamente.

—No te importa que haya perdido a mi hijo... —Cerré los ojos intentando reprimir las lágrimas. En el fondo yo sabía que él estaba haciendo lo correcto.

—Como he dicho, será bueno para el futuro —dijo en voz baja.

—No tendrás mi permiso. —Me aparté de él.

Oí el sonido de las rodillas de Yung Lu golpear el suelo. Yo no podía volver a mirarlo.

—Entonces conseguiré el apoyo de la Corte.

—¿Y si rechazo la decisión de la Corte?

Se levantó y desfiló hacia la puerta.

—¡No te preocupes, Yung Lu! —Las lágrimas empezaron a caer por mis mejillas—. Te... te daré mi permiso.

—Gracias, majestad.

Me senté en mi sillón. Tenía el pañuelo manchado de marrón y negro del maquillaje.

—¿Por qué Sinkiang? —pregunté—. Es una tierra dura de enfermedad y muerte. Es un lugar dominado por fanáticos religiosos. ¿De dónde sacarás un médico si te pones enfermo? ¿Dónde conseguirás ayuda si pierdes una batalla con los musulmanes? ¿Dónde acamparás tus tropas de reserva? ¿Quién está al cargo de tus líneas de suministro? ¿Cómo vas a poder mantenerme informada?

Ella era una manchú, pero tenía el nombre han de Sauce. Trataba a sus eunucos y doncellas como si fueran de su propia familia. Eso solo me decía que no era de sangre real. Una mujer de sangre real habría tratado a sus eunucos y doncellas como esclavos. Era la joven esposa de Yung Lu. La esposa de Yung Lu —mi lengua aún tenía que acostumbrarse a Sauce— estaba en las postrimerías de la veintena. La diferencia de edad provocaba murmuraciones; Yung Lu era lo bastante mayor como para ser su padre. Pero Sauce seguía sonriendo y sus labios permanecían sellados. En su boda vistió un vestido de seda azul claro con bordados de hibiscos acuáticos. Haciendo honor a su nombre tenía una figura esbelta y se movía con gracia.

Me alegré de que Nuharoo fabulase una excusa para no asistir a la boda. Su posición dominante me habría distraído y no habría podido observar la celebración, sobre todo a los recién casados.

Cuando Yung Lu me presentó a su novia, ella no podía haber sido más dulce. Me dirigió una mirada audaz, lo cual me sorprendió. Era como si hubiera estado esperando aquel momento toda su vida.

Muchos años más tarde, después de que nos hiciéramos amigas y después de la muerte de su marido, Sauce me contó que sabía la verdad desde siempre; Yung Lu nunca se lo había ocultado, lo que la convertía en un personaje extraordinario. Era hija de un señor de la guerra amigo de Yung Lu, jefe de una tribu mongol. Las hazañas de Yung Lu solían ser el tema de conversación en su mesa cuando ella era niña. Siempre que Yung Lu visitaba a su padre, la joven Sauce encontraba motivos para dejarse ver. Estaba enamorada de él antes incluso de conocerlo.

Al final, Sauce me dijo que yo había sido el tema de su estudio antes de que empezara su relación con su marido. De hecho, yo era lo único que le interesaba durante las visitas de Yung Lu. Le hacía muchas preguntas y le impresionaban sus respuestas. Dijo que fue su mutuo interés por mí lo que les llevó a alimentar una amistad epistolar y a descubrir que albergaban sentimientos más profundos el uno por el otro. Ella fue la única persona a la que él confió su secreto.

Solo después de que Sauce hubiera rechazado a numerosas casamenteras, Yung Lu despertó a su amor. Su devoción y sinceridad le conmovieron. Él le propuso matrimonio y ella aceptó. Él sabía que no sería capaz de mantener una relación sana con su esposa si seguía viéndome en las audiencias.

Sauce no me engañó con su pretendida inocencia. En cuanto nos conocimos, sentí como si alguien se hubiera asomado a mi alma por una ventana. Entre ambas existía una extraña y misteriosa comprensión. Años más tarde, Sauce recordaría cómo la recibí en la celebración de la boda. Me recordó cariñosa y sincera. Se preguntó cómo conseguí mantener la compostura. Le dije que había practicado como actriz en el escenario de la vida. «Y tú también», le dije a Sauce.

Yung Lu no podía presentar una fachada falsa. Lo intentó, pero no consiguió dar a Sauce lo que su corazón deseaba. Su culpa se traslucía en cada mirada. El hecho de que me evitara y sus torpes disculpas la hacían sentir peor.

Bebí vino en abundancia durante la celebración. Supongo que intentaba olvidar. Yo vestía una túnica de seda dorada con fénix bordados. Tenía el cabello recogido en una fina tablilla y levantado en forma de nube.

Li Lien-ying había sujetado la nube con horquillas de jade azul oscuro. Lucía unos pendientes con fénix azul claros. Quería agradar a Yung Lu, pero no conseguía mantener mi alegría. La idea de que se me privase de la posibilidad de verlo, me embriagaba y me hacía sollozar. Estaba tan mareada y sentía tantas náuseas que tuve que correr fuera y vomitar en los arbustos.

En ese momento tan vergonzoso y desesperado Sauce se sentó a mi lado y en silencio me ofreció su compasión. Nunca me contó lo que yo le dije aquella noche. Estaba segura de que fueron palabras groseras y malévolas. Li Lien-ying me contó poco después que Sauce me cogía la mano y no dejaba que se acercara ningún curioso.

Así fue como empezó mi amistad con el Sauce de Yung Lu. Ella nunca pronunció una palabra sobre el secreto de su marido. La compasión que sentía por mi tragedia era más fuerte que los celos. El gesto de amistad que me ofreció era tenerme informada del amor eterno de su marido por mí hasta el final.

—Es imposible no quereros, Orquídea, si me permitís que os llame por el nombre —dijo Sauce, y yo comprendí por qué la amaba Yung Lu.

A su vez yo quería hacer lo mismo por Sauce. Un año más tarde, cuando regresó a Pekín para dar a luz a su hija, yo la recibí. La dura vida del desierto había oscurecido su piel, y arrugado su frente. Seguía siendo alegre, pero no podía ocultar su preocupación: algo del clima del desierto había hecho que Yung Lu sufriera bronquitis crónica.

Envié sacos de medicinas de hierbas a Sinkiang, junto con exquisito té, carne seca y varios tipos de conserva de brotes de soja. Hice saber a Sauce que siempre podría contar conmigo.

16

Nombraron a Weng Tong-hur, conocido como el tutor Weng, un famoso historiador, crítico, poeta y calígrafo, para que supervisara la educación de Kuang-hsu. Nuharoo y yo habíamos participado en la selección y soportado las entrevistas. En aquella época yo era especialmente cuidadosa, porque había aprendido una dura lección cuando elegí a los tutores de Tung Chih. Lamenté no haber controlado ni asistido a las lecciones de mi hijo. Cuando Tung Chih se quejaba de que sus profesores eran aburridos, yo le castigaba. Nunca se me ocurrió que pudiera ser culpa de los tutores; tal vez supieran mucho de sus temas, pero sabían muy poco sobre cómo enseñar a un niño.

Tras la muerte de Tung Chih, hablé con varios eunucos que habían sido testigos del trabajo de los tutores imperiales. Me dijeron que obligaban a mi hijo a memorizar textos tanto si los entendía como si no. Los tutores tendrían unos sesenta o setenta años, y estaban más interesados en dejar tras ellos un legado personal que en ayudar a aprender a Tung Chih. Aunque me dijeron que empezaban el día con mucho ánimo, después de comer ya estaban cansados. Muchos se quedaban dormidos en mitad de las lecciones.

Mientras el tutor echaba una cabezadita y roncaba, Tung Chih se divertía jugando con los ornamentos que colgaban del sombrero y las ropas del tutor.

«La pluma colgaba casi un metro de la nuca del tutor —recordaba el eunuco—. A su joven majestad le gustaba el punto de la pluma, al que llamaba ojo. Le divertía ver el modo en que se movía cada vez que el tutor asentía. Siempre hacía varias veces la misma pregunta para que el tutor asintiera con la cabeza.»

—Esta vez quiero estar segura —le dije a la Corte— de que el emperador Kuang-hsu no repita la experiencia de Tung Chih.

El tutor Weng no era un extraño para Nuharoo y para mí. Había sido nuestro profesor de historia y literatura en 1861, justo después de que nuestro marido muriera y nos convirtiéramos en las regentes en funciones. En aquella época no se nos permitía estar con ningún hombre, salvo con el tutor Weng. Se le encargó una misión de importancia nacional: dos mujeres jóvenes sin educación formal ni experiencia estaban gobernando China.

El tutor Weng estaba recomendado por el príncipe Kung. Entonces el erudito tenía cuarenta años y una figura imponente. En pocos días Nuharoo y yo estábamos embelesadas. Su brillantez residía en la capacidad para enseñar a pensar, una experiencia gratificante para mí. Después de dieciocho años, el tutor Weng se había convertido en un importante consejero.

Cuando murió Tung Chih, el tutor Weng era el director de la escuela literaria más importante de China, la Academia Hanlin. También había sido juez principal de los exámenes para el funcionariado nacional. Ya no era un hombre esbelto; tenía la cintura tan gruesa como una cuba de baño. Su cabello y su barba se habían vuelto grises, pero aún conservaba una energía inagotable. Su voz sonaba como un templo de campana. Tenía un aire de honorabilidad y hablaba con una sensación de apremio.

La impecable moral del tutor Weng fue otra de las razones por las que lo elegimos. Mientras que la mayoría de los ministros rivalizaban entre sí para ser más ingeniosamente graciosos en la expresión de su admiración por nosotras, el tutor Weng nunca daba coba, era brutalmente sincero.

Por desgracia, mi anhelo por agradar a la gente que admiraba me hacía vulnerable a la manipulación. Mi relación con el tutor Weng fue un buen ejemplo.

—Es para mí un gran honor este desafío —dijo el tutor Weng haciéndonos una reverencia a Nuharoo a mí—, y comprendo que tengo una gran responsabilidad.

—Su joven majestad Kuang-hsu es el único que queda de la línea sanguínea de la dinastía Qing —dijo Nuharoo—. La dama Yehonala y yo creemos que si usted está a cargo de su educación, podemos estar seguras de la futura prosperidad de China.

La nieve caía de las hojas de los gigantes robles, de los nogales y de las moreras. Las ardillas correteaban presurosas almacenando comida para el invierno. Aquel año, los días del otoño habían sido calurosos. Los árboles empezaban a dejar caer sus nueces, que pronto cubrieron el suelo. Los eunucos tenían que barrer los patios una y otra vez porque Nuharoo insistía en que los jardines de palacio no podían parecer un bosque natural lleno de montículos de hojas muertas. Temerosa de que le pudiera caer una nuez en la cabeza, siempre paseaba por debajo de los árboles con su sombrilla.

A mí me encantaban mis paseos matutinos y me divertía dar patadas a las hojas caídas. El sonido de las nueces cayendo de los árboles me recordaba a los días de mi niñez en el campo. Sacaban a mi espíritu de su oscura sombra.

El tutor Weng empezaba una de sus lecciones preguntándole a Kuang-hsu si había leído *El romance de los tres reinos*. Mi hijo adoptivo respondió que era su favorito. El tutor le preguntó si le habían gustado los personajes y si podía citárselos.

—¡El primer ministro de los tres reinos era Chu-ko Liang,

que vivió hace seiscientos años! —Kuang-hsu se emocionaba—. ¡Era un poderoso comandante que tenía una habilidad mágica para predecir el siguiente movimiento del enemigo!

Vestido con una túnica de dibujos de hierba alta, el tutor Weng encandilaba a su estudiante alabando su conocimiento.

—Sin embargo —dijo el profesor girando la cabeza—, sus predicciones no eran mágicas sino el resultado de un duro trabajo.

—¡Por favor, explicádmelo! —Kuang-hsu no podía esperar.

—Majestad, ¿habéis leído alguna vez una carta real redactada por Chu-ko Liang?

Kuang-hsu negó con la cabeza.

—Me gustaría enseñaros una carta. ¿Os interesa? —El tutor se inclinó hasta que su rostro estuvo a pocos milímetros del de su estudiante.

—¡Me encantaría! —gritó Kuang-hsu.

Se titulaba «Al partir». Era una carta de consejo del antiguo primer ministro a su emperador. Chu-ko Liang, que estaba muy enfermo, estaba a punto de guiar a su ejército contra los invasores del norte. La partida era su último esfuerzo por rescatar su reino, que se desmoronaba.

—«Vuestro padre, mi amigo el emperador Liu, murió cuando estaba a punto de conseguir su objetivo —empezó a leer el tutor Weng—. Aunque los tres reinos han sido estabilizados, la verdad es que nuestro reino es el más débil. Su majestad debe percatarse de que el motivo por el que os han servido bien es que ministros y generales vivieron para devolver la bondad y la confianza que les había dado vuestro padre.» En otras palabras, Kuang-hsu, es crucial que gobernéis con imparcialidad y justicia y sepáis quiénes son vuestros verdaderos amigos.

Kuang-hsu escuchaba muy atento mientras el venerable ministro seguía recomendándole a personas en las que él confiaba: todos los personajes que Kuang-hsu conocía bien, por el libro que había leído.

Astutamente, el tutor Weng presentó la antigua situación

como un espejo de la presente. Al situar a Kuang-hsu en el momento histórico, le ofreció una valiosa perspectiva.

Al igual que Kuang-hsu, aquella fue la primera vez que comprendí realmente el antiguo clásico. Me di cuenta de que los elementos que el tutor Weng ilustraba para mi hijo constituían el núcleo de la moral china.

El tutor Weng estaba al borde de las lágrimas cuando recitó el último párrafo.

—«El difunto emperador sabía que yo era una persona prudente, y por eso me dio mucha responsabilidad. Por la noche no conseguía dormir, preocupado porque había cosas que podía haber hecho y no había hecho. —El tutor Weng dejó el libro, levantó la barbilla hacia el techo y empezó a recitar de memoria—: Pido que me castiguen hasta la muerte si no consigo derrotar al enemigo del norte en este viaje. Os dejo con los letrados más inteligentes y experimentados de la dinastía.» —El tutor miró a Kuang-hsu—. Acompañadme, majestad.

Juntos, maestro y estudiante, leyeron:

—«Espero que tengáis la misericordia de hacer uso de ellos. En cuanto a mí, majestad, vuestro padre me dio su confianza y su amistad. Será un placer y un motivo de felicidad dedicar mi vida a su hijo, hasta el día de mi muerte.»

Empezó a sucederme mientras dormía. Podía oír el crujido de mi cabeza llena de pensamientos. Podía notarlo mientras me vestía o me sentaba a comer. Yo llamaba a esa sensación: tener «pensamientos muertos» o estar «mareada por tener los mismos pensamientos». Los médicos dijeron que tenía que ver con el hecho de que me aproximaba a la vejez.

Cuando era más joven, estaba acostumbrada a mis pensamientos sombríos. Iban y venían como si fueran compañeros. No les temía. A menudo me hundía en el lecho del océano de mi mente y exploraba el terreno cenagoso.

Nuharoo dijo que ella tenía las mismas experiencias y los mismos pensamientos de hundimiento. Por eso ella había acudido al budismo, para evitar hundirse.

Yo me consideraba budista e incluso simulé ver a Buda detrás de la estatua de madera, aunque en realidad no lo veía.

—No cuesta mucho ofrecer comida y animales en cada altar de palacio —solía aconsejarme An-te-hai—. Mi señora, adorar a muchos dioses os garantizará mucha suerte.

—La falta de sinceridad será tu verdadera desgracia —predijo Nuharoo—. Dama Yehonala, nunca encontrás la paz de espíritu.

No dudaba que tuviera razón, así que intenté controlarme. Sin embargo, a menudo no era la voz de Buda la que oía, sino la de An-te-hai.

—Es el ciclo de la vida interior, mi señora. Es la muerte y el nacimiento. Estás viva si eres consciente de ese ciclo, pero si sientes que te has rendido, eso es el principio del fin.

Siempre había temido la muerte espiritual, así que buscaba el sentido en la existencia cotidiana. Tung Chih, Yung Lu y An-te-hai eran mis elementos. Mi existencia había sido una lucha desesperada. Encontré equilibrio y armonía en el camino, aunque nunca me pregunté cómo lo había conseguido ni si solo me estaba engañando a mí misma.

No había abierto ninguna puerta desde que me convertí en emperatriz. En un sueño abría una puerta. Me sorprendió ver que las flores rojas y rosadas cubrían todo mi jardín. Había caído un aguacero que había arrancado las flores, pero aún conservaban toda su vitalidad. Sus cabezas húmedas bebían el agua de los charcos. Una a una las flores empezaron a levantarse como si fueran oficiales de la Corte. Emanaban una fuerte fragancia, una mezcla de gardenias y verduras podridas.

Li Lien-ying trajo a un intérprete de sueños, que me preguntó qué más había visto en mi sueño. Le dije que había visto ventanas.

—¿Qué hay dentro de las ventanas? —preguntó el intérprete.

—Mujeres con la cara roja y rosada —respondí—. Se apretujan en las ventanas como un puñado de amapolas envenenadas compitiendo por el sol. Todas tienen un cuello extraordinariamente largo y delgado.

Las manos del intérprete se movieron rápidamente en el aire como si tomase notas en una pizarra invisible.

—¿De quién era la ventana? —El intérprete cerró los ojos.

—No me acuerdo.

—Voy a llegar hasta el final. Estoy preparado para desvelar el significado de vuestro sueño, pero debéis darme hasta el último detalle. Permitidme que os lo pregunte otra vez: ¿de quién era la ventana?

—Creo que es la ventana de mi marido.

—¿Dónde se encuentra?

—En el Salón de la Nutrición Espiritual.

—¡Eso es! Y entonces vos llamasteis a un recolector de fruta.

Impresionada, le dije que tenía razón.

—Y con ese recolector de fruta, vos arrancasteis las cabezas de las amapolas una por una.

—Sí, eso hice.

—Luego reunisteis esas cabezas en una cesta, las pusisteis en un molinillo e hicisteis sopa.

Admití que todo sucedió tal como lo describía.

—El problema es la sopa. No deberíais haberla bebido.

—Pero era solo un sueño.

—Es una interpretación de la verdad.

—¿De qué verdad?

El hombre hizo una pausa.

Li Lien-ying se apresuró a poner una bolsa de taels en su mano.

El intérprete prosiguió, me preguntó si era seguro decir lo

que sabía. Li Lien-ying le tranquilizó. El hombre tomó aliento y dijo soltándolo:

—Mi señora, habéis sido envenenada por vuestra propia enfermedad.

Le pregunté qué tipo de enfermedad. El hombre era reticente a responder, pero dijo que se componía de elementos de celos, resentimiento y anhelo secreto de relaciones íntimas. Fue entonces cuando le pedí que parara.

—¿Qué aconsejáis? —preguntó Li Lien-ying, cogiendo la manga del hombre.

El intérprete dijo que no conocía ningún tratamiento eficaz.

—Probaremos lo que sea —suplicó Li Lien-ying.

—Espera hasta que haya avanzado el otoño. Deja abierta la puerta de su majestad desde el alba hasta el ocaso. El propósito es invitar a entrar a los grillos. Los grillos harán el trabajo de sufrir por ella; cantarán hasta morir.

—¿A cuántos grillos debo invitar? —preguntó Li Lien-ying.

—A todos los que puedas. Hay un truco para atraerlos. Debes colocar hierba fresca y soja con cáscara en la habitación. Pon también ladrillos húmedos en cada esquina. Los grillos irán a comer y buscarán compañeros para aparearse. Cantarán durante toda la noche. Sabrás que el tratamiento ha tenido éxito cuando encuentres grillos muertos bajo la cama a la mañana siguiente.

Cuando me acostumbré al canto de los grillos y a despertarme y encontrar grillos muertos dentro de mis zapatos, mis sueños empezaron a cambiar. Se volvieron menos amedrentadores, eran más de estar cansada e intentar escapar.

Volví a ser capaz de apreciar la belleza del cambio de estaciones. Caminar por los senderos del jardín nunca había tenido tanto sentido para mí. Miraba cómo una planta atacada por un gusano se mecía al viento y se maravillaba como medio para sobrevivir. Notaba la fuerza de la vida y experimentaba un éxtasis con la simple visión de insectos libando néctar del corazón de las flores. Respiraba libremente, y sentía el espíritu de Tung Chih y An-te-hai.

Seguía añorando terriblemente a Yung Lu, pero tenía la fuerza para soportarlo.

17

Llevaba sentada ante el espejo desde las tres de la madrugada. Abrí los ojos y vi que la ancha tablilla que sujetaba mi cabello parecía una seta gigante.

—¿Os gusta, mi señora? —preguntó Li Lien-ying.

—Está bien. Acabemos cuanto antes. —Me levanté para que pudiera vestirme con las pesadas capas de la túnica de Corte.

Aquellos días apenas prestaba atención a mi aspecto. Mi mente había estado ocupada con Rusia en el norte, la India británica en el oeste, la Indochina francesa en el sur y Japón en el este.

Numerosos países y territorios —entre los que se contaban Corea, las islas Ryukyu, Annam y Birmania— que habían enviado representantes y tributo durante el reinado de Tung Chih, los enviaban cada vez con menos frecuencia, y pronto dejaron de enviarlos. El hecho de que China fuera incapaz de reclamar sus privilegios demostraba que nuestro poderío había disminuido. Con cada derrota, nuestras defensas exteriores se debilitaban más.

Ahora deseaba que el tutor Weng abandonara sus vanas muestras de sinceridad y continuara preparando a Kuang-hsu para los asuntos de gobierno. Carentes de flexibilidad y astucia, Nuharoo y yo no podíamos adoptar una línea de conducta cuando los problemas amenazaban con superarnos. Nadie parecía comprender que nuestro país llevaba siglos deslizándose pendiente abajo, China era como una persona enferma y agonizante, solo que ahora la podredumbre del cadáver se hacía visible.

Como un tigre hambriento, Japón había estado oculto tras la maleza, esperando el momento para atacar. En el pasado subestimamos la intensidad de su hambre. Habíamos sido demasiado amables con nuestro pequeño y pobre en recursos vecino de otros tiempos. Si hubiera sabido que el emperador Meiji de Japón había azuzado a su nación a lanzarse contra nosotros y robarnos, habría alentado a la Corte a concentrarse únicamente en la defensa.

En 1868, diez años antes, mientras dedicaba mi energía en fundar escuelas elementales en el campo, el emperador de Japón había emprendido una reforma a gran escala, y transformado su sistema feudal en una poderosa sociedad capitalista moderna. China no tenía idea de lo que significaba cuando Japón empezó a presionar para expandirse en una tenaza que se extendía desde sus principales islas desde el norte hasta Formosa en el sur. Formosa, a la que los mandarines llamaban Taiwán, había sido una isla-Estado que pagaba tributo al trono chino desde hacía siglos. En 1871, cuando algunos marineros de las islas Ryukyu fueron asesinados por los que con bastante probabilidad eran bandidos locales, los japoneses aprovecharon el incidente como excusa para intervenir.

La burocracia imperial y nuestra propia ingenuidad nos hicieron caer en una conspiración de Japón. Al principio intentamos aclarar que nosotros no éramos los culpables. Nuestro Consejo de Asuntos Extranjeros ofreció una respuesta sin poner la debida atención en las palabras a la exigencia de reparaciones de Japón: «No podemos hacernos responsables de las acciones de unos salvajes que desconocen la civilización». Los japoneses interpretaron aquello como una invitación a conquistar la isla-Estado.

Sin previo aviso, el ejército japonés invadió, clamando venganza, en nombre del pueblo de las islas Ryukyu.

Cuando nuestro gobernador provincial se percató de que no solo había permitido que los japoneses nos suplantaran en las Ryukyu, sino también renunciado a nuestra autoridad sobre los más de trescientos setenta kilómetros de longitud de las islas, de importancia vital, de Taiwán, ya era demasiado tarde.

Después de días de debate y retrasos, nuestra Corte llegó a la conclusión de que China no podía enfrentarse a la nueva potencia militar de Japón. Acabamos pagando quinientos mil taels a Japón en concepto de indemnización, solo para recibir nuevas malas noticias seis años más tarde, cuando Japón «aceptó» la «entrega» oficial de las islas Ryukyu.

Los británicos también estaban decididos a sacar el máximo beneficio posible de cualquier incidente. En 1875, un intérprete británico, A. R. Margary, fue asesinado en la provincia suroccidental de Yunnan. Margary acompañaba una expedición para abrir nuevas rutas comerciales desde Birmania por las montañas de Yunnan, Kweichow y Szechuan, provincias ricas en minerales y hierro. Los extranjeros no prestaron atención a las señales de peligro de los rebeldes musulmanes. El intérprete cayó en una emboscada y fue asesinado por bandidos o por rebeldes.

El representante británico, sir Thomas Wade, obligó a China a aceptar un nuevo tratado, que yo envié a Li Hung-chang, entonces virrey de Chihli, para que lo negociara. Se firmó la Convención de Chefoo, por la cual se abrieron algunos puertos más al comercio de las naciones occidentales, entre ellos mi ciudad natal de Wuhu, en el río Yangtze.

Con el cabello recogido en una lisa trenza, Li Hung-chang, de cincuenta y cinco años, vino a implorar perdón. Vestía su túnica negra de la Corte, bordada con los símbolos marrones y rojos de la bravura y la suerte. Aunque de constitución delgada, la postura de Li era tiesa y su expresión solemne. Tenía la piel clara de un sureño y ojos pequeños que brillaban de inteligencia. La nariz parecía grande en aquella cara cincelada, y los labios estaban ocultos tras una barba pulcramente recortada.

—Los británicos están intentando enviar otra expedición desde la India a través de Birmania, para delinear la frontera chino-birmana —informó Li Hung-chang mientras se postraba de rodillas.

—¿Está insinuando que Gran Bretaña ha anexionado Birmania?

—Precisamente, majestad.

Yo creía que si tenía la devoción del virrey, tendría la estabilidad de China. Contra el consejo de la Corte, mantuve el nombramiento de Li Hung-chang como el más importante funcionario provincial de China. Li llevaba veintitrés años en el mismo cargo en Chihli.

Desdeñé a propósito el hecho de que Li debía haber sido trasladado a otra región del imperio hacía ya tiempo. Mi intención era permitirle acrecentar su riqueza, sus contactos y su poder. Yo estaba detrás de la reorganización y modernización de las fuerzas militares del norte, bajo el nombre de «nuevo ejército», que las malas lenguas llamaban «el ejército personal de Li». Yo era plenamente consciente de que los comandantes sobre el terreno estaban en deuda con Li Hung-chang y no con el trono.

Mi confianza en Li Hung-chang se basaba en que me parecía un hombre con valores confucianos. Él confiaba en mí porque yo le había demostrado que nunca daría por sentada su lealtad. En mi opinión, lo único que podía ofrecer el trono era la restitución de la confianza y la lealtad. Yo creía que era menos probable que un rebelde iniciara un levantamiento si se le daba una provincia para él solo. No solo di rienda suelta a Li, sino que también hice que quisiera servirme.

Era un buen negocio para ambos. Los beneficios de Li suponían una de las mayores fuentes de impuestos de China. Hacia 1875, nuestro gobierno dependía por completo de Li Hung-chang. Por ejemplo, mientras los soldados de Li supervisaban el embarco de la sal a Pekín, que le permitía controlar el monopolio de la sal, yo recibía rentas de Li para que China siguiera funcionando.

Li Hung-chang nunca pidió al trono que financiara su ejército. Esto no significaba que él pagara a los soldados de sus propias arcas. Como inteligente hombre de negocios, usaba su propio tesoro provincial. Estaba segura de que se gastaba una fortuna en sobornos a los príncipes manchúes que de otro modo habrían interferido en su camino. Li también proporcionaba tanto empleo que si él cayese, la economía de la nación caería con él. Convencido de que China debería impulsar las mejoras, Li construyó fábricas de armas, astilleros, abrió minas de carbón y ferrocarriles. Con mi aprobación y mi apoyo, también había fundado los primeros servicios postales y de telégrafo de China, las primeras escuelas de tecnología y escuelas de intérpretes de idiomas extranjeros.

Yo no conseguía que aprobasen la propuesta de Li de establecer la primera armada de China porque los miembros de la Corte se negaban a aceptar sus prisas. La excusa oficial es que era «demasiado cara». Se acusó a Li Hung-chang de amedrentar a la nación para conseguir unas fuerzas armadas personales apoyado por el gobierno.

Seguían llegando cartas de quejas de los conservadores, en especial de los Sombreros de Hierro manchúes. Nada de lo que Li Hung-chang hiciera podía agradarles. Los Sombreros de Hierro se quejaron de que se quedaba con su parte de los beneficios y amenazaban con vengarse. Si Li Hung-chang no hubiera mantenido todos sus tratos en secreto y tuviera a sus leales plantados en todas partes, lo habrían asesinado fácilmente. Sin embargo, era chantajeado por quedarse comisiones de los contratos comerciales y sobornos de los mercaderes extranjeros. Los conservadores me advirtieron que solo era cuestión de tiempo que Li diera un golpe de Estado y ocupara el trono.

Li Hung-chang tenía su propio modo de combatir a la Corte. Vivía fuera de Pekín y acudía a la capital solo cuando buscaba permiso para expandir sus negocios. Cuando se percató de que necesitaba una voz política en la Corte, creó una asociación con sus poderosos amigos, manchúes y chinos han por igual. Junto al príncipe Kung, Li tenía gobernadores aliados en provincias clave. Su alianza más importante era con el gobernador de Cantón, Chang Chih-tung, que construyó la mayor fundación de hierro de China. Li hizo un trato con el gobernador de Cantón: en lugar de pedir material para su ferrocarril a compañías extranjeras, conseguía el hierro de Cantón. A los dos hombres se les llamaba «el Li del norte y el Chang del sur».

Recibí a ambos en audiencias privadas. Ambos merecieron el honor, pero también me di cuenta de la importancia de estar informada. Había habido bastantes incidentes por haber sido la última en enterarme.

Todo gobernador era consciente de que mi aprobación en la Corte suponía peso, y conquistarla se había convertido en una parte vital de la política de la Corte. Como resultado, la gente quería impresionarme, lo que llevaba a la adulación y a la falsedad. Aunque las mentiras descaradas no atravesaban mi sentido común de campesina, a veces no podía evitar que me engañaran.

—La gente cambia —le dije a mi hijo adoptivo durante un intermedio de la Corte—. La decadencia de los soberanos manchúes es un ejemplo vivo perfecto.

Kuang-hsu aprendía rápido. Un día me preguntó por qué Li

Hung-chang me traía regalos, como las cajas de champán francés que recientemente me habían entregado.

—Para asegurar las relaciones con el trono —respondí—. Necesita protección.

—¿Te gustan los regalos? —preguntó Kuang-hsu—. ¿Y el cepillo y la pasta de dientes inglesa que ha enviado? ¿No habrías preferido un antiguo jarrón han o algún otro objeto hermoso? Muchas damas lo habrían preferido.

—Me gusta más el cepillo y la pasta de dientes —respondí—. Y sobre todo me gusta el manual de cómo usarlos escrito a mano por el propio Li. Ahora protegeré mis dientes para que no se me caigan y también pensaré en cómo evitar la decadencia del país.

Insistí en que Kuang-hsu asistiera a mis audiencias privadas con Li Hung-chang y Chang Chih-tung. Mi hijo aprendió pronto que había sido yo quien había elegido a Chang como gobernador de Cantón después de que quedara en primer puesto en los exámenes para el funcionariado cuando era joven.

—¿Usted estudiaba tanto como yo? —preguntó Kuang-hsu a Chang.

El gobernador se aclaró la garganta y me miró en busca de ayuda.

—Si quieres saber la verdad, Kuang-hsu —dije yo sonriendo—, verás, él tuvo que competir con millones de estudiantes para ganar, mientras que tú...

—Mientras que yo gané sin sudar —comprendió Kuang-hsu—. Puedo decirle a mi tutor qué nota quiero y él me la pondrá.

—Bueno, su majestad merece ese privilegio. —El gobernador hizo una reverencia.

—Sabes que tus buenas notas no son reales —no pude evitar responder a mi hijo.

—Eso no es del todo correcto, madre —argumentó Kuang-hsu—. Yo sudo de otra manera. Otros niños pueden jugar, porque no tienen que soportar la responsabilidad de una nación.

—Eso es verdad, majestad. —Ambos gobernadores asintieron con la cabeza y sonrieron.

Cuando Kuang-hsu tenía nueve años, demostró una admirable dedicación al cometido de emperador. Incluso pidió que le dieran menos agua para beber por la mañana porque así no tendría que ir al excusado durante una audiencia. No se quería perder nada.

Su educación incluía estudios occidentales. Por primera vez en la historia de palacio se contrató a dos tutores de veinte años. Eran de la escuela de idiomas extranjeros de Pekín y estaban para ayudar a enseñar inglés al trono.

Disfrutaba escuchando a Kuang-hsu practicar sus lecciones. Los jóvenes tutores intentaban mantener la cara seria cuando él pronunciaba mal las palabras. El juego parecía ser la mejor manera de animarlo. Recordé cómo los tutores de Tung Chih quitaban toda diversión del acto de aprender y lo castigaban demasiado. Cuando el príncipe Kung intentó presentar la cultura occidental a Tung Chih, uno de sus tutores más mayores dimitió como protesta y otro amenazó con suicidarse.

Lo que en otro tiempo había soñado para Tung Chih se vio realizado a través de Kuang-hsu. El tutor Weng le presentaba la idea del universo y Li Hung-chang y Chang Chih-tung le ofrecían su conocimiento del mundo, conseguido a través de la experiencia.

Li Hung-chang también enviaba a Kuang-hsu traducciones de libros occidentales, que Chang también leía con placer, en las que se mostraban historias de acuerdos con mercaderes, diplomáticos, misioneros y marinos extranjeros en Cantón.

Yo no estaba de acuerdo con el hincapié que hacía el tutor Weng en la literatura clásica china. Los clásicos contenían demasiada ficción y fatalismo.

—Kuang-hsu debe aprender el auténtico modo de ser de su pueblo —insistía yo.

Yo me sentía tan dichosa con los progresos de Kuang-hsu que invité a los criadores de peonías y crisantemos a venir a palacio a comprobar el suelo de mi jardín. No podía esperar el tiempo en que pudiera pasar los días sin pensar en nada más que en el cultivo de las flores.

Cuando Kuang-hsu expresó repetidas veces su deseo de dedicar su vida a Nuharoo y a mí yo me sentí incómoda. Nuharoo creía que aquello no tenía nada que ver con su anterior trauma.

—Sus tutores le han enseñado piedad filial, eso es todo —dijo ella.

Mi instinto me decía que mi hermana había roto algo dentro del muchacho, algo que aún tendríamos que descubrir. Sospechaba de mi propio cometido en el asunto. ¿Cómo le había afectado a Kuang-hsu ser arrancado del nido familiar? Por terrible que hubiera sido, era su nido. El palacio le ofrecía una existencia con sentido, pero al precio de una tremenda presión. Nunca dejé de cuestionarme a mí misma. Si se le dejaba solo, ¿habría caído Kuang-hsu en la vida disipada e imprudente como el resto de los soberanos manchúes? ¿Qué derecho tenía yo a determinar el curso de la vida del muchacho?

A los cuarenta y cinco años me entraron inseguridades sobre la vida que había elegido para mí. Cuando entré por primera vez en la Ciudad Prohibida, nunca dudaba de mis aspiraciones de vivir allí. Ahora sentía más poderosamente lo que había perdido y lo que me habían quitado: la libertad de caminar sin rumbo fijo, el derecho a amar y, sobre todo, el derecho a ser yo misma.

Nunca olvidaré las celebraciones del Año Nuevo chino en Wuhu. Yo disfrutaba de la cosecha, el arroz fresco, la soja salteada y asada y las verduras escogidas. Todas las chicas se reunían con sus invitados y veían representaciones de ópera local. Echaba de menos visitar a parientes y amigos. Aunque me habían dado todos los lujos y mis obligaciones solían verse recompensadas, la gloria imperial también significaba soledad y vivir en el constante temor a la rebelión y al asesinato.

La muerte de Tung Chih había cambiado mi perspectiva de la vida. No echaba de menos que él fuera el emperador, echaba de menos sujetar sus piececitos en mis manos cuando nació, echaba de menos llevarle a jardines y mirarlo correr libremente. Lo que más le gustaba hacer era convertir ramas de sauce en látigos de juguete. Nada que tuviera que ver con ser emperador, sino con estar juntos. La muerte de Tung Chih me había robado la felicidad, y estaba decidida a evitar que a Kuang-hsu le robasen lo mismo. Yo evitaba cualquier cosa que pudiera causarme remordimiento, o eso creía. No estaba segura de que estuviera escapando del remordimiento.

Quería ver a Kuang-hsu convertido en emperador por derecho propio, no por mí. Deseaba que él se convirtiera en un hombre antes que en un gobernante. Yo sabía que las enseñanzas chinas no le serían de mucha ayuda, pero esperaba que los estudios occidentales pudieran darle alguna oportunidad.

Mi asistencia a las audiencias y la preocupación de Nuharoo por sus ceremonias religiosas a menudo dejaban a Kuang-hsu a merced de los eunucos después de su jornada escolar. Más tarde descubriría que algunos de los asistentes de Kuang-hsu habían sido extraordinariamente malvados. Yo esperaba que la muerte de An-te-hai agitara a la población eunuca, causando inseguridad e incluso ira, pero nunca esperé esta expresión de venganza.

A mis espaldas, los eunucos envolvían al Kuang-hsu de nueve años en una pesada manta y le hacían rodar en la nieve. La manta le hacía sudar profusamente, pero sus extremidades desnudas estaban expuestas al frío.

Cuando empecé a sospechar de su tos crónica, los eunucos me ocultaron información hasta que investigué y descubrí la verdad.

Su salud seguía siendo delicada y los eunucos continuaban atormentando al chico por la muerte de An-te-hai. No todos los eunucos querían torturar a Kuang-hsu, pero sus supersticiones y tradiciones anticuadas afectaban al modo en que lo cuidaban. Por ejemplo, ellos creían sinceramente que el hambre y la deshidratación eran métodos de tratamiento médico aceptables.

A los que no perdonaba era a quienes no le daban a Kuang-hsu un orinal a tiempo, y a quienes se reían y lo humillaban cuando se mojaba los pantalones. Yo castigaba severamente a aquellos felones.

Por desgracia, se cometieron los actos más violentos como si fuera algo normal. Entonces era a mí a quien llamaban abusona y cruel.

No conseguía perdonarme a mí misma, ni siquiera después de que los eunucos fueran castigados. Me dolía el sufrimiento de Kuang-hsu. Empecé a dudar de haberlo hecho emperador. La ironía era que los príncipes manchúes constantemente pedían la suerte de poner a sus hijos en los zapatos de Kuang-hsu.

Futuros críticos, historiadores y eruditos insistirían en que Kuang-hsu había llevado una vida normal hasta que yo, su tía, lo estropeó. La vida de Kuang-hsu en la Ciudad Prohibida se calificó de «carente». Continuamente era «atormentado por la malvada asesina», y se dijo incluso que vivió prácticamente como un «prisionero hasta que murió».

Aunque era cierto que no había adoptado a Kuang-hsu por amor, con el tiempo llegué a quererlo. No puedo explicar cómo sucedió, ni siento la necesidad de hacerlo. En el niñito encontré la salvación. Cualquiera que haya sido madre o haya tenido la desgracia de perder a un hijo entenderá lo que sucedió entre Kuang-hsu y yo.

Recuerdo que Kuang-hsu era demasiado pequeño para detectar mis intenciones cuando le enseñaba mediante el ejemplo que gobernar nuestro vasto país era un acto de equilibrio. Le insinué que depositar la confianza en sus ministros no bastaría para garantizar su posición como el solo y único gobernador de China. Eran personas como Li Hung-chang y Chang Chih-tung quienes podían hacer que su nave flotase o «se hundiese». Dejé que Kuang-hsu observara cómo jugaba yo con los dos hombres enfrentándolos al uno contra el otro mientras convertía la Corte en un escenario de la vida real.

Durante la audiencia de octubre, Li Hung-chang estaba entusiasmado con su propuesta de acabar con el antiguo sistema escolar chino y reemplazarlo por un modelo occidental. Para contrarrestar su entusiasmo, usé a Chang Chih-tung. Como producto del sistema de la educación tradicional china, Chang predicaba la importancia de «educar el alma antes de educar el cuerpo».

En aquella audiencia, tal como yo había predicho a Kuang-hsu, Li se sintió atacado.

—Es mi modo de guiarle para que reconsidere su propuesta —expliqué a Kuang-hsu más tarde—. Recurrí a Chang para recordar a Li Hung-chang que él no es el único del que depende el trono.

No es que quisiera enseñarle a mi hijo semejantes tácticas de manipulación, pero eran necesarias para su supervivencia como emperador. Kuang-hsu había heredado el vulnerable imperio de Tung Chih, y yo consideraba mi deber prepararle para lo peor. Como dice el refrán: «El demonio que puede hacerte daño es el demonio que no conoces». El daño podía ser aún peor si el niño era traicionado por su progenitor o guardián; una lección que había aprendido con la muerte de Tung Chih.

18

La temperatura descendió bruscamente y el agua del jarrón gigante que había en el patio exterior del salón de audiencias se heló. Dentro, los braseros de leña desprendían un fulgor rojo en las cuatro esquinas. Nuharoo y yo nos alegramos de que hubieran reparado las ventanas. Habían sellado los huecos para detener el silbido del viento del noroeste. Los eunucos también cambiaron los cortinajes. Las finas cortinas de seda fueron sustituidas por grueso terciopelo.

En cuanto Kuang-hsu llegó a la mayoría de edad, hablé con el tutor Weng e hice de las audiencias su aula. No era fácil para mi hijo. Su tutor le ayudaba a digerir lo que veía y oía. A menudo, los asuntos eran demasiado complicados para que los comprendiera un niño. Para que funcionara, me pasaba un rato preparando a Kuang-hsu para el debate que se avecinaba.

—¿Era asunto de Rusia proteger Sinkiang?

Kuang-hsu preguntaba sobre la situación de 1871, cuando las fuerzas zaristas entraron en nuestro remoto desierto occidental de Sinkiang, una región que se llama así por su río.

—Rusia entró en escena en nombre de nuestra Corte, para evitar que Ili se convirtiera en un Estado musulmán independiente —respondí—. Pero nosotros no le invitamos.

—¿Quieres decir que los rusos se invitaron solos?

—Sí.

Kuang-hsu intentaba comprender.

—Pero... ¿no habían sido sofocados los levantamientos musulmanes? —Señaló el mapa y con el dedo siguió los lugares—. ¿Por qué los rusos están aún allí? ¿Por qué no regresan al lugar de donde han venido?

—No lo sé —dije.

—Yung Lu está en Sinkiang, ¿verdad? —El chico insistía.

Yo asentí.

—¿Ha hecho algo para expulsar a los rusos?

—Sí, ha pedido a nuestros caritativos vecinos rusos que nos devuelvan Ili.

—¿Y?

—Se han negado.

—¿Por qué?

Le dije a Kuang-hsu que me gustaría poder explicárselo. A diferencia de Tung Chih, al menos Kuang-hsu comprendía que China no tenía una baza fuerte en la mesa de juego. Kuang-hsu intentó con todas las fuerzas comprender las decisiones que estaba obligado a tomar, pero a menudo era imposible. El muchacho no podía percibir por qué China tenía que soportar largas y exhaustivas negociaciones diplomáticas con Rusia solo para acabar cediendo. Nunca comprendió por qué se acababa de firmar un tratado en su nombre, en febrero de 1881, que imponía un pago de nueve millones de rublos a Rusia por territorios que pertenecían a la propia China.

Empezaba a ver cómo Kuang-hsu estaba reaccionando ante las audiencias. Estaba bajo constante presión y sufría terriblemente. Cuando oía malas noticias, podía notar su nerviosismo y veía el miedo escrito en su rostro. Yo era culpable de unirme a los ministros que se quejaban cuando Kuang-hsu se quedaba absorto con los adultos.

Pronto, para Kuang-hsu ya no fue una simple experiencia de aprendizaje. Sufría una conmoción a diario, y su humor y su salud se vieron negativamente afectados. No obstante, la alternativa era protegerle o dejar que viviera la verdad. Cualquier opción era cruel. Cuando convoqué al ministro de Agricultura para que diera su predicción sobre las cosechas del año siguiente, Kuang-hsu se desmoronó. Se sintió personalmente responsable cuando el ministro previó una drástica escasez de cosechas como resultado de las inundaciones y la sequía.

Ahora un adolescente, Kuang-hsu demostraba determinación y autodisciplina. Me alivió ver que no mostraba deseo alguno de tontear con los eunucos ni escabullirse de palacio para irse de juerga. Parecía preferir la soledad. Comía solo y se sentía incómodo con la compañía. Cuando cenaba con Nuharoo y conmigo, se sentaba en silencio y comía lo que se le pusiera en el plato. Mi tristeza por la pérdida de Tung Chih le había afectado tanto, que Kuang-hsu procuraba encarecidamente que su comportamiento me agradase.

Me habría gustado explicar la diferencia entre la seriedad que mostraba en el estudio y la melancolía que lo invadía. Aunque mi experiencia me decía que las audiencias diarias podían ser una tremenda fuente de tensión, no me daba cuenta de que para un niño podían ser veneno.

Ansiosa por ayudarle a madurar, negué la posibilidad de que estuviera robándole la infancia. El aspecto amable de Kuang-hsu me engañó. Solo más tarde él confesó que temía no estar satisfaciendo mis expectativas.

No le dije a Kuang-hsu que perder era simplemente un modo de aprender a ganar. Yo tenía miedo de repetir mis errores con Tung Chih. Los mimos y las contemplaciones habían matado a mi hijo. Tung Chih se rebeló porque sabía que no tenía que preocuparse por perder mi cariño.

Kuang-hsu seguía el protocolo y la etiqueta estrictos. El tutor Weng tomaba todas las medidas par evitar la posibilidad de que abusara de sus privilegios. Así, Kuang-hsu se convirtió en un rehén de palacio. Solo más tarde aprendí que cada vez que los ministros le presentaban sus problemas al niño, él los consideraba propios. Cada vez fue avergonzándose más de sí mismo por su incapacidad para resolver los problemas del imperio.

Hacia 1881 mi salud declinó. Perdí mi ciclo normal de sueño y de nuevo volví a tener problemas de insomnio. No hice caso de mi fatiga y repentinos sofocos y esperé que volvieran a irse. Cuando el país celebraba mi cuadragésimo sexto cumpleaños, en noviembre, yo estaba gravemente enferma. Me costaba mucho levantarme y vestirme, y tenía que beber té de ginseng para mantener mis fuerzas. No obstante, seguí asistiendo a las audiencias y supervisando el estudio de Kuang-hsu. Animé al tutor Weng a que presentara al emperador personas de fuera de la capital.

Kuang-hsu concedió audiencias privadas a los gobernadores de veintitrés provincias. Los gobernadores más viejos, que habían sido nombrados por mi marido, el emperador Hsien Feng, estuvieron especialmente agradecidos. Yo asistí a todas las audiencias y me alegré de reunirme con mis viejos amigos. A menudo teníamos que hacer una pausa para enjugar nuestras lágrimas.

En los inicios del invierno yo estaba completamente agotada. Tenía el pecho congestionado y me dolía, y padecía una terrible diarrea. Una mañana me desmayé en el transcurso de una audiencia.

Vestida con su túnica dorada de la Corte, Nuharoo me visitó a la mañana siguiente. Era la primera vez que veía su cabello recogido en una tablilla negra en forma de uve, rica en joyas y ornamentos. Le hice cumplidos y le pregunté si ella conduciría las audiencias. Nuharoo asintió.

—Pero no esperes de mí que sea una esclava —añadió luego.

Durante años, yo no había tenido tiempo libre para levantarme con la luz del día. Cuando el invierno se convirtió en primavera, lentamente recuperé la energía. Pasando el día a la luz del sol, trabajaba en mis jardines. Pensaba en Yung Lu y me preguntaba qué estaría haciendo en el lejano Estado musulmán. Yo le había escrito, pero no había recibido respuesta.

Kuang-hsu hacía una pausa después de las audiencias y me traía la cena. Se había hecho más alto y era dulce y agradable. Colocó amablemente un trozo de pollo asado en mi plato y me preguntó si estaba disfrutando de las camelias recién florecidas.

Le pregunté a Kuang-hsu si se hacía preguntas sobre la vida fuera de la Ciudad Prohibida, y si echaba de menos a sus padres.

—A mi madre y a mi padre se les permite venir a visitarme cuando quieran —respondió—. Pero no han venido.

—Tal vez debería invitarlos...

Me miró un momento y luego sacudió la cabeza. No podía decir si era que no tenía ganas de verlos o temía ofenderme. Mis comentarios pasados sobre mi hermana debieron influir en su actitud. Aunque nunca menosprecié intencionadamente a Rong, tampoco tenía cosas buenas que decir sobre ella.

Le pregunté a Kuang-hsu si recordaba la muerte de su primo Tung Chih, y cómo se sintió por haber sido elegido para sucederle.

—No recuerdo demasiado sobre Tung Chih —dijo Kuang-hsu. Sobre la noche en que se fue de su casa, recordaba que Yung Lu lo había llevado en brazos—. Recuerdo su rostro moreno y los botones decorativos de su uniforme. Los botones estaban fríos contra mi piel. Me sentía raro. Recuerdo que estaba oscuro como boca de lobo. —Me miró fijamente y añadió—: Me gustó cabalgar con el abanderado.

—Has sido muy amable, Kuang-hsu —le dije, consolada,

pero aún sintiéndome culpable—. Debió de ser terrible para ti que te arrancasen de tu lecho caliente y del sueño profundo. Siento haberte hecho pasar por eso.

—Había un propósito en mi caótico principio —dijo el muchacho con el tono de un hombre adulto.

Suspiré, nuevamente impresionada por su sensibilidad.

—La buena vida no necesita razonamiento, convencimiento ni explicación, mientras que la mala requiere muchos. —Kuang-hsu sonrió—. Mis tres hermanos murieron a manos de mi madre. Yo habría sido el siguiente si tú no me hubieras adoptado.

Se levantó y me ofreció su brazo derecho. Salimos al jardín. Se acercó hasta mi entrecejo y parecía delgado en su túnica de satén amarillo. Sus movimientos recordaban a los de su primo.

—Estoy segura de que mi hermana no pretendía hacerte daño —dije.

—Mi madre está muy enferma. Mi padre dijo que él se había rendido.

—La esposa del príncipe Kung le contó a Nuharoo que tu padre se había ido de casa y está viviendo con su quinta concubina. ¿Es cierto?

—Eso me temo.

—¿Estará bien Rong?

—Mi madre se cayó de la cama y se rompió la cadera el mes pasado. Culpó a los doctores de su dolor. No debí enviar al doctor Sun Pao-tien.

—¿Por qué no? ¿Qué sucedió?

—Ella le pegó. —Después de una pausa, Kuang-hsu añadió—: Ella pega a todo el mundo que intenta ayudarle. A veces desearía que estuviera muerta.

—Lo siento.

Kuang-hsu se quedó en silencio y se enjuagó los ojos.

—Yo no estaba pensando en tu bienestar cuando te adopté —confesó—. Lo único que tenía en la cabeza era el bienestar de la dinastía. Tung Chih había tenido un trágico final. Aún no me lo he perdonado. Le dejé caer... y temo dejarte caer a ti, Kuang-hsu.

El joven cayó de rodillas y tocó el suelo con la frente.

—Madre, te suplico que dejes de pensar en Tung Chih. Yo estoy aquí, vivo, y te quiero.

19

En abril, las noticias de que Nuharoo se había desmayado se difundieron por la Ciudad Prohibida.

—Su majestad ha estado sintiéndose mal desde la semana pasada —informó el jefe eunuco de Nuharoo a la Corte. Su delgado cuello le salía hacia delante, y parecía una calabaza colgando de una parra—. No tenía apetito. Se iba a la cama antes de que me diera tiempo a calentarle las sábanas. Al día siguiente insistía en levantarse, pero no podía. Yo la ayudaba a vestirse y notaba que tenía las ropas empapadas de sudor frío. Descansaba su peso en mis hombros mientras la peinábamos y la maquillábamos. Llegó hasta el Salón de la Nutrición Espiritual en su palanquín, pero cayó inconsciente antes de que se convocara la audiencia.

—¿Por qué no informó antes al doctor Sun Pao-tien? —pregunté.

—Su majestad no me dejaba —respondió el eunuco.

—Eran las cuatro de la tarde y le di a su majestad un medicamento para calmar su dolor. —El doctor Sun Pao-tien dio un paso al frente y dio su informe.

—¿Qué le ocurre? —pregunté.

—Aún no lo sabemos seguro —dijo el doctor—. Podría ser el hígado o un cólico.

—Su majestad insistió en mantener su estado en secreto

—dijo el jefe eunuco—. Después de cinco días echó a los médicos. Mi señora sufrió un ataque anoche. Estaba acurrucada en el suelo. Tenía los ojos en blanco y le salía espuma por la boca. Antes de que los médicos llegaran su majestad había perdido el control de su cuerpo. Debo quejarme de que el doctor Sun Pao-tien no fue de ninguna ayuda.

—Los eunucos movían a mi paciente, la levantaban, la bajaban, le daban vueltas como si fuera una acróbata —protestó el doctor.

—¡Era el único modo de mantenerla seca! —replicó el eunuco de Nuharoo.

—¡Mi paciente estaba sufriendo un ataque! —El amable doctor perdió la paciencia.

—Deberíamos haber acudido primero a los sacerdotes del templo. —El eunuco se golpeaba la cabeza con los puños—. Sus oraciones son famosas por hacer que los muertos se levanten y anden.

Hice callar al eunuco y pedí a Sun Pao-tien que continuase.

—Mi colega y yo hemos descubierto que la respiración de su majestad ha estado obstruida por flema. Hemos estado buscando el modo de extraerla.

—¡No ha funcionado! —gritaron todos los eunucos al unísono.

Pregunté por qué no me habían informado.

—Mi señora no quería que se lo contáramos a la Corte y especialmente a vos. Creía que se pondría bien enseguida.

—¿Tenéis alguna prueba?

—Mirad. —El eunuco hurgó en sus bolsillos y sacó un trozo de papel arrugado—. Mi señora firmó las instrucciones. —Lágrimas y mocos confluían en la punta de la nariz del eunuco y empezaron a gotear—. La última vez se recuperó milagrosamente. Así que pensamos que se repondría de su ataque.

—¿La última vez? ¿Qué quieres decir? ¿Ya había ocurrido antes?

—Sí. La primera vez fue cuando mi señora tenía veintiséis años, y luego cuando tenía treinta y tres. Esta vez me temo que no sobreviva.

Cuando llamé al palacio de Nuharoo, los llantos llenaban el aire. El patio estaba lleno de gente. Al verme, la multitud me dejó paso. Llegué junto al lecho de Nuharoo y la encontré prácticamente enterrada en gardenias frescas. El doctor Sun Pao-tien estaba a su lado.

Me impresionó cómo la enfermedad había cambiado su aspecto. Tenía las cejas en forma de nudo grande y la boca caída hacia un lado. Respiraba pesadamente y su garganta emitía un ruido como un gorjeo.

—Llevaos las flores —ordené.

Ninguno de los asistentes se movió.

—¿Cómo va a respirar con las flores aplastándole el pecho?

Los eunucos se postraron en el suelo.

—Es lo que su majestad quería.

—Nuharoo —sururré.

—No puede oíros —dijo el doctor.

—¿Cómo es posible? ¡Durante años no ha estado enferma ni un solo día!

—Sus obligaciones en la Corte la han desgastado —explicó el doctor—. No pasará de esta noche.

Minutos más tarde Nuharoo abrió los ojos.

—Has llegado a tiempo, Yehonala —dijo—, quiero decirte adiós.

—Tonterías, Nuharoo. —Me incliné. Cuando acaricié su pálido y delgado hombro, se me escaparon las lágrimas.

—Entiérrame con mis gardenias. La Corte querrá enterrarme a su modo. Asegúrate de que a mi muerte no me avasallen.

—Lo que tú digas, Nuharoo, pero no te vas a morir.

—Mi camino es el único, Yehonala.

—¡Oh, mi querida Nuharoo, prometiste que no te comportarías así!

—No lo hice. —Cerró los ojos. Un eunuco le enjuagó la cara con una toalla—. No me fui porque no quería avergonzarme de mí misma.

—¿Qué hay de vergonzoso?

—Quería demostrar... que era tan buena como tú.

—Pero si lo eres, Nuharoo.

—Eso es una auténtica mentira, Yehonala. Estás contenta porque voy a quitarme de tu camino para siempre.

—Por favor, Nuharoo...

—Puedes pedir a los eunucos que dejen sus escobas ahora.

—¿De qué estás hablando?

—Podrás recoger las hojas caídas, hacer montones tan altos como quieras en los patios. Al infierno con las manchas en el mármol.

Yo escuchaba y lloraba.

—Buda está en el otro lado esperándome.

—Nuharoo...

Levantó la mano.

—Basta, Yehonala. La muerte es horrible. No dejo nada.

Le cogí la mano. Estaba fría y sus dedos parecían un puñado de palillos.

—Está el honor, Nuharoo.

—Pensabas que me importaba.

—Has acumulado mucha virtud, Nuharoo. Tu próxima vida será maravillosa.

—He estado viviendo dentro de estos muros... —Su voz se hacía cada vez más débil—. Solo han penetrado los vientos polvorientos del desierto... —Volvió lentamente el rostro hacia el techo—. Cuatro mil kilómetros de murallas y cien hectáreas han cercado lo que ha sido mi mundo y el tuyo, Yehonala. No te llamaré Orquídea. Me lo prometí a mí misma.

—Claro que no, Nuharoo.

—No más ensayos de los protocolos... la incesante comedia de las maneras... —Hizo una pausa para tomar aliento—. Solo un oído experto puede detectar el verdadero significado de una palabra envuelta en filigrana... la idea oculta en el ámbar.

—¡Oh, sí, emperatriz Nuharoo!

Al cabo de una hora, Nuharoo ordenó que nos dejaran solas. Cuando todos se fueron de la habitación, acerqué dos gruesos almohadones y la senté. Tenía el cuello, el cabello y la túnica interior empapados de sudor.

—¿Me perdonarás? —empezó.

—¿Por qué?

—Por... por arrancar a Hsien Feng de tu cama.

Le pregunté si se refería a las concubinas que había traído para seducir a Hsien Feng durante mi embarazo.

Ella asintió.

Le dije que no se preocupase.

—Era solo cuestión de tiempo que Hsien Feng me abandonase.

—Me castigarán en mi próxima vida si no me perdonas, dama Yehonala.

—Muy bien, Nuharoo, te perdono.

—También planeé que abortases —no se frenó.

—Lo sé, pero no lo conseguiste.

Una lágrima brotó del rabillo de su ojo.

—Eres muy amable, Yehonala.

—Basta, por favor, Nuharoo.

—Pero hay más que me gustaría confesar.

—No quiero oírlo.

—Debo hacerlo, Yehonala.

—Mañana, Nuharoo.

—Tal vez no... tenga la oportunidad.

—Prometo venir mañana por la mañana.

Pero de cualquier modo, ella decidió continuar.

—Yo... di permiso para el asesinato de An-te-hai.

Su voz era casi inaudible, pero me golpeó.

—Dime que me odias, Yehonala.

La odiaba, pero no podía decírselo.

Le temblaron los labios.

—Necesito partir con la conciencia limpia.

Me apretó los dedos. Tenía una expresión triste y desvalida. Abría y cerraba la boca como un pez fuera del agua.

—Ofréceme tu misericordia, Yehonala.

No estaba segura de que tuviera derecho a perdonarla. Retiré la mano de las suyas.

—Descansa un poco, Nuharoo. Te veré mañana.

Haciendo uso de todas sus fuerzas, gritó:

—¡Mi partida es irreversible!

Me aparté y mi encaminé hacia la puerta.

—Tú has deseado que desapareciera, dama Yehonala, sé que lo has deseado.

Me detuve y me di media vuelta.

—Sí, pero cambié de opinión. No hemos sido las mejores compañeras, pero no puedo imaginarme sin compañera. Me he acostumbrado a ti. ¡Eres el puto demonio más malo que conozco!

Una débil sonrisa cruzó por el rostro de Nuharoo.

—Te odio, Yehonala —murmuró.

Nuharoo murió a la mañana siguiente. Tenía cuarenta y cuatro años. Sus últimas palabras fueron: «Él no me tocó». Me asombró porque estaba segura de que quería decir que el emperador Hsien Feng no le hizo el amor la noche de bodas.

Seguí las instrucciones que Nuharoo dio para su entierro y la cubrí de gardenias. Su ataúd fue llevado hasta el panteón real y fue colocada junto a nuestro marido. Por suerte era abril, la temporada de gardenias. No tuve ningún problema para comprar toneladas de flores del sur. La ceremonia de despedida se celebró en medio de un mar de gardenias en el Salón de la Adoración a Buda, y asistieron miles de personas. Cientos de coronas fúnebres llegaron de todos los confines del país. Los eunucos las apilaban, llenando el salón.

La pasión de Nuharoo por las gardenias era nueva para mí. La planta no era autóctona de Pekín; era popular en el sur de China. Supe por sus eunucos que Nuharoo nunca había visto gardenias antes de su enfermedad mortal. Había pedido que se plantaran gardenias alrededor de su tumba, solo para que le dijeran que no sobrevivía a las inclemencias del clima septentrional. Y el suelo del desierto no era adecuado para ellas.

Después de todo, Nuharoo me sorprendió con sus sentimientos. Recuerdo lo contenta que estuvo cuando nos conocimos por primera vez a los dieciséis años. Ella creía que el mundo exterior era algo feo comparado con el «Gran Interior». No podía dejar de preguntarme lo emocionada que habría estado si hubiera viajado al sur y visto con sus propios ojos la fértil llanura verde: la tierra de las gardenias.

Doscientos monjes budistas asistieron a la ceremonia fúnebre. Cantaron día y noche. Kuang-hsu y yo nos quedamos despiertos hasta tarde para la «ceremonia del alma», en la que se decía que el espíritu de Nuharoo ascendía al cielo. Los eunucos colocaron las velas en barcos de papel y las hicieron flotar sobre el lago Kun Ming. Kuang-hsu corría por la ribera siguiendo las velas flotantes.

Me senté sobre una roca grande y lisa junto al lago. Serenamente leí un poema para desear a Nuharoo un buen viaje al cielo.

Las gardenias llenan el patio limpio de polvo
ascendiendo por la trompeta de la parra, acentúa su fragancia;
suavemente realzan el verde frescor de la primavera,
dulcemente siguen el rastro de su perfume, anillo sobre anillo.
Una ligera niebla oculta el serpenteante camino,

de los caminos cubiertos caen gotas de escarcha y rocío verdeante.
Pero, ¿quién celebrará la alberca con canciones?
Perdido en un sueño, en paz, el poeta duerme por mucho tiempo.

La prensa extranjera describió la muerte de Nuharoo como «misteriosa» y «sospechosa» y especuló que yo era la asesina. «En general, se cree que Tzu Hsi provocó la muerte de su colega —declaró un reputado periódico inglés—. Decidió matarla porque Nuharoo la descubrió en la cama con un prominente hombre de la ópera.»

Yo conseguí resistir sin alterarme hasta que metieron a Tung Chih en las historias. «Ha vuelto a hacerlo: ¡Yehonala sacrifica a su propio hijo en el altar de su ambición!», proclamaba un titular de la prensa británica, y la historia fue recogida en los periódicos ingleses. El artículo decía: «Cuando el emperador Tung Chih estaba críticamente enfermo, su madre, lejos de proporcionarle los cuidados médicos adecuados, permitió que la enfermedad deteriorase su delicada constitución. ¿Tenemos algún motivo para dudar de que no ha permitido que sucediera lo mismo con su corregente?». Otro periódico se hacía eco: «Parece ser que Yehonala orquestó la prematura muerte de su hijo y la de Nuharoo. Todo el mundo en la Corte sabía que Tung Chih y Nuharoo no llegarían a viejos».

Me sentía indefensa. Para justificar nuevas invasiones extranjeras en China, tenían que hacerme parecer un monstruo.

«Es inconcebible que Yehonala no estuviera al corriente de las vergonzosas correrías de su hijo y de Nuharoo —decía una traducción china—, y las fatales consecuencias de estas aventuras. Estaba al alcance de su poder prohibir aquellos placeres, pero no hizo nada para evitarlos.»

Día tras día, calumnias de todo el mundo vertían su veneno: «Vemos cuán completo era el extrañamiento de la Emperatriz Viuda con respecto a su hijo y cuán absoluta era su avidez de poder». «Para la jovencita de la provincia más pobre de China, ningún precio es demasiado alto para mantener su despótica garra sobre el Celeste Imperio.»

Soñé que Yung Lu volvía para defenderme. Lloré en el altar de Tung Chih y volví a caminar en mitad de la noche por el Salón de la Nutrición Espiritual como un fantasma. Durante las audiencias del día, me derrumbaba y lloraba como una colegiala. Kuang-hsu no hacía más que pasarme pañuelos hasta que él mismo empezaba también a llorar.

20

El poderoso estratega y hombre de negocios Li Hung-chang me dijo que China no solo se veía abocada a una guerra inevitable, sino que ya estábamos inmersos en ella. Durante una semana la Corte había debatido únicamente las ambiciones de Francia en las provincias del sur, entre las que se encontraba Vietnam, que China había gobernado durante mucho tiempo antes de que los vietnamitas ganaran prácticamente su independencia en el siglo XI.

Poco después de la muerte de mi marido en 1862, Francia colonizó el sur de Vietnam, también llamado Cochinchina. Al igual que los ingleses, los franceses estaban ávidos por comerciar en nuestras provincias del sudoeste y habían puesto sus ojos en tratar de conseguir el control del navegable río Rojo en el norte de Vietnam. En 1874, Francia obligó al rey de Vietnam a aceptar un tratado cediéndole los privilegios de tutela, que tradicionalmente ostentaba China. Para irritación de Francia, el rey seguía enviando tributos a mi hijo a cambio de protección.

Para contribuir a retener el territorio vietnamita del sur, concedí la libertad a un antiguo jefe rebelde Taiping y le envié a repeler a los franceses. El rebelde había nacido en la zona y la consideraba su tierra natal. Luchó valientemente para mantener a raya a los franceses, pero cuando el rey murió, los franceses negociaron otro tratado con su sucesor, que declaró: «Vietnam reconoce y acepta el protectorado de Francia».

En respuesta al ultimátum de nuestra Corte, los franceses lanzaron un ataque militar sorpresa. Como no esperábamos entrar en guerra, nuestras fronteras sudoccidentales no habían sido reforzadas ni estaban preparadas. Hacia marzo de 1884, Li Hungchang vino para reportar que las principales ciudades de Vietnam habían caído en manos de los franceses.

Mi Corte estaba dividida por la crisis. Públicamente, el debate se centraba en cuál era la mejor manera de manejar la agresión francesa. Pero por debajo de la superficie existía una brecha cada vez más grande entre dos facciones políticas: los conservadores Sombreros de Hierro manchúes y los progresistas, guiados por el príncipe Kung y Li Hung-chang. Le pregunté a Kuang-hsu, que acababa de cumplir los catorce años, qué le parecía la situación.

—Todavía no lo sé —respondió.

No estaba seguro de si mi hijo pretendía ser humilde o no. Tras meses de soportar audiencias el chico parecía agotado. Parecía aburrido y apático. Me había dicho medio en broma que preferiría jugar al ajedrez a asistir a una audiencia. Cuando le dije que debía hacer lo que dictaban sus obligaciones, Kuang-hsu respondió:

—Estoy intentando pegarme a la silla del dragón.

Yo traté de animarlo.

—Tú estás salvando la nación, Kuang-hsu.

—Aún no he conseguido nada. Solo oigo las mismas discusiones, día sí y día también.

Fue entonces cuando descubrí que Kuang-hsu se había saltado sus audiencias durante todo el tiempo en que yo estaba haciendo los preparativos para el funeral de Nuharoo. Aquello me preocupó más que recibir la noticia de las caídas de las ciudades vietnamitas.

Yo ya no sabía qué más hacer para inculcar al joven emperador una sensación de urgencia. Un día durante el almuerzo ilustré nuestra posición en una servilleta, dibujé un triángulo que representaba la Corte dividida con el emperador pillado en medio.

Intenté no presionarle demasiado. Recordaba cómo Tung Chih había huido aunque aparentaba obedecer. Recordaba su resentimiento y la irritación que salía de su voz. Me dije a mí misma que haría de la vida el juego de Kuang-hsu en lugar del mío.

Lo primero que hice fue librar a Kuang-hsu del deber de oficiar los ritos confucianos. Aunque coincidí con la Corte en que el espíritu de Tung Chih requería la realización de consagradas plegarias y ritos para el consuelo y la seguridad de su alma difunta, creía que Kuang-hsu necesitaba una pausa.

No quería que Kuang-hsu viviera a la sombra de Tung Chih. Sin embargo, la Corte consideraba su ascensión al trono nada más que eso. Sin la supervisión de Nuharoo empecé a quebrar las reglas. Unos pocos ministros cuestionaron mis acciones, pero la mayoría de los miembros de la Corte lo comprendió cuando dije:

—Solo cuando Kuang-hsu lo haya sucedido, el alma de Tung Chih encontrará realmente la paz.

—El príncipe Ts'eng amenazó con suicidarse y luego consintió en permitir a los extranjeros vivir y comerciar en China —informó Kuang-hsu—. Le ha pedido a mi padre unirse a él en la financiación de los bóxers.

Yo era muy consciente de los bóxers, un movimiento campesino con profundas raíces en la cultura tradicional china, o al menos eso proclamaban sus líderes. Su número crecía rápidamente.

—Por desgracia —informé a mi hijo—, la misión de los bóxers es asesinar a los extranjeros.

—Entonces, ¿estás del lado del príncipe Kung? —preguntó Kuang-hsu.

Solté un suspiro.

—Mi padre dice muchas tonterías —prosiguió Kuang-hsu—. Sus poemas y su caligrafía están en todas partes.

—El príncipe Ch'un quiere que China permanezca cerrada. ¿Tú qué opinas?

—Yo estoy de acuerdo con el tío Kung —respondió Kuang-hsu—. Luego, mirándome directamente a los ojos prosiguió—: No comprendo por qué me dices que pare cuando intento que la Corte sepa mi opinión.

—La labor del emperador es unir a la Corte —señalé amablemente.

—Sí, madre —dijo obedientemente Kuang-hsu.

—He oído que quieres inspeccionar la nueva armada.

Kuang-hsu asintió.

—Sí, tengo muchas ganas. Li Hung-chang ya está listo, pero la Corte no me da permiso para recibirle. Mi padre cree que él es el auténtico emperador, pero yo llevo las ropas.

—¿Qué opinas de cómo maneja el príncipe I-kuang el Consejo de Asuntos Extranjeros?

—Parece que es más capaz que el resto, pero en realidad no me gusta, ni tampoco al resto de mis tíos. —Kuang-hsu hizo una pausa momentánea y luego continuó—. A decir verdad, madre, he estado estableciendo contactos con gente de fuera del círculo de la Corte. Pensadores y reformistas, gente que sabe cómo ayudarme de verdad.

—Asegúrate de que entiendes la reforma que pretenden llevar a la práctica. —Yo no quería admitir que tampoco tenía ni idea.

—Sí, madre. He estado trabajando en un plan de reforma.

—¿Cuál será tu primer edicto?

—Retiraré los privilegios de aquellos que disfrutan de un salario del gobierno y no contribuyen a nada.

—¿Eres consciente de lo grande que es ese grupo?

—Sé que hay cientos de sabandijas reales a quienes se paga por ser príncipes y gobernadores. Mi padre, tíos, hermanos y primos son sus patrones.

—Tu hermano menor, el príncipe Ch'un, hijo, se ha convertido en la nueva estrella de los Sombreros de Hierro —le advertí—. Su banda ha prometido destruir a cualquiera que apoye al príncipe Kung y a Li Hung-chang.

—Yo seré quien dicte los edictos, no el príncipe Ch'un —dijo.

—Apoya al príncipe Kung y a Li Hung-chang y mantén buenas relaciones con el partido conservador —le aconsejé.

—Estoy preparado para abandonarlos —dijo Kuang-hsu con voz calma—. Su determinación me complació, pero sabía que no podía permitirme darle más ánimos.

—No deberías abandonarlos, Kuang-hsu.

El emperador giró la cabeza hacia mí y se quedó contemplativo.

—Son el núcleo de la clase dominante manchú —le expliqué—. No deberías convertir a tus parientes sanguíneos en enemigos.

—¿Por qué?

—Pueden utilizar la ley familiar para derrocarte.

Kuang-hsu parecía dudar. Se levantó de su asiento y paseó por la sala.

—Fundar los bóxers es una de las estrategias de los Sombreros de Hierro —dije dando un sorbo de té—. Están respaldados por nuestro amigo el gobernador de Cantón, Chang Chih-tung.

—Lo sé, lo sé, son los líderes influyentes y sienten resentimiento, si no hostilidad, hacia todos los extranjeros. —Kuang-hsu volvió a su asiento y se sentó. Soltó un fuerte suspiro.

Me levanté y añadí agua caliente a su taza de té.

—¿Debería confiar en Li Hung-chang? —preguntó Kuang-hsu—. Parece ser el que tiene más éxito en los tratos con las potencias extranjeras.

—Confía en él —respondí—. Pero, ten presente que tu hermano Ch'un se preocupa por la dinastía manchú no menos que Li Hung-chang.

El aire de primavera estaba lleno de arena que traía el fuerte viento del desierto. Hasta abril el viento no se apaciguaba para convertirse en una brisa. Bajo el caluroso sol los eunucos soltaban sus túnicas marrones de invierno que los hacía parecer osos. Las concubinas imperiales de los patios traseros se ponían sus chipaos largos hasta el tobillo, vestidos de diseño manchú que arteramente realzaban la figura femenina.

Yo echaba de menos pasear por las calles de Pekín bajo el sol. Hacía más de un cuarto de siglo que no había tenido ese placer. Solo en sueños venían a mí imágenes de la ciudad. Echaba de menos mirar en callejones y patios donde los árboles de fermiana estaban en flor y los árboles de loquat florecían en racimos. Echaba de menos las cestas de los vendedores de peonías junto a los bulliciosos cruces. Recordaba el aroma de sus flores recién cortadas y el dulce olor de las palmeras de dátiles.

Candelillas de sauce que parecían bolas se cazaban entre sí dentro de la Ciudad Prohibida. Volaban por encima de las murallas interiores y a través de las ventanas y aterrizaban en mi escritorio mientras yo subrayaba lo que había leído en informes de ultramar.

Kuang-hsu se sentaba a mi lado.

—Li Hung-chang dice que ha enviado refuerzos a la zona del problema, pero otros dicen cosas distintas —dijo Kuang-hsu juntando las manos bajo la barbilla.

No había nadie más en la habitación. Podíamos oír los ecos de nuestras propias voces. Le recordé al emperador la posibilidad de que la gente dijera cualquier cosa para desacreditar a Li.

—Es difícil saber quién dice la verdad —estuvo de acuerdo Kuang-hsu.

Me hubiera gustado que hubiera otros en quienes confiar para obtener información. Li Hung-chang era el único que había establecido su credibilidad más allá de la sombra de toda duda. Me gustaba él, aunque nunca las noticias que traía. Siempre que oía la voz de mis eunucos anunciando la llegada de Li, algo se removía dentro de mí. Tenía que hacer un esfuerzo para sentarme derecha y no contener las malas noticias en el estómago.

El 22 de agosto de 1885, los franceses abrieron fuego sin previo aviso, aunque se negaron a llamarlo «guerra». El mensaje de Li Hung-chang decía: «Nuestros juncos y numerosos bajeles han sido quemados y se hundieron en cuestión de minutos».

Las manos de Kuang-hsu temblaban un poco mientras pasaba las páginas.

—Han estrangulado nuestras vías de suministro ahora que la armada francesa bloquea los estrechos entre Taiwán y Fukien. ¿Dónde está el ejército del norte de Li Hung-chang?

—Le enviaste a negociar con Japón por la cuestión de Corea —le recordé—. El ejército de Li debe permanecer en el norte.

Kuang-hsu se sostuvo la cabeza con ambas manos.

—Toma un poco de té, Kuang-hsu —fue todo lo que pude decir.

—No podemos permitirnos firmar acuerdos con Japón —dijo presionándose los ojos con los dedos.

Yo estuve de acuerdo.

—Para Japón, Corea es el punto de acceso a la bahía de Pechili y luego a la propia Pekín.

Kuang-hsu se levantó y fue a leer el memorando de la Corte.

—¿Qué más puede aconsejarme la Corte? Limitar el ejercicio... no provocar conflictos con Japón mientras estamos en guerra con los franceses...

La Corte esperaba que Japón estuviera agradecido después de dejarles tomar Taiwán.

—El tutor Weng dice que nuestra amabilidad y sentido de la autocontención no debería considerarse una invitación a la invasión.

—No está equivocado, pero...

—Madre —me interrumpió Kuang-hsu—, ¿sabías que la semana en que los americanos firmaron el tratado con Corea, el tutor Weng tuvo estreñimiento? Intentó castigarse a sí mismo sin comer nada más que palitos de pan.

Yo suspiré e intenté concentrarme.

—La implicación de América solo complica las cosas.

Kuang-hsu se abrazó fuerte con ambos brazos y se volvió a sentar. Nos quedamos mirándonos fijamente.

—Madre, ¿está Estados Unidos insinuando que Corea es ahora un igual entre las naciones y es independiente de China?

Yo asentí.

—No me encuentro bien, madre. Mi cuerpo quiere abandonarme.

Yo quería decir: «La vergüenza y el castigarse a uno mismo no inspiran valor», pero en lugar de eso, aparté la cabeza y empecé a llorar.

Como emperadores, mis dos hijos no tenían modo de escapar. Kuang-hsu tenía que seguir viviendo la pesadilla de Tung Chih. Me sentía como el fantasma que venía a robar a un sustituto para que el alma del hijo muerto pudiera tener una nueva vida. Me sentía que estaba en mis manos poner y tensar la cuerda alrededor del cuello de Kuang-hsu.

—¿Quién más está a punto de invadirnos? —preguntó Kuang-hsu en tono de pánico. ¡Estoy harto de que me digan que la batalla está perdida y el borrador del tratado escrito!

—No es culpa tuya que perdiéramos Taiwán, Vietnam y

Corea —conseguí decir—. Desde 1861, China ha sido como una morera comida por los gusanos. Tu frustración no es distinta a la de mi marido.

Mis palabras de comprensión no consolaban a Kuang-hsu. Empezaba a perder las ganas de jugar. En los meses venideros, le asoló la angustia. A diferencia de Tung Chih, que prefería escapar, Kuang-hsu no hacía nada más que soportar las malas noticias.

Li Hung-chang negoció con los franceses, y el príncipe Kung invitó a Robert Hart, de nuestro servicio de aduanas, a dirigir la diplomacia en nuestro nombre. Tuvimos suerte porque al final Hart resultó ser un verdadero amigo de China.

Antes de que el verano llegara a su fin, tuvimos que ceder sin ambages Vietnam a Francia. Li Hung-chang se presentó voluntario para sufrir el oprobio y que así el trono salvara la cara.

Fue un momento doloroso cuando Kuang-hsu se percató de que después de la guerra de los tratados, mucho sufrimiento, la caprichosa toma de decisiones y la trágica muerte de miles de personas, China había obtenido solo la abolición de la indemnización original que debía a Francia.

Mientras tanto, Corea, financiada por Japón, emprendió reformas al estilo occidental y proclamó su independencia.

—¡Corea es el pulgar de la mano de China! —gritó Kuang-hsu durante una audiencia.

—Sí, majestad —se hizo eco la Corte.

—¡Estamos debilitados, pero no acabados! —El emperador levantó el puño.

La actitud de todo el mundo era: «dejad que el chico suelte su ira». Al final, Kuang-hsu consintió la resolución de la guerra chino-francesa para concentrar nuestras defensas en el norte, contra Japón.

A menudo, cuando las noticias llegaban al trono, el momento de la acción había pasado. Estaba claramente escrito en las leyes dinásticas que la autoridad debía ser absolutamente respetada y la etiqueta estrictamente seguida, pero me vi obligada a adaptar las leyes a situaciones cambiantes. Mayor autonomía había supuesto eficiencia y resultados exitosos en numerosas ocasiones. Muchas veces la iniciativa procedía de Li Hung-chang, que estaba haciendo todo lo posible para contener a los japoneses.

Con la fuerza que Li Hung-chang envió a Corea iba un hombre que pronto iba a tener un cometido muy importante en la escena política china. Su nombre era Yuan Shih-kai, un robusto hombre de veintitrés años, ambicioso y valiente. Cuando la facción projaponesa intentó dar un golpe de Estado en diciembre de 1884 en un banquete ceremonial en Seúl, Yuan, el jefe de Estado Mayor de la guarnición, tomó al rey de Corea como rehén después de una feroz lucha en el mismísimo patio del palacio e hizo callar a los japoneses y a sus discípulos coreanos.

La pronta y segura acción militar de Yuan Shih-kai impidió que Corea cayera en manos de Japón. Kuang-hsu lo recompensó por ello. Además de ascenderlo de rango, Yuan se convirtió en el residente chino en Seúl.

El tratado que Li Hung-chang negoció con Japón en 1885 establecía que ambos países retirarían sus tropas de Corea. Estipulaba que una tercera potencia organizaría reformas en Corea y que China y Japón podrían intervenir con ayuda militar solo después de notificárselo al otro. Cinco años más tarde enviados coreanos irían a Pekín y postrarían su frente como vasallos ante Kuang-hsu. Aquello proporcionó a mi hijo un gran alivio, aunque tanto él como yo sabíamos que era solo cuestión de tiempo que volviéramos a perder el control.

Mientras tanto, aconsejé a Kuang-hsu que aceptara la propuesta de Li Hung-chang de actualizar el estatus de Taiwán, de ser una prefectura de Fujian a una provincia autónoma. Si era inevitable que perdiéramos la isla, al menos el gesto nos reportaría honores. El edicto de Kuang-hsu de 1887 declaraba que Taiwán sería «la vigésima provincia del país, con su capital Taipei», y que el impulso de modernización de Taiwán «incluiría la construcción del primer ferrocarril y el inicio de un servicio postal». No engañábamos a nadie más que a nosotros mismos.

21

Anoche nevó. Aunque no nevó fuerte, persistió hasta el amanecer. Había sido una semana dura. El tutor Weng nos había dado al emperador y a mí una intensa introducción sobre la transformación de Japón a través de la reforma política. El tutor Weng nos explicó con detalle la importancia de la libertad de expresión.

—La opinión general de los eruditos como subversivos debe cambiar. —La barba gris del magnífico tutor colgaba ante su pecho como una cortina, haciéndole que pareciera un dios del hogar—. Debemos seguir el modelo japonés.

—Primero prohibiré la práctica de perseguir a los herejes. —Kuang-hsu estaba nervioso.

—Pero ¿cómo convencerás a la Corte? —le pregunté—. Debemos tener presente que la dinastía Manchú se fundó sobre el poder militar. Nuestros antepasados aseguraron su posición purgando y matando a todos los subversivos.

—Madre. —Mi hijo se dirigió a mí—. Tú eres el miembro más importante del clan real y has conseguido gran autoridad. La Corte puede decirme que no a mí, pero lo tendrá más difícil para decirte no a ti.

Yo prometí ayudar. Delante de la Corte, concedí permiso a la proposición del tutor Weng, que introduciría reformas de estilo japonés. Sin embargo, al otro lado de las puertas de la

Ciudad Prohibida expresaba mi particular preocupación por el tutor Weng. Le dije que yo no confiaba en la inteligencia de nuestros eruditos, en especial el grupo que se llamaba a sí mismo Ming-shih, «hombres de sabiduría». Tenían la reputación de tender a la cháchara insignificante y a la autoindulgencia. Cuando era una niña en Wuhu, recuerdo hombres así que eran amigos de mi padre. Se pasaban los días recitando poesía, hablando de filosofía, cantando ópera y bebiendo. Se sabía que frecuentaban casas de juego y «barcos de flores», burdeles flotantes.

Me preocupaba más la creciente agresión de Japón y alentaba al emperador a trabajar con Li Hung-chang para establecer un consejo del almirantazgo que supervisara los asuntos navales. Le sugerí a Kuang-hsu que se ocupara personalmente de financiar desde el imperio naves y munición de guerra.

Mi mayor desafío había sido la ira expresada por los manchúes de la familia real al ver reducidas sus rentas anuales. Para tranquilizarlos, nombré al príncipe Ch'un controlador del nuevo consejo. El hombre no era igual que su hermano, el brillante príncipe Kung, con el que hubiera preferido trabajar. Pero el príncipe Kung había cometido un error fatal, que había supuesto su marginación. El príncipe Ch'un era un inepto en todo, pero era el padre del emperador y no tenía otro candidato. Consciente de sus limitaciones, nombré a Li Hung-chang y Tseng Chi-tse, hijo de Tseng Kuo-fan, como sus consejeros, sabiendo que ellos harían más que cumplir sus cometidos.

Los futuros historiadores describirían el nombramiento del príncipe Ch'un como mi venganza contra el príncipe Kung y como otro ejemplo de mi sed de poder. La verdad es que Kung era una víctima de la política del círculo de la Corte manchú. Sus opiniones liberales hicieron de él un blanco no solo para los Sombreros de Hierro sino también para sus propios hermanos celosos, como el príncipe Ch'un y el príncipe Ts'eng.

Durante el conflicto con Francia, los Sombreros de Hierro defendían que China entrara inmediatamente en guerra. Se animó al príncipe Ch'un a que reclamara su autoridad en el gobierno de su hijo. Cuando yo intervine, el problema del príncipe Kung con la mayoría de la Corte ya se había descontrolado. Convencido de que China debería hacer todo lo posible para evitar una guerra, Kung trabajaba de manera independiente con los enviados a quienes enviaba a París para negociar. Con el asesoramiento de Robert Hart, el príncipe Kung llevó a Francia a un compromiso de acuerdo, y Li Hung-chang fue despachado para formalizarlo.

Cuando el acuerdo de Li convirtió a Indochina en un protectorado conjunto de China y Francia, se inflamaron las emociones de la nación. El príncipe Kung y Li Hung-chang fueron atacados como traidores. Las cartas de denuncia contra los dos se amontonaban sobre mi mesa.

Aunque yo apoyaba al príncipe Kung, no podía ignorar la creciente disensión que reinaba en la Corte. El emperador Kuang-hsu estaba siendo acorralado por su vehemente hermano y jefe de los Sombreros de Hierro, el príncipe Ch'un hijo.

Me percaté de que el único modo de sacar del aprieto al príncipe Kung era despedirlo por motivos benignos: arrogancia, nepotismo e ineficacia. Convencí a mi cuñado de que el edicto de despedida lo eximiría de la acusación de traición.

Furioso y contrariado, Kung ofreció su dimisión, y se le admitió. Li Hung-chang quedaba en una posición vulnerable. Para salvar su propio pellejo, cambió de chaqueta: un movimiento que no puedo criticar y por el que solo podía ofrecerle comprensión. Luego el príncipe Ch'un sustituyó al príncipe Kung como ministro principal.

La nación sufrió las consecuencias de la partida del príncipe Kung, un hombre en el que había confiado mi seguridad durante tantos años. Sin Yung Lu y sin el príncipe Kung, me sentí intranquila. China estaba ahora prácticamente en manos de la línea dura de los manchúes, que tenían fama de ser un grupo de avariciosos, villanos e incultos que se contaban por millares.

Los antepasados manchúes habían establecido un sistema de nombramientos rotativos bianuales o trianuales para evitar que los funcionarios establecieran intereses privados. La rotación solía significar que un nuevo gobernador caía en las garras de sus empleados y subalternos, que conocían bien su zona. Yo desconfiaba de los nuevos gobernadores que venían a contar al emperador «logros recientes».

Según Li Hung-chang, el treinta por ciento de los ingresos anuales de la nación eran desviados mediante la extorsión, el fraude y la corrupción. Nuestro gobierno estaba lastrado por la falta de hombres competentes y honrados. Y, sobre todo, por la escasez de ingresos y de los medios para producirlos.

Kuang-hsu había estado hablando de condonar impuestos sobre la tierra. Le supliqué que se contuviera. Los veranos pasados habían traído la ruina a media China. Las familias más pobres de provincias vendían a sus hijos; los padres no podían soportar ver a sus hijos morir, incluso algunos se habían visto obligados a comérselos. Mientras tanto, nuestras exportaciones bajaban por debajo de las importaciones. Incluso el comercio del té, del que en 1876 teníamos prácticamente el monopolio, nos había sido arrebatado por la India dominada por los ingleses. Ahora suministrábamos solo un cuarto del consumo de té mundial.

Mi habitación estaba abarrotada de papeles. Pinceles, pintura, piedras de tinta y sellos de firma se apiñaban en todas las superficies. Tenía las paredes cubiertas de pinturas a medias. Mis temas seguían siendo estudios florales y paisajes, pero mis pinceladas revelaban mi creciente ansiedad.

Eché a mi profesora de pintura porque la estaba volviendo loca.

Ella no podía entender por qué no podía pintar tal como solía. Estaba horrorizada de mis pinceladas enloquecidas. Tenía las cejas como dos cimas y la boca abierta en silenciosa conmoción mientras arreglaba mis pinceladas. Salpicaba de tinta negra por todas partes hasta que la pintura goteaba y mi rosa se convertía en una cebra.

Li Lien-ying me dijo que mis pinturas no se estaban vendiendo porque los coleccionistas creían que no eran mías.

—Las nuevas piezas carecen de elegancia y calma —dijo mi eunuco.

Le dije que la belleza de los parques imperiales ya no me inspiraba.

—¡Hostiles e inhumanos, los pabellones se levantan solo para colaborar a la opresión!

—Pero mi señora, los que habitamos en la Ciudad Prohibida vivimos como murciélagos en cuevas. La oscuridad es nuestro medio.

Arrojé el pincel al suelo.

—¡Estoy harta de mirar los patios sombríos y los largos, oscuros y exiguos caminos de piedra! ¡Las dependencias idénticas de la Ciudad Prohibida me hablan al oído de asesinato!

—Es una enfermedad de la mente, mi señora. Dispondré que cuelguen un gran espejo junto a la entrada. Ayudará a desviar la entrada de malos espíritus.

El día en que Li Lien-ying colgó el espejo nuevo, soñé que viajaba a un templo budista en lo alto de una montaña. El sendero ascendente junto a un acantilado tenía menos de treinta centímetros de ancho. A cientos de metros por debajo había un lago que parecía un espejo. Se asentaba en un valle entre dos colinas. En mis sueños el asno sobre el que cabalgaba se negaba a moverse. Le temblaban las piernas.

Me desperté recordando unas vacaciones de verano, en las

que viajaba con mi familia por un río. Nuestro barco estaba infestado de pulgas. No parecían preocuparle a nadie más que a mí. Por la noche, cuando quitaba el polvo de mi sábana para irme a dormir, el polvo volvía a subir a cubrir de nuevo la sábana. Entonces descubrí que no era polvo sino pulgas.

Desplazándose en el agua, podía oír a los barqueros cantar canciones para mantener el ritmo. Recuerdo hundir las manos en el río verde oscuro. La puesta de sol era roja, luego gris y al instante el cielo se volvió negro. El agua fluía entre mis dedos, cálida y suave.

Yung Lu había estado visitándome en sueños. Siempre estaba de pie en lo alto de una fortaleza en mitad del desierto. Muchos años más tarde, cuando le describí lo que veía mi imaginación, se sorprendió por su precisión. Tenía la piel curtida y llevaba el uniforme de abanderado. Su postura era tan firme como los guardianes de piedra que se hacían para las tumbas.

En mitad de la noche oí que algo golpeaba mi tejado; una rama podrida que había caído de un viejo árbol. Seguí el consejo de mi astrólogo de evitar malos augurios y me trasladé del Palacio de la Belleza Concentrada al Palacio de la Pacífica Longevidad, que estaba en el extremo oriental de la Ciudad Prohibida. El nuevo palacio era más tranquilo y al estar más lejos del salón de audiencias favorecía la independencia de Kuang-hsu, pues ahora le convenía menos consultarme.

A los cincuenta y un años, me di cuenta de lo mucho que deseaba que Yung Lu volviera. No solo por motivos personales: su presencia calmaría a Kuang-hsu y a la Corte. Necesitaba que hiciera la misma función que el príncipe Kung haría para el joven emperador.

En una carta a Yung Lu le informé de la muerte de Nuharoo, la inminente ceremonia de ascenso al trono de Kuang-hsu y la abdicación del príncipe Kung. No le mencioné cómo había conseguido sobrevivir aquellos siete largos años sin él. Para asegurarme su regreso, incluí una copia de una petición firmada por los ministros de la Corte exigiendo la decapitación de Li Hung-chang.

Nunca esperé que esa sería la escena de nuestro encuentro: Yung Lu devorando bolas de masa en mi comedor; su hambre me dio una oportunidad de observarle. Ahora su rostro estaba surcado de arrugas como valles y ríos. Pero me fijé en que lo mejor es que ya no era tan estirado y formal.

El tiempo, la distancia y el matrimonio parecían haberle calmado. No experimenté el nerviosismo que había previsto. Había imaginado su regreso tantas veces; como variaciones de la misma escena en una ópera, él entraba una y otra vez, pero en diferentes escenarios y en diferentes trajes, ofreciéndome palabras diferentes.

—Sauce me pidió que la disculparais. —Yung Lu apartó el plato vacío y se enjuagó la boca—. Aún no ha abierto las maletas.

No creo que Yung Lu fuera consciente del sacrificio de su esposa, o al menos simuló no serlo. Yung Lu prosiguió:

—Kuang-hsu pide independencia, y me pregunto si vos creéis que está preparado.

—Tú eres el último consejero del trono —le dije.

—Si la Corte quiere la decapitación de Li —dijo despacio—, entonces al emperador Kuang-hsu le queda un largo camino por delante.

Yo coincidí.

—Espero poder retirarme antes de morir.

22

Desde la muerte de Tung Chih, yo ya no celebraba el Año Nuevo chino. Vivía más en el pasado que en el presente. Temía el momento de oír el sonido distante de los fuegos artificiales, porque no podía evitar contar la edad que tendría Tung Chih de haber estado vivo. Hubiera tenido veintiséis años. Aún era muy intenso el recuerdo de Tung Chih en mi mente.

Mi hijo tenía un aspecto pálido, sus tristes ojos parecían decir: «Yo no quería abandonarte, madre», con una expresión de profundo arrepentimiento.

Me quedaba helada hasta que la imagen de Tung Chih se evaporaba, luego caía de rodillas, mirando donde él había estado, y lloraba.

Con el paso de los años, ciertas imágenes crecerían y se harían más nítidas mientras que otras se alterarían o se desvanecerían. Podía ver claramente a Tung Chih corriendo hacia mí sujetando a su conejo de ojos rojos. Podía oler las bayas en su aliento. Sin embargo, ya no podía recordar lo que me había dicho.

An-te-hai también aparecía en mi mente. Echaba de menos su vitalidad, su humor, su cultura. Recordaba sus poemas. Veía su imagen aparecer y desaparecer por la esquina de un pabellón o detrás de un arbusto. Sonreía y a veces sujetaba un peine en la mano derecha, me preguntaba: «¿Qué estilo de peinado habéis pensado para hoy, mi señora?» o «Es la hora de vuestro paseo de la longevidad, mi señora».

Las fantasmales imágenes del emperador Hsien Feng y Nuharoo también me visitaban. Mi marido siempre estaba distante y frío, mientras que Nuharoo, a diferencia de la persona que era cuando estaba vivita y coleando era cariñosa e incluso divertida. Me ordenaría crear una *troupe* de ópera en cerámica para llevar ante su altar.

Yo inspeccionaba regularmente las tumbas de mi marido, de Tung Chih y de Nuharoo. Quería asegurarme de que el gobernador provincial hacía bien su trabajo, que no había profanadores que saquearan las tumbas. Quería convencerme a mí misma de que las esculturas, los bosques y los jardines de los alrededores estaban bien conservados.

La ceremonia fúnebre de Nuharoo había sido elaborada tal y como ella la quiso. Yo seguí sus instrucciones: cúmulos de gardenias amontonados tan altos como si fuera nieve acumulada durante una ventisca, y yo vestía una túnica de satén negro de la Corte con trescientos murciélagos bordados en ella. La odiaba porque me hacía parecer un buitre.

Podía haber ignorado sus deseos, pero decidí cumplirlos. Era su modo de asegurarse de que yo no le robaría su último espectáculo. Quería un ataúd abierto, una costumbre que gozaba de mucha popularidad entre los hombres del Oeste, pero rechacé la idea en el último minuto. A ella le encantaba la idea de que la gente admirase su vestimenta eterna, una obra de artesanía que treinta sastres reales habían tardado varios años en acabar.

Recuerdo el día en que Nuharoo y yo inspeccionamos por primera vez la tumba, poco después de la muerte de Hsien Feng. Ella estaba erguida en su túnica ceremonial blanca y expresaba su disgusto por el diseño del ataúd. El día era tan frío como hoy. El viento del desierto no cesaba nunca. Mis pendientes sonaban como campanillas de viento.

También recuerdo que caminé sola dentro de la tumba. An-te-hai, como un casamentero enloquecido en una ópera cómica, estaba decidido a vernos a Yung Lu y a mí juntos. Y su plan funcionó, pero la realidad se impuso con su aplastante inevitabilidad y la vida tenía que seguir.

Más de la mitad de las personas que han constituido mi vida están ahora muertas. Los despedí en su tránsito hacia las próximas vidas de una manera gloriosa, a todos salvo a An-te-hai. Sus restos nunca fueron hallados, así que se fue sin ceremonias fúnebres. Años más tarde, y después de muchos sobornos, por fin lo encontré. Envolvieron a mi favorito en sucios harapos y me lo enviaron. Tenía la cabeza cosida al cuerpo. Sabía que quería ser enterrado «de una pieza» porque temía volver como un «perro sin cola». Cuando An-te-hai se convirtió en el eunuco de rango más elevado, consiguió comprar su propio pene al carnicero que le había castrado. Se gastó una fortuna en su «raíz reseca».

Recuerdo que se le iluminaban los ojos cuando describía su próxima vida, que viviría como hombre normal. Me conmovió profundamente. Sabía cuál era su lugar en la vida y luchó contra la desgracia con su encanto. Admiraba su esfuerzo y me habría gustado tener su valor. Hasta que lo perdí, no me di cuenta de lo mucho que lo había amado: su presencia, sus pájaros, sus plantas y su fértil imaginación.

La noche en que velé a An-te-hai yo llevaba puesto mi vestido rosa, su favorito. Soplé las velas conmemorativas y me metí en la cama caliente. Cerré los ojos e invoqué al espíritu de An-te-hai.

Li Lien-ying sintió un respeto reverente por la «suerte» de An-te-hai. Me miraba con lágrimas en los ojos cuando encendía velas e incienso en los cumpleaños de An-te-hai. Y cada cumpleaños le contaba a Li Lien-ying las mismas historias: «Cuando vi por primera vez a An-te-hai, él era un muchachito de quince años con ojos brillantes y labios rojos...».

Pasé la víspera de Año Nuevo con las viejas y enfermas concubinas de mi suegro, el emperador Tao Kuang. Aquellas damas solían darme miedo, pero ahora yo estaba entre ellas. Rechazaban médicos y medicinas, pues creían que interrumpiría el camino de Buda. Cada pocos meses moría una de ellas, dejando atrás una montaña de pañuelos y almohadas bordados y calabazas ornamentales con imágenes de niños jugando talladas en ellas.

Una semana atrás, me visitó la princesa Jung, hija de la dama Yun, a quien no había visto desde hacía años. Muchos años antes, su madre había sido invitada a morir porque había intentado hacerme daño cuando estaba embarazada. Yo había recogido a la princesa Jung, la había tratado con cariño y había procurado que fuera educada como era debido. Después de completar su educación, se casó con un príncipe manchú y vivió cerca de Pekín. Durante la visita hablamos de su medio hermano, Tung Chih, e inspeccionamos los artículos que se exhibían en el recién acabado salón conmemorativo de Tung Chih, cerca de la antigua ciudad de Sian. Inclinándome sobre el hombro de Jung, examiné las toallas, pañuelos, peines, collares, sombreros, zapatos, alfombras de oración, sillas, palanganas, jarrones, cuencos, tazas, cucharas y palillos de mi hijo. Cuando acabamos, yo temblaba tanto que Jung tuvo que sujetarme.

Alrededor del Año Nuevo de 1888 recibí la terrible noticia de que el hijo del príncipe Kung, Tsai-chen, había muerto. Era el compañero y mejor amigo de Tung Chih. También murió de una enfermedad venérea.

Aunque el príncipe Kung se culpaba a sí mismo de la muerte de su hijo, nunca se permitió llorarlo. Poco después del funeral de Tung Chih, el príncipe Kung había echado de casa a Tsai-chen y jurado que no volvería a hablarle. Cuando llegaron noticias de la enfermedad de su hijo, se quedó impresionado, pero cuando entró en la habitación de su hijo y vio una túnica de seda bordada con peonías rosadas colgando del armario, se dio media vuelta y se fue, y Tsai-chen murió aquella misma noche.

Invité a cenar al príncipe Kung y le insinué que bebiéramos y habláramos de los buenos tiempos. Contamos historias de nuestros hijos muertos, de cómo se conocieron y cómo jugaban juntos.

Li Lien-ying había estado vigilando a uno de los sastres reales durante los últimos tres días, supervisando la elaboración del vestido que yo llevaría en la reunión del clan en la que se hablaría sobre el matrimonio de Kuang-hsu. Me puse el vestido y me miré en el espejo. Tenía demasiadas arrugas para esconderlas, y los dientes no eran tan blancos como antes. Por suerte mi cabello seguía siendo negro azabache. Li Lien-ying estaba entusiasmado porque había consentido en probar un nuevo peinado. Me dijo que le hacía perder la práctica después de tanto tiempo.

Para elegir mis pendientes, pulseras y collares, mi eunuco se levantó antes del alba. Sacó los peines, agujas, cordeles, botellas de aceite perfumado y tablillas para el cabello. Le oí llenar la jofaina y pensé que tal vez yo debería dejar de hablar tanto de An-te-hai.

En manos de Li Lien-ying me convertí en una obra de arte. Mi vestido era «la luz de la luna sobre la nieve», bordado con un dibujo de nabos de plata y mi nuevo peinado era una «tarta de pisos de joyas».

Rong acudió con su marido, el príncipe Ch'un. La familia había crecido hasta más de treinta personas. No había visto a mi hermana desde hacía tiempo y noté cambios en ella. Tenía la espalda encorvada y el vientre prominente. Calzaba unos zapatos manchúes de plataforma de diez centímetros y caminaba como un pato. Tenía una gran tablilla de jade atada detrás de su cabeza. El centro era un saltamontes de jade. Tenía los dientes tan salidos que parecían querer escaparse de su boca. Las encías infectadas le hinchaban las mejillas. Un lado de su cara era visiblemente más grande que el otro.

Rong empezó a criticarme desde el momento en que llegó. Estaba animada y vocinglera. Advertida del deterioro de su enfermedad mental por el príncipe Ch'un, intenté hacerle caso.

Los hermanos del emperador se sentaron juntos. El príncipe Kung, el príncipe Ch'un y el príncipe Ts'eng se manifestaban poco afecto entre sí. Se sentaban en silencio fumando sus pipas.

Mi hermano, Kuei Hsiang, llegó borracho. Su esposa llevaba una tabilla para el cabello con adornos dispuestos como una pagoda. Como apenas podía girar la cabeza, hablaba moviendo los ojos de un lado a otro.

El emperador Kuang-hsu, que entonces tenía diecisiete años, era muy atractivo y parecía seguro de sí mismo con una túnica del color del sol. Había dejado claro al clan que no tomaría más que una emperatriz y dos concubinas. Yo le di mi apoyo.

En aquel entonces yo ya estaba familiarizada con el modo único en que educaban a los jóvenes para ser el Hijo del Cielo. Vivían en su mundo. Para Tung Chih, vivir había significado escapar a sí mismo. Para Kuang-hsu significaba negar su propia humanidad, pues creía que había sido el placer lo que había destruido a Tung Chih.

La lista de candidatas a nueva emperatriz era larga. El clan real se pasó días discutiendo. Por fin, fue elegida Lan, la hija de mi hermano, que tenía veinte años.

Después del crepúsculo mi habitación se oscurecía. Los eunucos venían y añadían carbón a los braseros. Kuang-hsu y yo nos sentábamos cara a cara. Él me hizo saber que no estaba muy entusiasmado con la idea de casarse. Yo le convencí de que para considerarse adulto y subir oficialmente al trono, antes debía casarse.

—No puedo permitirme perder el tiempo —se quejó—, ¡pero lo único que hago es perder el tiempo!

—¿Qué opinas de tu prima Lan? —le pregunté.

—¿Qué pasa con ella?

—Es feúcha —dije—, pero en lo que respecta a su personalidad, está muy versada en arte, literatura y música.

—Si ella es tu elección —dijo Kuang-hsu—, será la mía.

—Tiene tres años más que tú y tal vez sea más madura. Puede que no te vuelva loco, pero creceréis juntos y llegaréis a conoceros. Sin embargo, eres tú el que debe elegir.

—Nos las arreglaremos. —Kuang-hsu se sonrojó—. He visto sus pinturas, aunque no me siento como si la conociera.

—A ella le gustaría mucho ser emperatriz.

—¿Ha dicho ella eso? —preguntó Kuang-hsu.

Yo asentí con la cabeza.

—Bueno, eso está bien... —Vaciló y se levantó de la silla—. Entonces, supongo que es la adecuada. A ti te gusta y eso es lo que a mí me importa.

—¿Te importa que Lan no sea una belleza?

—¿Por qué habría de importarme?

—A la mayoría de los hombres le importaría.

—Yo no soy la mayoría de los hombres.

—Bueno, los dos sois no solo mis parientes de sangre más próximos sino también personas en las que puedo confiar de verdad. Sin embargo, no me perdonaría a mí misma si el matrimonio os hace infelices.

Kuang-hsu se quedó en silencio.

—A mis ojos, Lan es hermosa y siempre ha sido amable —dijo Kuang-hsu al cabo de un rato.

Yo empecé a relajarme y me sentí esperanzada.

—Dentro de la familia —prosiguió Kuang-hsu—, Lan era siempre la que me protegía cuando los demás me ridiculizaban.

—No estarás haciendo esto para complacerme, ¿verdad Kuang-hsu?

—No sería sincero si negara que intento complacerte —dijo—. No creo que se me permita retrasar mi matrimonio, pues ya lo he pospuesto dos veces. El mundo piensa que la razón por la que no me caso es porque tú te niegas a dejar tu puesto.

Me conmovió su interés por mí. No dije nada, pero se me llenaron los ojos de lágrimas: había perdido a Tung Chih pero ganado a Kuang-hsu.

—Madre, acabemos con esto. Si hay una posibilidad de que me enamore, será de Lan.

Entonces me sentía nerviosa y pedí a Kuang-hsu que se diera unos meses para pensar en Lan antes de tomar una decisión definitiva.

Paseábamos por la orilla del lago Kun Ming ante un paisaje sereno. Envueltas en la niebla, las colinas parecían una acuarela gigantesca, y el ondulado lago me recordaba el moaré.

Suspiré al pensar en Tung Chih.

—Me habría gustado haber sabido complacer a Alute.

—Deja que vuelva a hacerte feliz, madre —dijo Kuang-hsu en voz baja.

La Osa Mayor brillaba en el cielo púrpura. Aquella noche Li Lien-ying me aplicó crema de té verde y diente de león sobre la piel y me dio masajes en las extremidades. Algo que me turbaba se había instalado en mí, pero no podía distinguir qué era. En el futuro llegaría a desear haber continuado mi conversación con Kuang-hsu.

Solo puedo decir que la vida es así: un misterio en el que uno nunca puede saber dónde está realmente.

23

Kuang-hsu eligió como concubinas a dos hermanas del clan Tatala, que estaba muy vinculado al clan Yehonala. Las chicas eran las estudiantes favoritas del tutor Weng. Kuang-hsu oyó por primera vez hablar de ellas a su magnífico tutor en términos elogiosos, y cuando las conoció se quedó impresionado. El padre de las jóvenes era el secretario del Consejo Imperial de Justicia, amigo del príncipe Kung y famoso por sus opiniones abiertas.

Yo no sabía muy bien cómo reaccionar cuando Kuang-hsu me presentó a las muchachas. La más joven, Zhen, o Perla, apenas tenía catorce años. Era hermosa y actuaba más como una hermana pequeña de Kuang-hsu que como una concubina. Perla era curiosa, brillante y vivaracha. La hermana mayor, Chin, o Luminosa, tenía quince años. Era voluminosa, con una expresión plácida pero rígida. Kuang-hsu parecía feliz con su elección y me pidió mi aprobación.

Aunque había muchas jóvenes que acudían con altísimas recomendaciones, y que en mi opinión estaban mejor cualificadas en términos de belleza e inteligencia, me prometí no interferir en las decisiones de Kuang-hsu. Yo era un poco egoísta y pensaba que cuanto menos atractivas fueran las chicas, mejor sería para mi sobrina Lan. Estaría haciendo a mi sobrina Lan un flaco favor rodeando a su marido de bellezas. A pesar de que rezaba porque con el tiempo Kuang-hsu y Lan se enamorasen, me preguntaba a mí misma ¿y qué pasa si no lo hacen?

Perla y Luminosa completaban un armonioso paquete. Cuando las ponía al lado de Lan, pensaba que el arreglo era ideal: Perla era joven, Luminosa era pasiva y Lan tendría una oportunidad para brillar. Mi meta era alentar a Kuang-hsu a tener hijos con todas ellas.

Las tres muchachas vinieron a tomar el té ataviadas con preciosos vestidos. Me recordaron mi juventud. Traté de hacerles conocer mi penosa relación con Alute. Las jóvenes no se esperaban mi franqueza y estaban atónitas.

—Siento haceros pasar por esto —les expliqué—. Si no conocéis ya la historia, la oiréis antes o después en forma de rumores de palacio. Es mejor que os dé mi propia versión.

Les advertí que dejaran a un lado sus expectativas de vida dentro de la Ciudad Prohibida.

—No penséis en cómo debería ser la vida sino en cómo es.

Dejé que Lan supiera que me encantaba compartir con ella la pasión por la literatura y la ópera, pero le advertí que la poesía y la ópera eran divertimentos, no actividades serias.

Las chicas parecían no entenderlo, pero todas asentían con la cabeza obedientemente.

—Alute y Tung Chih se enamoraron la primera vez que se vieron —proseguí—. Pero Tung Chih la abandonó después de unos meses por otra mujer. —Mencioné cómo perdí a mi marido por culpa de las concubinas chinas—. Se necesita carácter, una voluntad de hierro y entereza para sobrevivir dentro de la Ciudad Prohibida.

Para dejar clara mi postura, hice hincapié en que no toleraría otra Alute.

Mientras Lan, que ya sabía la historia, escuchaba, Luminosa y Perla abrían unos ojos como platos mientras hablaba de mi difunta nuera, Alute. Tuve que detenerme a enjugarme las lágrimas, pues el recuerdo de Tung Chih era insoportable.

Perla lloró cuando expliqué el triste final de Alute.

—Yo nunca haría lo que hizo Alute, ni aunque estuviera decepcionada con mi vida y deseara suicidarme —gritó—. ¡Alute se equivocó al matar a su bebé!

—Perla —le interrumpió Luminosa—. Basta, por favor. Las emociones negativas perjudicarán la salud de la Gran Emperatriz.

—¿Vos diríais que habéis sobrevivido y prosperado? —me preguntó Lan la tercera vez que nos reunimos para tomar el té.

—Sobrevivido tal vez... prosperado, definitivamente no —fue mi respuesta.

—Todo el mundo en este país cree que vuestra vida es un cuento de hadas —dijo Perla—. ¿No es cierto?

—En cierto sentido supongo que es cierto —admití—. Vivo en la Ciudad Prohibida, cientos de personas sirven mis necesidades, mi guardarropa es más de lo que se puede imaginar, pero...

—Sois adorada por millones de personas —interrumpió Lan.

—¿No es así, Gran Emperatriz? —siguieron las hermanas.

Hice una pausa, debatiéndome en la duda de si debía o no revelar lo que en realidad pensaba.

—Yo diría esto: he ganado prestigio, pero he perdido la felicidad.

A pesar del codazo de su hermana, Perla expresó su incredulidad y me suplicó que se lo explicara.

—Mi padre era gobernador de Wuhu cuando yo tenía siete años —empecé—. Jugaba con mis amigos del pueblo en los campos, en las colinas y en los lagos. Nuestra familia estaba en una situación económica mejor que la mayoría de los aldeanos, que dependían por completo de las cosechas del año para su supervivencia. Mi mayor deseo era poder permitirme un regalo de Año Nuevo para mi mejor amiga, una chica delgaducha, de piernas largas, a la que apodábamos Saltamontes. Saltamontes dijo que si realmente quería hacerla feliz, lo único que tenía que hacer era permitirle que limpiara la letrina de mi familia.

—¿Qué? —gritaron las damas imperiales—. ¿Ella quería vuestra mierda?

Yo asentí.

—Tener un aporte continuo de heces para fertilizar su tierra es el sueño de cualquier granjero.

Mientras bebíamos el té más exquisito, les expliqué cómo Saltamones y su familia vinieron a nuestra casa a recoger su «regalo». Cómo cada miembro de la familia llevaba cubos de madera y un palo de bambú. Cómo cantaban mientras vaciaban la letrina. Cómo Saltamontes trabajaba en la letrina de rodillas, rebañando las esquinas.

Las tres delicadas damas estaban boquiabiertas. Perla estaba tan conmocionada que se llevó la mano a la boca, como si temiera que se le escapase algo impropio.

—Nunca olvidaré la sonrisa del rostro de Saltamontes. —Me bebí el té—. Me hizo saber cómo es la felicidad. Nunca he conocido una dicha tan sencilla desde que entré en la Ciudad Prohibida.

—¡Parece como si no hubierais tenido suerte! —no pudo evitar decir Perla.

—No —suspiré.

Kuang-hsu y el tutor Weng nos acompañaron en la cena. Perla, con toda su inocencia y encanto naturales, suplicó a Kuang-hsu que compartiera con nosotras lo que había aprendido ese día. Como ella también era estudiante del tutor Weng se azuzaban mutuamente. Kuang-hsu parecía disfrutar del desafío de Perla, y su amistad florecía delante de mis ojos.

—Estoy convencido de que la única esperanza de salvación

que le queda a China es aprender y emular la ciencia y la tecnología de las naciones occidentales —dijo Kuang-hsu con voz aguda, y Perla asintió respetuosamente.

Cuando Perla le pidió al emperador que explicase cómo funcionaba un reloj, Kuang-hsu ordenó a su eunuco que le trajese unos cuantos objetos de su colección. Como un artista, cogió un reloj y señaló su funcionamiento interior. Ella contemplaba con asombro reverente, tenía la cabeza prácticamente pegada a la de mi hijo mientras ambos seguían explorando.

Estaba segura de que Lan deseaba tener la oportunidad de hablar con el emperador de poesía y literatura. Más tarde, cuando me quedé a solas con mi sobrina, le pregunté cuáles eran sus sentimientos. Estábamos sentadas delante del espejo de su vestidor.

—Kuang-hsu presta más atención a sus concubinas que a la emperatriz —se quejó Lan.

No quería ser la persona que se lo dijera, pero creía que debía prepararse.

—Esto solo es el principio, Lan.

Mi sobrina levantó sus ojillos y se miró en el espejo. Se estaba juzgando críticamente. Al cabo de un momento bajó la cabeza y empezó a llorar.

—Soy horrible.

Le puse las manos sobre los hombros.

—¡No! —Me esquivó para que la soltara—. Mira mis dientes. ¡Están torcidos!

—Eres hermosa, Lan. —Le acaricié cariñosamente los brazos—. Te acuerdas de Nuharoo, ¿verdad? ¿Quién era más guapa, ella o yo? Todo el mundo coincidía en que ella, incluida yo, porque era la verdad. Yo no era rival para Nuharoo, pero el emperador Hsien Feng la abandonó por mí.

Mi sobrina levantó los ojos llenos de lágrimas.

—Todo es cuestión de esfuerzo —la animé.

—¿Qué ve Kuang-hsu en Perla?

—Su vitalidad, tal vez...

—No, es su aspecto.

—Lan, escúchame. Kuang-hsu se ha criado en un jardín lleno de bellezas. Para él no son más que ornamentos andantes. Como sabes, Tung Chih abandonó tres mil bellezas de todo el país por putas de burdel.

—¡Yo no sé mostrar vitalidad! —Las lágrimas de Lan discurrían por sus mejillas—. Cuanto más lo pienso, más nerviosa me pongo. Nunca conseguiré que Kuang-hsu me mire siquiera.

Cuando nos dimos las buenas noches, le dije a Lan que aún estaba a tiempo de cancelar su matrimonio.

—Pero yo quiero ser emperatriz de China —dijo Lan en un sorprendente tono de determinación.

Era la primera vez que descubría su obstinación.

—Quiero ser como vos.

El 26 de febrero de 1889, se celebró la boda de Kuang-hsu ante la nación. El emperador no tenía aún dieciocho años. Al igual que Nuharoo, Lan entró por la puerta central, la Puerta de la Tranquilidad Celestial. Luminosa y Perla entraron por la lateral, la misma por la que yo había entrado hacía treinta y seis años.

Una semana más tarde, el 4 de marzo, me retiré de la regencia. Era la segunda vez que lo hacía. Yo tenía cincuenta y cuatro años. A partir de ahora me llamarían la Emperatriz Viuda. Estaba felizmente dispuesta a regresar a los jardines del Palacio de Verano, dejar los dolores de cabeza de la Corte para Kuang-hsu y su padre, el príncipe Ch'un.

Los manchúes de la línea dura temían el compromiso de Kuang-hsu con la reforma, que demostró desde su primer decreto: «Derrocaré el viejo orden del País del Centro y barreré las fuerzas reaccionarias que no son capaces de reconocer la realidad. Y esto significa la degradación, la expulsión, el exilio y la ejecución para las mentes cerradas».

Aunque no ofrecí apoyo público a Kuang-hsu, mi silencio hablaba por sí mismo.

Despreciando al emperador Kuang-hsu y dudando de mi decisión de abandonar el poder, uno de los representantes de la línea dura, un juez provincial, sometió una petición insistiendo en que yo continuara con la regencia. Lo que me sorprendió fue el número de firmas que recogió. La gente debió de pensar que yo no lo había dicho en serio. Me enteré de que el juez había supuesto que yo estaba esperando una propuesta semejante.

En lugar de recompensar al juez con un ascenso, cancelé el plan de la Corte para debatir la petición. Dije que era una pérdida de tiempo y despedí al juez provincial, asegurándome de que fuera un despido permanente. Le expliqué a la nación: «Para empezar, la regencia nunca fue algo que yo elegí».

Mi intención era que la gente supiera que las malas ideas crecen como las malas hierbas en la Corte.

Celebré mi retiro ofreciendo una fiesta durante la cual entregué premios a muchísima gente. Dicté una docena de edictos para agradecer a todas las personas, vivas o muertas, que habían trabajado durante la regencia.

Entre los personajes importantes a los que honré estaba el inglés Robert Hart, por su devoción y su trabajo como inspector general del servicio de aduanas de China. El edicto fue hecho público a pesar de las fuertes objeciones de los ministros de la Corte. Concedí a Hart un título de lo más prestigioso, el ancestral rango de Primera Clase de la Primera Orden para Tres Generaciones. Significaba que el honor era retroactivo, se concedía a sus antepasados en lugar de a sus descendientes. Puede parecer caprichoso desde el punto de vista de un extranjero, pero para un chino, nada puede ser más honorable.

Me quedé muda y sorda cuando el Consejo del Clan exclamó: «¡Un diablo extranjero tiene ahora un rango superior a muchos de nosotros y de nuestros antepasados!».

No me cansaba de explicar que Robert Hart representaba el tipo de cambio revolucionario que China necesitaba desesperadamente. Sin embargo, la Corte negó unánimemente mi solicitud de conocerlo en persona. El ministro del Consejo de Etiqueta amenazó con dimitir mientras sacaba sus archivos que mostraban que en toda la historia de China ninguna mujer de mi estatus había recibido jamás a un hombre extranjero. Tendrían que pasar trece años, antes de que conociera a Robert Hart.

Nunca imaginé que la restauración de la casa que se me había designado para mi retiro se convirtiera en un escándalo. Empezó como un gesto de piedad. Cuando decidí establecerme en el Palacio de Verano —en su origen llamado Ch'ing I Yuan, Jardín de las Claras Aguas Onduladas— fue el príncipe Ch'un quien insistió en que fuera restaurado. Como ministro principal, habló en nombre del emperador. Ch'un tenía la intención de proporcionarme un hogar confortable, que yo acepté con gratitud.

No quería poner en un aprieto al príncipe Ch'un comentando que él se había opuesto a esa misma idea cuando Tung Chih la propuso después de ascender al trono en 1873. En aquel momento, Ch'un se negó alegando que andábamos cortos de dinero. Yo me preguntaba, ¿cómo obtendrá él ahora el dinero? Solo podía llegar a la conclusión de que quería tenerme paseando por mis jardines en lugar de metiendo las narices en los asuntos de Estado.

Permanecí pasiva porque ya era hora de que el príncipe Ch'un se pusiera en mi piel. Como ministro de Marina, había sido un tigre feroz, que había hecho trizas los esfuerzos de Li Hung-chang por modernizar China. Lo que me sorprendió fue su alianza con un insólito colaborador: el tutor Weng. Weng era una persona abierta y firme defensora de la reforma, que había apoyado las iniciativas de Li. Pero cuando se convirtió en el nuevo ministro de Hacienda del príncipe Ch'un, descubrió que no le gustaba compartir el poder con Li. El príncipe Ch'un y el tutor Weng ya habían enviado numerosos memorandos denunciando a Li y mi aprobación de los proyectos de Li. Ambos hombres estaban convencidos de que podrían hacer mejor trabajo si se les concedía toda la autoridad.

Yo ya había insinuado a Li Hung-chang lo que se avecinaría cuando me retirase. Resultó muy frustrante para mí ser testigo de cómo Li se vio obligado a soportar humillaciones, ataques contra su persona e incluso intentos de asesinato. Lo único que podía hacer era demostrarle lo mucho que lo valoraba. En un mensaje entregado a Li por Yung Lu, su más estrecho aliado en la Corte, escribí: «Si te resulta excesivo, tienes mi permiso para tomarte una excedencia por el motivo que sea». Le dije que le concedería cualquier cantidad de dinero que reclamase como compensación.

Li Hung-chang me aseguró que no era necesario y que todo lo que necesitaba para soportarlo era que yo comprendiese su sacrificio.

«No es un buen momento, ni mucho menos, para experimentar o conceder a los obstinados Sombreros de Hierro tiempo para que descubran quiénes son —le escribí—, pero así es como son las cosas para mí aquí.»

Yo había vivido en el Palacio de Verano con mi marido. Estaba dividido por lagos, llamados Mar del Norte, Mar del Sur y Mar del Centro. A diferencia de Yuan Ming Yuan, que era una maravilla obra de la mano del hombre, el Palacio de Verano se había diseñado para armonizar la obra de la naturaleza. El jardín de las Claras Aguas Onduladas, que rodeaba el palacio, era solo una pequeña parte de un gran parque. A lo largo de su extensión, espaciosos pabellones se asentaban en medio de un paisaje de frondosa vegetación, y los tres grandes lagos centelleaban entre colinas suaves. Yo guardaba recuerdos entrañables de aquel lugar.

Fue Kuang-hsu el que por fin me convenció de que permitiera la restauración. Él en persona leyó su declaración a la Corte instando a que empezaran las obras. «Es lo menos que China puede conceder a su Gran Emperatriz, que tanto ha sufrido.» Yo veía que Kuang-hsu intentaba afirmar su independencia, y sentía que necesitaba apoyarlo.

Cuando los ministros leales me escribieron advirtiéndome de un «complot entre padre e hijo» que intentaba aislarme políticamente, yo escribí al dorso de sus cartas: «Si hay un complot, es un complot diseñado por mí». Me preocupaba más saber de dónde saldría el dinero. La máxima prioridad de los Ministerios de Marina y de Hacienda era crear una armada china, y yo quería que esa prioridad se cumpliera.

En junio, Kuang-hsu publicó su decreto sobre la restauración de mi hogar: «...recuerdo pues que en los aledaños del Parque Occidental había un palacio. Muchos edificios estaban en muy mal estado y requerían una restauración para que fueran aptos para que su majestad la Gran Emperatriz los usara como lugar de solaz y recreo». Le puso un nuevo nombre al jardín de las Claras Aguas Onduladas: ahora sería conocido como el jardín para el Cultivo de la Armoniosa Vejez.

Después de poner ciertos reparos, dicté una respuesta oficial: «Soy consciente de que el deseo del emperador de restaurar el palacio de occidente nace de su encomiable preocupación por mi bienestar, y por ese motivo no puedo responder a su bienintencionada petición con una tajante negativa. Además, los costes de la construcción han sido proporcionados todos del dinero excedente acumulado como resultado de las rígidas economías del pasado. Los fondos que se encuentran bajo el control del Ministerio de Hacienda no serán tocados, y no se perjudicará en modo alguno a las finanzas nacionales».

Mi declaración pretendía ablandar a quienes se oponían al plan, pero acabé cayendo en una trampa. Pronto quedé cercada entre dos batallas, una experiencia de la que a duras penas conseguí salir con vida.

La primera batalla la comenzó el tutor Weng. Cuando al letrado reformista se le concedió el poder, alentó la ya gran pasión de Kuang-hsu por la reforma. En lugar de haber ejercido un cometido moderado, el tutor Weng fue un paso más allá, trazando al emperador un rumbo que demostraría ser desastroso tanto para nuestra familia como para China.

La segunda batalla sería mi lucha contra el hecho de asumir la responsabilidad por la pérdida de la guerra de China ante Japón. Años más tarde, cuando todos los hombres rehuyeron la culpa, yo fui la que tuvo que soportar la desgracia. ¿Qué podía hacer? Yo había estado perfectamente despierta, pero no escapé de la pesadilla.

«Al final —escribiría un historiador en el futuro—, el Ministerio de Hacienda siguió inviolado, pero la Gran Emperatriz Tzu Hsi defraudó importantes cantidades de dinero, estimadas en treinta mil taels, del Ministerio de Marina; la cantidad habría duplicado la flota, lo cual habría permitido a China derrotar a su enemigo.»

Por desgracia, yo viví para leer esta crítica. Fue cuando estaba vieja y moribunda. No podía, no quería y no iba a ponerme a gritar: «¡Id a echar un vistazo a mi hogar! Con el dinero que me acusaban de robar habría podido construirlo tres veces en oro puro».

24

Nuestros problemas con Japón por la cuestión de Corea se habían prolongado durante una década. Cuando la reina Min de Corea nos pidió ayuda, envié a Li Hung-chang. La reina estaba siendo amenazada por turbas respaldadas por los japoneses. Asumí personalmente el problema. Sabía que yo habría buscado la misma ayuda si me hubiera sucedido algo semejante.

Li Hung-chang tardó dos años en conseguir un acuerdo con el primer ministro de Japón, Ito Hirobumi. Li me convenció de que el acuerdo evitaría la escalada de la crisis coreana en una confrontación militar chino-japonesa a gran escala.

Frenéticamente hice lo que pude para conseguir que se aprobara el borrador de acuerdo de Li. El Consejo del Clan Manchú odiaba la mera existencia de Li Hung-chang y se empleó a fondo para bloquear su esfuerzo. El príncipe Ch'un y el príncipe Ts'eng dijeron que el hecho de haber vivido tanto tiempo en la Ciudad Prohibida había enturbiado mi sentido de la realidad y que me equivocaba al depositar mi confianza en Li Hung-chang.

Sin embargo, mi instinto me decía que acabaría teniendo los mismos problemas que la reina Min si confiaba en los niembros de la familia real manchú en lugar de confiar en Li Hung-chang.

Como resultado de mi defensa, se firmó la Convención Li-Ito. China y Japón mantuvieron la paz durante un tiempo. Los manchúes abandonaron su campaña por la decapitación de Li Hung-chang.

Pero en marzo de 1893 Li solicitó una audiencia urgente conmigo en el Palacio de Verano. Me levanté antes del alba para recibirle. Fuera, en el jardín, el aire era cortante y frío, pero las camelias estaban floreciendo. Le serví a Li té verde caliente, pues había viajado toda la noche.

—Majestad. —La voz de Li Hung-chang sonaba tensa—. ¿Cómo habéis estado?

Notaba su inquietud y le pedí que fuera directo al grano.

Tocó el suelo con la frente antes de soltar sus palabras.

—La reina Min ha sido destronada, majestad.

Yo me quedé atónita.

—¿Cómo... cómo ha sido?

—Aún no tengo toda la información. —Li Hung-chang se levantó—. Solo sé que los ministros de la reina han sido brutalmente asesinados. En este momento, los radicales coreanos están dando un golpe de Estado.

—¿Tiene algo que ver Japón en esto?

—Sí, majestad. Agentes secretos de Japón se infiltraron en el palacio de la reina Min disfrazados de guardias de seguridad coreanos.

Li Hung-chang me convenció de que yo no podía hacer nada para ayudar a la reina Min. Incluso aunque preparáramos una misión de rescate, no sabíamos dónde tenían a la reina, ni si estaba aún viva. Japón estaba decidido a engullir a Corea. La conspiración llevaba en curso más de diez años. China se había turnado con Japón en el respaldo de facciones rivales en Seúl.

—Me temo que China sola no puede detener la agresión militar de Japón —dijo Li.

Las siguientes semanas fueron tensas; mis días eran agobiantes y mis noches insomnes. Exhausta, intenté olvidar las cuitas del momento volviendo a algo más, reviviendo los recuerdos tempranos de mi ciudad natal de Wuhu.

Contemplando el dragón dorado pintado en el techo de encima de mi cama, recordé la última vez que estuve con mi mejor amiga, Saltamontes. Ella estaba dando patadas al suelo, con aquellas piernecitas tan delgadas como varas de bambú.

—Nunca he estado en Hefei —dijo—. ¿Y tú, Orquídea?

—No —respondí—. Mi padre me ha contado que es más grande que Wuhu.

A Saltamontes se le iluminaron los ojos.

—Tal vez allí tenga suerte. —Se levantó la blusa para enseñar la barriga—. Estoy harta de comer arcilla.

Tenía un vientre enorme, como una olla puesta al revés.

—No he podido ni hacer caca —dijo.

Yo me sentí extraordinariamente culpable. Como hija del gobernador local, yo no conocía el hambre.

—Voy a morir, Orquídea. —El tono de Saltamontes era uniforme—. Me comerá un puñado de gente. ¿Me echarás de menos?

Antes de que pudiera responder, prosiguió:

—Mi hermano murió anoche. Mis padres lo vendieron esta mañana. Me pregunto qué familia se lo está comiendo.

De repente mis rodillas cedieron y me desplomé.

—Me voy a Hefei, Orquídea.

Lo último que recordaba era a Saltamontes agradeciéndome que le hubiera dado las heces de la letrina de mi familia.

Los árboles gigantes que rodeaban mi palacio hacían un ruido como de olas. Yo estaba tumbada en la oscuridad, incapaz de dormir. Dejé el pasado y volví a entrar en el presente y a pensar en Li Hung-chang, el hombre de Hefei. En realidad Hefei era su apodo. Yo supuse que él también conocía el hambre de los campesinos, y esto tiene mucho que ver con nuestra mutua comprensión y aspiración a cambiar el gobierno. Aquello nos unía. Yo esperaba con ganas y a la vez temía las audiencias con Li. No sabía qué nuevas malas noticias me traería. Lo único seguro era que llegarían.

Li Hung-chang era un hombre cortés y elegante. Me traía regalos, exóticos y prácticos; una vez me regaló unas gafas de lectura. Los regalos siempre venían con una historia sobre el lugar donde los habían hecho o las influencias culturales que presentaba su diseño. No era difícil imaginar por qué disfrutaba de tanta popularidad. Además del príncipe Kung, Li era el único funcionario del gobierno en el que los extranjeros confiaban.

Seguía sin poder dormir. Tenía la sensación de que Li Hung-chang estaba otra vez de camino. Imaginaba su carruaje traqueteando por las oscuras calles de Pekín. Las puertas de la Ciudad Prohibida abriéndose para él, una tras otra. Los susurros de los guardas... Li siendo escoltado a través de la entrada de más de un kilómetro y medio, por zaguanes y pasillos de los jardines y luego hasta el interior de la Corte.

Oí la campana del templo repicar cuatro veces. Tenía la mente clara, pero estaba cansada, me ardían las mejillas, y tenía las extremidades frías. Me senté y me vestí. Oí el sonido de pasos, reconocí el caminar de unas suelas blandas y supe que era mi eunuco. En la sombra de la luna Li Lien-ying entró. Corrió la cortina con una vela en la mano derecha.

—Mi señora —me llamó.

—¿Ha llegado Li Hung-chang? —pregunté.

Li se arrodilló ante mí con su sombrero de la preciada pluma de pavo real con doble ojo y una chaqueta de montar de seda amarilla de mariscal de campo. Temí lo que estaba a punto de decirme. Pareció que transcurrían pocos segundos antes de que me diera las terribles noticias de la reina Min de Corea.

Permaneció de rodillas hasta que le pedí que hablara.

—China y Japón están en guerra —fue lo que me dijo.

Aunque no me sorprendió, sí me impresionó. Durante los últimos días, el trono había ordenado que tropas, al mando de Yung Lu, se desplazaran hacia el norte para ayudar a Corea a contener su revolución. El edicto de Kuang-hsu decía: «Japón ha introducido un ejército en Corea, con la pretensión de apagar lo que ellos llaman un fuego que ellos mismos han encendido».

Yo confiaba muy poco en nuestro poderío militar. La Corte no se equivocaba al describirme como alguien a quien «hace diez años mordió una serpiente y desde entonces le dan miedo las cuerdas de paja».

Perdí a mi marido y casi la vida durante la guerra del Opio de 1860. Si Inglaterra y sus aliados eran superiores entonces, solo había que imaginárselos ahora, más de treinta años después. La posibilidad de no haber sobrevivido fue una realidad para mí. Desde su regreso de Sinkiang, Yung Lu había estado trabajando calladamente con Li Hung-chang en el refuerzo de nuestro ejército, pero sabía que les quedaba aún mucho trecho. Yo pensaba en Yung Lu y en sus tropas mientras marchaban hacia el norte.

Li era partidario de conceder tiempo a los esfuerzos conjuntos de Inglaterra, Rusia y Alemania, que, dadas las repetidas peticiones de apoyo de Li, habían consentido en convencer a Japón de que «enterrara el hacha de guerra».

—Su majestad el emperador Kuang-hsu está convencido de que debe actuar —dijo Li—. Los japoneses han disparado dos andanadas y un torpedo, y han hundido el *Kowshing*, un barco de transporte de tropas que había zarpado de Port Arthur con nuestros soldados a bordo. Los que no se ahogaron fueron ametrallados. Comprendo la ira de su majestad, pero no podemos dejarnos llevar por las emociones.

—¿Qué esperas que haga yo, Li Hung-chang?

—Por favor, pedidle al emperador que sea paciente, pues estoy esperando a que Inglaterra, Rusia y Alemania reaccionen. Me temo que cualquier movimiento en falso por nuestra parte nos haría perder el apoyo internacional.

Llamé a Li Lien-ying.

—Sí, mi señora.

—Que preparen un carruaje para ir a la Ciudad Prohibida.

Li Hung-chang y yo no teníamos ni idea de que Japón había obtenido la promesa de Inglaterra de no interferir y de que Rusia había seguido su ejemplo. Nos llagamos los labios intentando convencer al furioso Kuang-hsu de que diera más tiempo antes de declarar la guerra.

A medida que pasaban las semanas, Japón se volvía más agresivo. La espera de China no tenía ningún aspecto de verse recompensada. Me acusaron de permitir que Li Hung-chang desaprovechara un tiempo precioso para preparar una defensa provechosa. Yo seguía confiando en Li, pero también me di cuenta de que debía prestar atención a la facción que estaba a favor de la guerra —el partido de la guerra— ahora liderado por el propio emperador Kuang-hsu.

Una vez más volví a trasladarme a mi viejo palacio de la Ciudad Prohibida. Necesitaba asistir a las audiencias y estar disponible para el emperador. Aunque halagué a los Sombreros de Hierro por su patriotismo, tenía reticencias a comprometer mi apoyo, pues recordaba que treinta años atrás estaban seguros de que podían derrotar a Inglaterra.

A los que estaban en contra de la guerra, el partido de la paz, liderado por Li Hung-chang, les preocupaba que yo les retirase mi apoyo.

—Japón se ha estado modernizando imitando a las culturas occidentales y se ha vuelto más civilizado. —Li intentaba convencer a la Corte—. Las leyes internacionales deberían actuar como un freno a cualquier violencia deliberada.

—¡Solo un idiota creería que un lobo va a dejar de alimentarse de ovejas! —El tutor Weng, ahora consejero de guerra, habló en medio de grandes aplausos—. China puede derrotar y derrotará a Japón por la pura fuerza de los números.

Tardé un tiempo en descubrir la personalidad del tutor Weng. Por un lado, alentaba a Kuang-hsu a modelar China a imagen de Japón, pero por el otro, despreciaba la cultura japonesa. Se sentía superior a los japoneses y creía que «China debe educar a Japón, como lo ha hecho a lo largo de la historia». También creía que Japón «tiene con China una deuda por el idioma, el arte, la religión e incluso por la moda». El tutor Weng era lo que Yung Lu habría descrito como «un buen comandante de un ejército de papel». Lo que era peor, el letrado dijo a la nación que el programa de reforma de China sería como «pegar un bambú en el sol: se produciría al instante una sombra».

Aunque nunca había dirigido el gobierno, el tutor Weng confiaba en su propia habilidad. Sus opiniones liberales inspiraban a tanta gente que era considerado un héroe nacional. Tenía problemas para comunicarme con él, pues él defendía la guerra, pero evitaba afrontar la montaña de decisiones que se requería para llevarla a cabo. Me aconsejó «prestar atención al dibujo del bordado en lugar de a las puntadas». Hablar de estrategia era su pasión. Daba conferencias a la Corte en las audiencias durante horas. Al final, sonreía y decía: «Dejemos las tácticas a los generales y oficiales».

Los generales y oficiales de la frontera estaban confundidos por las instrucciones del tutor Weng. «"Somos aquello en lo que creemos" no es el tipo de consejo que puedes dar a tus hombres», se quejaban. En una carta personal que me envió desde el frente, Yung Lu se mostraba especialmente desdeñoso con Weng, pero yo tenía las manos atadas.

—Comprender la moral que hay detrás de la guerra nos

hará ganar la guerra —respondió el gran tutor—. No hay mejor instrucción que la enseñanza de Confucio: «El hombre virtuoso no busca vivir sin humanidad».

Cuando le sugerí que al menos escuchara a Li Hung-chang, el tutor Weng se limitó a decir:

—Si no conseguimos reaccionar a tiempo, Japón entrará en Pekín y quemará la Ciudad Prohibida, lo mismo que Inglaterra quemó Yuan Ming Yuan.

El padre del emperador, el príncipe Ch'un, se repitió:

—No hay peor traición que olvidar lo que nos han hecho los extranjeros.

Dejé en paz al tutor Weng, pero insistí en que se estableciera un nuevo Ministerio de Marina para la guerra bajo el mando del príncipe Ch'un, el príncipe Ts'eng y Li Hung-chang. Seis años atrás, Li había contratado a empresas extranjeras para que construyera puertos fortificados, incluyendo las importantes bases de Port Arthur en Manchuria y Weihaiwei en la península de Shantung. Se compraron barcos a Inglaterra y Alemania. Por aquel entonces teníamos veinticinco buques de guerra. Nadie parecía querer oír a Li cuando decía: «La marina no está preparada para la guerra, ni mucho menos. La academia naval acaba de diseñar su programa de estudios y contratar instructores. La primera generación de oficiales con estudios está aún aprendiendo».

—¡China está equipada! —El príncipe Ch'un se convencía a sí mismo. Lo único que necesitamos es subir a nuestra gente a bordo.

—Los modernos buques de guerra son inútiles en las manos equivocadas —advirtió Li Hung-chang.

No pude evitar que la Corte gritase lemas patrióticos en respuesta a Li. El emperador Kuang-hsu dijo que estaba todo preparado para ir a la guerra.

—Ya he esperado bastante.

Yo rezaba por que mi hijo hiciera lo que habían hecho sus grandes antepasados, aprovechar la ocasión y hacer huir a sus enemigos. Sin embargo, en lo más hondo de mi corazón yo tenía miedo. A pesar de las admirables cualidades de Kuang-hsu, yo sabía que era incapaz de actuar con decisión. Lo había intentado con todas sus fuerzas, pero carecía de una estrategia dinámica y de la implacabilidad necesaria. Guardaba en secreto los problemas médicos y emocionales de Kuang-hsu. No lo veía controlando a sus atrabiliarios hermanastros, que eran los líderes de los Sombreros de Hierro. Y tampoco lo veía imponiéndose al Consejo del Clan Manchú. Deseaba que Kuang-hsu me dijera que estaba equivocada, que a pesar de sus carencias tendría suerte y se saldría con la suya.

Estaba resentida conmigo misma por no haber puesto fin a la dependencia de Kuang-hsu. Él seguía buscando mi aprobación y mi apoyo. Guardé silencio cuando el Consejo del Clan al completo propuso que yo volviera a asumir la supervisión diaria de la nación.

Pretendía provocar a mi hijo. Quería que él me desafiara y quería verlo explotar de rabia. Le estaba dando una oportunidad para levantarse y hablar por él mismo. Le dije que él podría invalidar al consejo si sentía que debía tomar el poder en sus propias manos. Eso hicieron los emperadores más brillantes de la dinastía, como Kang Hsi, Yung Cheng y su bisabuelo Chien Lung.

Pero no sería así. Kuang-hsu era demasiado manso, demasiado tímido. Dudaba, entraba en conflicto consigo mismo y al final cedía.

Tal vez yo ya presentía la tragedia de Kuang-hsu. Yo había empezado a sufrir su miedo. Notaba que yo le estaba fallando. Me enfurecía cuando sus hermanastros y primos, el hijo del príncipe Ch'un y el hijo del príncipe Ts'eng, se aprovechaban de él. Hablaban a Kuang-hsu como si él estuviera por debajo de ellos. Harta de oír mi propia voz, seguí diciéndole a mi hijo que actuase como un emperador.

Debí contribuir a la confusión de Kuang-hsu. Si pienso en el pasado, veo que el monarca no estaba siendo él mismo. Yo le exigía que fuera alguien que no era. Él tenía tantas ganas de hacerme feliz...

Regresé al Palacio de Verano, cansada de las interminables pugnas entre el partido de la guerra y el partido de la paz. La carga de la mediación recaía solo en mí, no porque tuviera alguna competencia especial sino porque no había nadie que pudiera hacerlo mejor.

A mis espaldas, y en medio de la crisis nacional, el príncipe Ch'un incautó los fondos que Li Hung-chang había pedido prestados para la academia naval.

Ch'un construyó lanchas motoras para la diversión de la Corte en los lagos de palacio en Pekín y en el lago Kun Ming, cerca de donde yo vivía.

Más tarde, Li Hung-chang confesaría:

—El padre del emperador estaba siempre pidiéndome dinero. Yo le dejaba que se saliera con la suya a cambio de que no interfiriese en mis asuntos de negocios.

Los príncipes Ch'un y Ts'eng usaron otros fondos del Ministerio de Marina para obsequiarme con abundantes regalos, asegurando generosos e innecesarios proyectos con el fin de conseguir mi apoyo. La reparación de la Barcaza de Mármol fue un ejemplo.

Furiosa, me enfrenté al príncipe Ch'un.

—¿Qué placer me va a proporcionar esa maldita y carísima barcaza?

—Creímos que disfrutaríais de salir al agua sin mojaros los zapatos —dijo mi cuñado.

Me explicó que en su origen la Barcaza de Mármol la construyó el emperador Chien Lung para su madre, a la que le daba miedo el agua.

—¡Pero a mí me encanta el agua! —grité—. ¡Me pondría a nadar en el lago si me lo permitieran!

El príncipe Ch'un me prometió detener el proyecto, pero mintió. Le resultaba difícil dejarlo; ya había despilfarrado la mayoría del capital y necesitaba una excusa con la que presionar a Li para que le diera más dinero.

Li Hung-chang eludía al príncipe Ch'un. En lugar de pedir préstamos a bancos extranjeros, Li promovía una «Recaudación de fondos para la Defensa Naval». No se esforzaba en ocultar el hecho de que el dinero que recaudaba en realidad iría a beneficio de la «fiesta del sexagésimo cumpleaños de la Emperatriz Viuda». Li deseaba pegarle un tiro al príncipe Ch'un, pero a mí me usaba como aval. Li Hung-chang debía de creer que yo merecía ese tratamiento en primer lugar porque yo era la responsable de asociarlo con el príncipe Ch'un.

Kuang-hsu declaró la guerra a Japón, pero no tenía demasiadas esperanzas de supervisarla. Confiaba en el tutor Weng, que sabía de la guerra lo que había leído en los libros. Yo aún no sabía el conflicto que tenía Kuang-hsu como hombre. Lan me hizo saber que su marido era un romántico empedernido, pero que le daban miedo las mujeres.

—Llevamos casados cinco años. —Los labios de Lan temblaron y se derrumbó—. Solo hemos dormido juntos una vez, y ahora él quiere una separación.

Yo prometí ayudar. El resultado fue que la pareja consintió en seguir viviendo juntos en el mismo recinto. Lo que me entristecía era que Kuang-hsu hubiera construido una muralla alrededor de su apartamento para impedir la entrada a Lan.

Cuando hablé con Kuang-hsu, me explicó que desatendía a Lan por defensa propia.

—Lan me dijo que le debía un hijo.

Describió las incursiones de Lan a medianoche.

—Asustó a mis eunucos, que pensaron que su sombra era la de un asesino.

Cuando intenté hacer comprender a Kuang-hsu que Lan reclamaba sus derechos conyugales, él me dijo que no creía que fuera capaz de cumplir con su deber como marido.

—Aún no me he curado —dijo, refiriéndose a sus eyaculaciones involuntarias—. No creo que nunca me cure.

Kuang-hsu ya me había hablado valientemente de su disfunción, pero yo tenía la esperanza de que las cosas mejorasen a medida que adquiriera más experiencia en los asuntos amorosos.

Yo no podía superar la sensación de que era la artífice de una tragedia. Y aún hacía que me sintiera peor saber que Lan creía que yo podía obligar a Kuang-hsu a amarla.

Durante el día, Kuang-hsu y yo presidíamos audiencias que tenían que ver con la guerra contra Japón; por la noche, nos enterrábamos en documentos y borradores de edictos. El único momento en que podíamos relajarnos un poco era durante los descansos de última hora de la noche. Yo trataba de hablar de Lan, como quien no quiere la cosa, pero Kuang-hsu se percataba de mis intenciones.

—Estoy seguro de que no soy digno de Lan —dijo Kuang-hsu. El arrepentimiento de sus ojos era sincero. Se consideraba responsable de no ser capaz de generar un heredero, y dijo que durante algún tiempo se había sentido débil y cansado—. No te estoy pidiendo que me perdones. —Hizo un esfuerzo por contener las lágrimas—. Te he decepcionado... —Empezó a llorar—. Soy una vergüenza como hombre y como emperador. Pronto el mundo lo sabrá.

—Tu disfunción seguirá siendo un secreto hasta que encontremos una cura. —Intenté consolarlo, pero ahora veía que más allá de su abatimiento podía estar realmente enfermo.

—¿Y qué pasa con Lan? —Kuang-hsu levantó sus ojos llo-

rosos—. Me temo que llegará un día en que me ataque públicamente.

—Déjamela a mí.

Lan se negó a aceptar mi explicación de la disfunción médi-
ca de Kuang-hsu. Creía de manera obstinada que su marido
pretendía repudiarla.

—Él se muestra indiferente conmigo, pero está muy animado con sus otras concubinas, en especial con Perla.

Me aseguré de que Lan no expresase a otros sus sentimientos de frustración.

—Somos las damas de las máscaras —le dije—. Nuestro destino es envolvernos en la divina gloria y en el sacrificio.

Agradecí que Kuang-hsu me permitiera llevarle doctores
para que lo examinaran, y él respondió a las preguntas más íntimas. Tuvo que soportar mucho dolor y humillación. Lo admiraba por superarse a sí mismo para vencer sus sentimientos personales.

El diagnóstico estaba hecho, y me rompió el corazón: Kuang-
hsu padecía una enfermedad pulmonar. Había contraído una
bronquitis que podía degenerar en tuberculosis. La imagen de
Tung Chih tumbado en su cama volvió a mi mente. Abracé a
Kuang-hsu y lloré.

25

La ciudad de Pekín se quedó sin fuegos artificiales durante el Año Nuevo de 1894. La madera que recibimos estaba verde y húmeda y producía un humo espeso. Tosíamos y carraspeábamos mientras celebrábamos las audiencias. Se convocó al ministro del Interior para hacerle preguntas. Seguía disculpándose y prometiendo que el próximo cargamento no haría humo. Según Yung Lu, la sección septentrional del ferrocarril responsable del transporte de madera había sido destruida por campesinos rebeldes desesperados. Habían levantado las vías y vendido las traviesas como leña. Las tropas que Yung Lu envió no consiguieron solucionar el problema a tiempo.

A primera hora de la mañana del día de Año Nuevo, me despertó un mensaje urgente: el príncipe Ch'un había muerto. «El padre del emperador ha sufrido un derrame cerebral mientras inspeccionaba unas instalaciones navales», decía el mensaje.

El doctor Sun Pao-tien dijo que el agotamiento extremo se había cobrado la vida del príncipe Ch'un. El príncipe estaba decidido a demostrar su diligencia para lanzar un contraataque contra Japón. Había denunciado a su hermano el príncipe Kung y al virrey Li Hung-chang. Alardeaba de su capacidad para hacer las cosas, «del modo en que un mongol juega a saltar a la cuerda sin sudar ni una gota».

El príncipe Ch'un no consultaría con Kung ni con Li. No

estaba dispuesto a «levantar una roca y a aplastarse los dedos de los pies con ella», se negaba a «insultarse» a sí mismo. Yo ya había visto el mismo comportamiento contraproducente en el resto de la familia imperial. El príncipe Ch'un podía haber cubierto su casa con máximas caligrafiadas sobre la búsqueda de una vida sencilla, pero el poder lo era todo para él.

Recuerdo haberme preocupado cuando los labios del príncipe Ch'un perdieron el color. Él creía que sus mareos eran parte de la resaca del día después. Seguía asistiendo a banquetes, creyendo que las habladurías y los tratos privados eran el modo de hacer las cosas.

Kuang-hsu estaba desolado por la pena. Estaba más cerca de su padre que de su madre, claro. Arrodillado entre sus tíos, no podía acabar de anunciar la muerte en la audiencia de la mañana.

Más tarde, en la recepción previa al funeral, mi hermana hizo un espectáculo para exigir que su hijo menor, también llamado Ch'un, ocupara el cargo de su padre.

Cuando yo negué su petición, Rong acudió a Kuang-hsu y dijo:

—Oigamos lo que el emperador tiene que decir.

Kuang-hsu contempló a su madre con expresión de perplejidad, como si no la comprendiera.

—¡Es mi cumpleaños! —reclamó el príncipe Ch'un, hijo.

Le sacaba media cabeza a Kuang-hsu. Como líder de la nueva generación manchú, el joven Ch'un era un hombre que no tenía modestia ni paciencia. Tenía los ojos inyectados en sangre y un aliento que apestaba a alcohol. Me recordó un toro a punto de pelearse.

—Controla a tu hijo menor —le dije a mi hermana.

—Kuang-hsu no es más que una almohada bordada llena de paja —dijo Rong—. ¡Mi hijo Ch'un habría valido más para el trono!

No podía dar crédito a lo que mi hermana estaba diciendo.

Me volví para mirar a Kuang-hsu, que estaba visiblemente destrozado. Luego hice un gesto a Li Lien-ying, que gritó:

—¡Los palanquines de sus majestades!

Mientras volvíamos a palacio, me di cuenta de que había sido testigo en nuestra familia de la decadencia de toda la clase imperial. Al príncipe Ch'un no se le ocurría que podía fracasar, igual que su padre.

Rong y yo estábamos tan distantes que incluso vernos nos resultaba insoportable. Me preocupaba que el príncipe Ch'un, hijo, pudiera ser el siguiente en la línea sucesoria si algo le sucedía a Kuang-hsu. Ch'un tenía una gran presencia física, pero nada en la cabeza. Aunque yo había estado alentando a los jóvenes manchúes a seguir el camino de sus antepasados y los había recompensado con ascensos, mi sobrino me decepcionaba. Insistía en que siguiera un proceso de aprendizaje bajo el príncipe Kung o Li Hung-chang. Como el chico se negaba a seguir mis instrucciones, su puesto en la Corte seguía siendo insignificante.

Durante las semanas que siguieron, mientras Kuang-hsu dirigía audiencias, yo me sentaba en un templo real o en otro recibiendo invitados que venían a llorar al príncipe Ch'un. Entre el redoble de los tambores, la música fuerte y el canto de los lamas, realicé rituales y di mi aprobación a varias peticiones sobre el funeral del príncipe: el número de banquetes e invitados, el estilo y el aroma de las velas, el color de las mortajas y los dibujos de los botones decorativos del muerto. A nadie parecía preocuparle la guerra que estábamos librando. La cifra diaria de muertos de la frontera no parecía preocupar a Ch'un, hijo, ni a sus amigos de los Sombreros de Hierro. Bebían sin moderación y se peleaban por prostitutas.

Yo sentía el peso de mi edad. Mi sombría visión de futuro me daba dolor de estómago.

—Eso es porque no está tomando sopa de escorpión, mi señora —decía Li Lien-ying.

—Parece como si hubieras cosido una máscara con una sonrisa en tu cara —le respondía yo.

Li Lien-ying no me hacía caso y seguía con su consejo.

—La razón por la que hay que tomar sopa de escorpión es que se necesita veneno para luchar contra el veneno.

El 17 de septiembre de 1894, en la desembocadura del río Yalu, los japoneses destruyeron la mitad de nuestra armada en una sola tarde, y ellos no sufrieron ningún daño grave en ni uno solo de sus buques. Ahora tenía la costa literalmente despejada, y Japón podía desembarcar hombres y armas y marchar hacia Pekín.

El 16 de noviembre, Li Hung-chang informó de que los príncipes manchúes, con quienes se veía obligado a tratar, se habían aprovechado de la guerra suministrando a nuestras tropas munición defectuosa. Tras solo un mes de lucha, Port Arthur había sido capturado. En lugar de rendirse, los comandantes de campo de Li Hung-chan guiaron a sus soldados a cometer suicidio.

Gracias al fallecido príncipe Ch'un, que había estado fabricando informes de campo y comunicándome solo las buenas noticias, me había sentido estúpidamente lo bastante segura como para empezar a preparar la fiesta de mi sexagésimo cumpleaños. Pensando que sería el momento de celebrar mi retiro, había planeado aprovechar la ocasión para entablar amistad con las esposas de los embajadores extranjeros. No había podido invitarlas a todas hasta ahora, en que me consideraba oficialmente retirada. A los ojos de la Corte, el orgullo de China no saldría tan herido. Las embajadas extranjeras parecían compartir la misma tranquilidad. El hecho de estar retirada significaba que no tenían que tomarme en serio.

Tal vez nunca me habían tomado en serio, en el trono o fuera de él. ¿Qué orgullo le quedaba a China para ser herido?

Mientras yo fuera libre para ayudar a mi hijo, no me importaba lo que pensara la gente. Si estar retirada significaba tener más oportunidades para hacer amigos que pudieran estar al servicio de la nación, no solo serían bienvenidas sino que también las recibiría con agrado.

Resultó que la continua agresión de Japón me obligó a cancelar todos mis planes. Esto molestó a una gran cantidad de nobles y funcionarios que estaban esperando generosas dádivas.

Reanudé mi cometido como moderadora imperial y me impresionó darme cuenta de que me había convertido en el blanco de la Corte que me acusaba de llevar al país a la bancarrota. Descubrí que durante el corto período de mi retiro, el tutor Weng había administrado con muy poco acierto el ya parco tesoro real. Cuando le preguntaban por su responsabilidad, afirmaba que todos los fondos habían sido desembolsados por el fallecido príncipe Ch'un para la restauración del Palacio de Verano: mi hogar.

Insistí a la Corte en que abriera todos los libros y archivos del tutor Weng para someterlos a examen, pero no se emprendió ninguna acción. De lo que no me daba cuenta era de que el tutor Weng, que nunca se aprovechó personalmente ni de un penique, había engordado tantos bolsillos que había creado una extensa red de partidarios: una riqueza mayor de la que el dinero podía comprar. Librando de toda culpa al tutor Weng, la nación empezaba a hacerme responsable de sus derrotas. Pronto comenzaron a divulgarse rumores sobre mi extravagante estilo de vida, incluido mi apetito sexual.

Yo había confiado mis dos hijos al tutor Weng. Habría compartido la culpa si el tutor Weng hubiera admitido su parte. Al fin y al cabo, era a mí a quien la Corte y el emperador acudían para la última palabra.

Mientras los rumores persistían, se hizo público el conflicto entre el tutor Weng y yo. Me preocupé de no perder el sentido de la perspectiva, pero estaba decidida a emprender una investigación sobre Weng.

Kuang-hsu era incapaz de tomar partido. Para él, el tutor Weng era una brújula moral, un dios personal, desde hacía tiempo. Kuang-hsu estaba desilusionado por el hecho de que yo me negara a cambiar de idea sobre la investigación de su mentor.

Para demostrar la inocencia del tutor Weng, Kuang-hsu decidió llevar a cabo su propia investigación. Para sorpresa de todos, el tutor Weng fue hallado culpable. El letrado confuciano y el difunto príncipe Ch'un no solo habían malversado fondos de la marina, sino que también habían utilizado mi cumpleaños para pedir grandes sumas de dinero, que pronto desaparecieron. Después de que Kuang-hsu obtuviera todos los libros de cuentas y otras pruebas materiales, vino a mí para disculparse. Le dije que estaba orgullosa de su imparcialidad.

Decidí anunciar que no aceptaría regalos para mi cumpleaños. Mi acción dejó al tutor Weng al descubierto: llegaba gente de todas partes del país, como moscas que acuden a un banquete de carne, para intentar recuperar su dinero.

El emperador Kuang-hsu se enfrentó a su mentor.

—¡Usted ha sido mi fe y mi clave espiritual! —dijo, y exigió una explicación.

El tutor Weng no admitió haber obrado mal. Siguió manteniendo su actitud de sabio y aconsejó a Kuang-hsu que no se dejara enturbiar la mente al escuchar a «una vieja dama». Al final, el gran tutor fue despedido. Se le dio una semana para hacer las maletas y marcharse. Nunca más volvería a entrar en la Ciudad Prohibida.

Kuang-hsu estaba avergonzado por haber elegido al tutor Weng para ser el principal arquitecto de la guerra contra Japón. Se encerró en su habitación mientras el tutor Weng se arrodillaba al otro lado de la puerta, suplicando una oportunidad para ofrecer una explicación. Al no conseguirlo, el viejo inició una huelga de hambre.

Al final el emperador le abrió la puerta y los dos hombres se pasaron un día entero reconciliándose. Tal como hacía en sus clases, Kuang-hsu escuchaba mientras el tutor Weng hablaba del origen de los fracasos. La conclusión fue que había que echarle la culpa a Li Hung-chang.

Aunque yo soportaba la sensibilidad de Kuang-hsu, me preocupaba la capacidad del tutor para manipular el modo de pensar del emperador. A mis ojos, nada justificaba la mala conducta de Weng. Y cuando Weng hizo de Li Hung-chang su cabeza de turco, perdí todo el respeto por él. No pretendía crearme enemigos poniéndome abiertamente de la parte de Li, pero veía la necesidad de abrirle mi mente al emperador.

En mi silencio ante la exigencia de la Corte de procesarlo, Li Hung-chang desafió al emperador a procesar a los príncipes manchúes que habían suministrado munición defectuosa. Li también solicitó el derecho a elegir a sus propios comisionados en el futuro.

Por indicación del tutor Weng, Kuang-hsu convocó a Li Hung-chang para una auditoría pública. Los príncipes manchúes fueron invitados como testigos.

Li acudió preparado. Su detallada documentación no solo sirvió para defender su caso sino que también le valió las simpatías de la nación. Desde cada gobernador provincial llegaban cartas de apoyo para él. La presión aumentó. Algunos empezaron a criticar al propio Kuang-hsu.

El frustrado emperador vino a mí en busca de ayuda. Había sido humillado y ridiculizado, y notaba que su pueblo le estaba perdiendo el respeto.

—Es obvio que Li Hung-chang es quien encaja con el papel de gobernante de China —me dijo Kuang-hsu.

Llegó un momento en que tuve que elegir entre Kuang-hsu y Li Hung-chang. Hacía tiempo que intuía mi destino, pero hasta entonces no fui consciente de la dimensión de la tragedia. Mi conciencia me decía que Li Hung-chang sería bueno para la gente, que él solo podía gobernar China, pero China era la China de los manchúes; tenía que ir contra mis principios para salvar a Kuang-hsu.

Tras pasar varias noches sin dormir sopesando mis alternativas y haciendo acopio de valor, hice lo más irrazonable e inconsciente: firmé el edicto denunciando a Li Hung-chang. Al hombre se le quitaron todos sus honores. Fue acusado de malversar los fondos de la marina y de perder la guerra.

Me avergonzaba de mí misma.

Yo pensaba que ya había hecho bastante por Kuang-hsu, pero aquello solo era una ilusión. Por influencia de su tío el príncipe Ts'eng, y de su primo el príncipe Ts'eng, hijo, y de su hermano el príncipe Ch'un, hijo, el voluble Kuang-hsu se convenció de que el castigo ya aplicado a Li Hung-chang era insuficiente, y de que debía ser eliminado por completo.

Cuando me pidieron mi aprobación para seguir procesando a Li, no pude contener más mi ira. Mi fiera expresión debió asustar al emperador, pues empezó a tartamudear y se puso de rodillas.

Lo cierto es que estaba furiosa conmigo misma. Había permitido al tutor Weng y al príncipe Ch'un evadir sus responsabilidades. ¿Por qué un chino de mente clara iba a querer servir a su amo manchú después de ver lo que le había sucedido a Li Hung-chang?

Comenté a Kuang-hsu que Li era demasiado valioso para ser destruido sin que tuviera consecuencias catastróficas para el gobierno.

—¡Puede contraatacar haciéndose con el poder! Sería tan fácil como chasquear los dedos. ¡Me encontrarás viendo una ópera en el Palacio de Verano cuando eso suceda!

El aire de la Corte era denso y amenazador. De repente me percaté de que yo estaba sola y de que podía ser repudiada por mi propio clan. Solo hacía falta que convencieran a Kuang-hsu. Para protegerme, negocié. A cambio de mantener a Li Hung-chang en sus cargos, como el virreinato de Chihli y el mando del ejército del norte y la armada china, sugerí que el trono le quitase la preciada pluma de pavo real de doble ojo y la chaqueta de montar de seda amarilla de mariscal de campo.

—Esto le causará a Li un grave desprestigio. Sin embargo, algo más sería duro e inmisericorde.

Cuando el príncipe Ts'eng me acusó de perder una oportunidad única en la vida de que los manchúes pusieran a Li de rodillas, me retiré en mitad de la audiencia.

Oía el rumor de los arroyos detrás del jardín de palacio en la Ciudad Prohibida. Me levanté antes del alba y envié a mi eunuco a por Li Hung-chang.

Li llegó al amanecer vistiendo una sencilla túnica de algodón azul, que lo hacía parecer otro hombre.

—¿Ha estado haciendo las maletas? —empecé, sabiendo que se marchaba de Pekín.

—Sí —respondió—. Mi carruaje saldrá dentro de una hora.

—¿Adónde irás? —le pregunté—. ¿A Chihli? ¿A Hunan? ¿O a tu ciudad natal, Hefei?

Incapaz de responder, Li cayó de rodillas.

Le recordé que la etiqueta solo nos permitía una reunión breve y yo tenía que hablarle con franqueza.

Li asintió con la cabeza, pero insistió en permanecer en el suelo.

Se lo permití.

—Por favor, comprende lo mal que me siento por lo que te he hecho. Aunque eso no es excusa, no tenía otra opción.

—Lo comprendo, majestad. —La voz de Li era serena y casi imperturbable.

—Ha hecho lo que haría cualquier madre.

Se me saltaron las lágrimas y me quebré.

—Si eso ayuda al trono, me sentiré honrado —dijo Li.

—¿Puedes al menos permitir que te ofrezca ayuda para tu largo viaje hacia el sur?

—No hay necesidad. Ya tengo suficiente apoyo de mi familia. Mi esposa comprende que si hubiera sido acusado de traición y encontrado culpable, me habrían quitado la vida. Solo quiere que me asegure de que nuestros hijos escaparán con vida.

—¿Ya te has ocupado de ese asunto? —Me enjugué el rostro con un pañuelo.

—Sí, ya he tomado medidas.

Llegó mi eunuco y anunció en voz baja.

—Mi señora, el emperador aguarda.

—Adiós.

Li Hung-chang se levantó. Dio un paso atrás, se puso de rodillas y tocó el suelo con la frente.

La costumbre no me permitía acompañarle a la puerta, pero decidí no respetarla por una vez.

Corrieron la cortina de la puerta y salimos al jardín. Los eunucos aún estaban haciendo la limpieza matutina. Se apresuraron a desaparecer de la vista. Aquellos que se cruzaban en nuestro camino se disculpaban.

El cielo empezaba a llenarse de luz. Los aleros vidriados del tejado estaban bañados de una luz dorada. A diferencia del Palacio de Verano, donde el aire transportaba aromas de jazmín, las mañanas de la Ciudad Prohibida eran frías y ventosas.

Oí el sonido de mis propias pisadas, los zapatos de plataforma de madera golpeaban el empedrado del camino. Li Hung-chang caminaba a mi lado. Detrás de nosotros, dieciséis eunucos llevaban mi palanquín ceremonial que tenía el tamaño de una habitación.

Dos semanas más tarde, el príncipe Kung, que tenía sesenta y cinco años, fue sacado de su retiro. El emperador Kuang-hsu dictó el decreto a instancia mía. Al principio, Kung se mostró reticente. Durante diez años había albergado quejas contra quienes le habían apartado del poder, entre ellos sus dos hermanastros. Le supliqué, diciendo que la muerte del príncipe Ch'un enterraba el pasado desagradable. El emperador de veinticuatro años le necesitaba.

Kuang-hsu y yo nos reunimos con el príncipe Kung en su jardín de crisantemos, donde el suelo estaba cubierto de flores púrpuras en forma de estrella. El príncipe Kung recogió una hoja. La sostuvo plana sobre la palma de una mano y la golpeó con la otra, produciendo un sonido como un petardo.

—El equilibrio de poder en Asia ha sido decisivamente alterado desde que los japoneses tomaron nuestro puerto fortificado de Weihaiwei. —La voz del príncipe Kung se había ablandado con los años, pero su pasión, perspectiva e ingenio persistían—. Las malas acciones del pasado han alimentado la impotencia del presente. A los ojos del mundo, la guerra esencialmente ha terminado y China ha sido derrotada.

—¡Pero nuestro espíritu no! —Kuang-hsu se sonrojó y su pecho se hinchó—. Me niego a llamarlo una derrota. ¡Nuestros almirantes, oficiales y soldados se suicidaron para demostrar al mundo que China no se rinde!

El príncipe Kung sonrió amargamente.

—Nuestros almirantes se suicidaron para redimirse y evitar a sus familias la muerte y la confiscación de sus haciendas. Les desposeíste de sus títulos y rangos pero les permitiste seguir en el campo de batalla. Les dijiste que les decapitarías si perdían una batalla. ¡Sus muertes no las eligieron ellos sino tú!

—Tu tío tiene razón —intervine—. Estoy segura de que el emperador también se ha percatado de que el patriotismo de nuestra nación no ha evitado que Japón ocupase la península de Liaotung. Tenemos entendido que Japón tiene el ojo puesto en las fortalezas hermanas de Port Arthur y pretenden ocupar Corea.

Kuang-hsu se desplomó hacia atrás en su silla. Como si le costara respirar, aspiró aire profundamente.

Kung seguía cogiendo hojas y golpeándolas con las manos, produciendo molestos sonidos.

Me alegré de que el príncipe Kung sacara el tema de los suicidios, pues yo había discutido muchas veces con Kuang-hsu sobre sus órdenes de muerte. Había intentado desesperadamente convencerle de que la devoción no podía ser forzada. No habría lealtad si antes no se aseguraba la misericordia y la piedad, pero tenía que dar por concluida la conversación porque Kuang-hsu no lo comprendía; había sido educado en que la devoción y la lealtad eran virtudes casi innatas. Lo primero que había aprendido de la humanidad era la muestra de sinceridad y dedicación de su tutor. Yo acababa cediendo cuando Kuang-hsu se quejaba de que yo estaba interfiriendo en su autonomía.

—Madre, ¿estás bien? —dijo Kuang-hsu con cariño. Le había contado que últimamente me sentía cansada y débil. Y continuó—: He desestimado las peticiones de castigo de Li Hung-chang.

Yo sabía que mi hijo lo hacía para complacerme, pero no quería hablar de ello. Sobre todo delante del príncipe Kung. Así que cambié de tema.

—¿Hemos agotado cualquier alternativa delante de Japón?

—Lo hemos intentado a través de varios intermediarios, entre ellos diplomáticos estadounidenses —respondió el príncipe Kung—. Hemos intentado llegar a un acuerdo con Japón, pero Tokio se niega.

—No encuentro ningún sentido a seguir perdiendo el tiempo en negociaciones —dijo Kuang-hsu. Como si intentara contener sus emociones, apartó la mirada—. ¡Yo no pacto con salvajes! —añadió apretando los dientes.

—Entonces, ¿qué quieres que haga? —El príncipe Kung estaba irritado.

—Necesito que me ayudes en los preparativos de la defensa —dijo el emperador.

—No estoy seguro de poder ser de alguna ayuda —respondió el príncipe Kung—. Os equivocáis al pensar que puedo hacerlo mejor que Li Hung-chang.

Me dirigí a ambos.

—¿No deberíamos pensar en caminar con las dos piernas? ¿Continuar intentando negociar con Japón y, al mismo tiempo, preparar nuestra defensa?

Kuang-hsu siguió el consejo del príncipe Kung y ofreció a una comisión de extranjeros hacer el trabajo de defensa. Se nombró a un ingeniero del ejército alemán, que en 1881 había supervisado la fortificación de Port Arthur, jefe de los ejércitos chinos. Kuang-hsu esperaba darle la vuelta a la situación con Japón poniendo a su ejército bajo el mando de un general occidental.

Tanto el príncipe Ts'eng como el príncipe Ch'un, hijos, insistían en que contratar a un antiguo enemigo era de por sí un acto de traición.

Kuang-hsu soportó la presión, pero en el último minuto cambió de idea y canceló la comisión.

—De haberlo hecho —se quejó más tarde el príncipe Kung—, China se habría salvado y Japón habría acabado pagándonos una indemnización.

Entonces yo no me di cuenta, pero en el momento en que el emperador cambió de opinión, su tío se desanimó. Su abatimiento fue tan fuerte que, en los días y semanas que vendrían, el príncipe Kung se fue retirando poco a poco. Yo sospechaba que se sentía herido en su orgullo, pero que acabaría reponiéndose y seguiría luchando por la dinastía, pero el corazón del príncipe Kung se había retirado a su jardín de crisantemos y nunca volvería a salir de él.

A finales de enero de 1895, Kuang-hsu se percató de que no le quedaba más alternativa que negociar con Japón. Para mayor humillación, Japón se negó a hablar del tratado con nadie que no fuera Li Hung-chang, que había caído en desgracia.

El 13 de febrero, Kuang-hsu relevó a Li de sus obligaciones como virrey de Chihli y le dio instrucciones para que dirigiese el esfuerzo diplomático chino. Una vez más, sería yo quien recibiera a Li Hung-chang en nombre del emperador.

Li no quería ir a Pekín. Suplicó que le excusaran de sus deberes. Convencido de que, antes o después, el emperador y los Sombreros de Hierro lo utilizarían como cabeza de turco, no tenía ninguna confianza en sobrevivir. Comentó que las cosas habían cambiado. Habíamos perdido nuestra capacidad de negociación. No había modo de sentar a Japón a la mesa.

—Cualquier hombre que represente a China y firme el tratado tendrá que desprenderse de partes de China —predijo Li—. Será una tarea muy ingrata, y la nación le culpará no importa cuál sea el motivo de ese resultado.

Le supliqué que lo volviera a pensar y le envié una invitación personal para cenar conmigo.

Li respondió. En su mensaje decía que no era digno del honor y que su avanzada edad y su mala salud le impedían viajar.

«Me gustaría no ser la emperatriz de China —le respondí por carta a Li—. Los japoneses están de camino hacia Pekín, y no puedo soportar, ni siquiera empezar a imaginar, cómo violarán los ancestrales terrenos imperiales.»

Tal vez fue mi tono de urgencia, tal vez su sentido de *noblesse oblige*. Sea como fuere, Li Hung-chang me honró con su presencia, y fue rápidamente nombrado jefe negociador de China. Llegó a Shimonoseki, Japón, el 19 de marzo de 1895. Aproximadamente un mes más tarde las negociaciones dieron un vuelco inesperado: cuando salía de una de las sesiones con el primer ministro Ito Hirobumi, un extremista japonés disparó a Li un tiro en la cara.

«Casi me alegré de que tuviera lugar este incidente —respondió Li cuando le escribí preguntándole por su estado de salud—. La bala me arañó la mejilla izquierda. Eso me valió lo que nunca habría podido conseguir en la mesa de negociaciones: la simpatía del mundo.»

El atentado originó una protesta generalizada de la comunidad internacional para que Japón moderase sus exigencias sobre China.

Me sentí como si hubiera enviado a Li a la muerte y él hubiera sobrevivido solo por pura suerte.

En su mensaje, Li Hung-chang también preparaba al emperador Kuang-hsu para la decisión más difícil: aceptar los términos negociados, incluida la cesión en perpetuidad a Japón de la isla de Taiwán, la Pescadores y la península de Liaotung; la apertura de siete puertos chinos al comercio japonés; el pago de doscientos millones de taels, con un permiso a Japón para ocupar el puerto de Weihaiwei hasta que se cancelase la indemnización; y el reconocimiento de la «plena y completa autonomía e independencia de Corea», que significaba cedérsela a Japón.

Kuang-hsu se sentó en el trono del dragón y lloró. Cuando Li Hung-chang regresó a Pekín para una tanda de consultas, no consiguió sacarle una sola palabra al emperador.

Fue entonces cuando le conté a Li lo que había estado pensando: «Cede de China lo que sea necesario en forma de dinero, pero no de tierra».

Levantó la mirada.

—Sí, majestad.

Le dije que si autorizábamos la ocupación extranjera de la China interior, como habíamos permitido que sucediera con los rusos en nuestra región de Ili, el imperio se perdería para siempre.

Li lo comprendió perfectamente y negoció en consecuencia.

La imagen de Li Hung-chang en el salón de audiencias con su frente tocando el suelo se me quedó grabada después de que se marchara. Me senté inmóvil. El sonido de un gran reloj en el vestíbulo me ponía los nervios de punta.

—Hemos perdido Corea y Taiwán —no dejaba de murmurar Kuang-hsu para sí.

Claro que no sabía que en pocos meses perderíamos también Nepal, Birmania e Indochina.

Otra violación, y luego otra.

Japón no tenía intención de detenerse. Ahora sus agentes se internaban por toda Manchuria.

Un año más, los dragones tallados en las columnas de palacio volvían a quedarse sin pintar. La vieja pintura había empezado a descascarillarse y el color dorado se había vuelto de un marrón reseco. Hacía ya tiempo que el Ministerio del Interior se había quedado sin dinero. El peligro no solo eran los visibles hongos que pudrían la madera sino también las invisibles termitas.

Una mañana el jefe eunuco Li Lien-ying se aventuró a hacer una petición formal al trono: «Por favor, majestad, haced algo para salvar la Ciudad Prohibida, pues solo está hecha de madera».

—¡Quemadla! —fue la respuesta de Kuang-hsu.

Las audiencias proseguían. En sus telegramas Li Hung-chang actualizaba las exigencias de los japoneses de construir fábricas en los puertos de los tratados. Japón amenazaba con ir a la guerra si no aceptábamos sus términos.

Kuang-hsu y yo comprendimos que si cedíamos a las exigencias de Japón, el resto de las potencias extranjeras exigirían lo mismo.

«Las últimas concesiones también sacaban a relucir el tema de los derechos mineros —decía el telegrama de Li—, y poco podemos hacer para resisitirnos...»

Los rayos de sol entraban por las ventanas de mi habitación, proyectando sombras como hojas rumorosas en el suelo y en los muebles. Una gran araña negra colgaba de su telaraña junto a un panel tallado. Se columpiaba en la ligera brisa. Aquella era la primera araña negra que había visto dentro de la Ciudad Prohibida.

Oí el sonido de alguien que arrastraba los pies. Luego apareció Kuang-hsu en el umbral de la puerta. Su postura era la de un viejo con la espalda encorvada.

—¿Alguna noticia? —le pregunté.

—Hemos perdido nuestra última división de caballería musulmana. —Kuang-hsu entró en mi habitación y se sentó en una silla—. Estoy obligado a licenciar a cientos de miles de soldados porque tengo que pagar las indemnizaciones a los países extranjeros—. «¡O será la guerra!», dicen ellos. «¡O será la guerra!»

—No has comido últimamente —le dije—. Vamos a desayunar.

—Los japoneses han estado construyendo carreteras que unen Manchuria con Tokio. —Me miró fijamente, sin que sus grandes ojos negros pestañeasen—. Mi caída llegará junto con la caída del zar ruso.

—¡Basta, Kuang-hsu!

—El emperador Meiji pronto no tendrá rival en Asia oriental.

—Kuang-hsu, come primero, por favor...

—Madre, ¿cómo podría comer? ¡Japón ya me ha llenado el estómago!

26

Las cocinas imperiales trataban de encontrar motivos para no cancelar mis banquetes de cumpleaños. La Corte compartía la misma actitud, que consideraba mi retiro como una oportunidad para que todo el mundo hiciera dinero. Li Hung-chang fue obligado a negociar más préstamos para no arruinar el día.

Yo llegué a la conclusión de que el único modo de salir de mi trampa de cumpleaños era dirigir a la nación una carta pública:

> La venturosa ocasión de mi sexagésimo cumpleaños tenía que haber sido un acontecimiento dichoso, y comprendo que funcionarios y muchos ciudadanos han donado dinero con el que levantar arcos de triunfo —según me han dicho, el veinticinco por ciento de sus ingresos anuales— para honrarme decorando toda la extensión del canal imperial desde Pekín hasta mi casa [...] yo no deseaba ser demasiado obstinada e insistir en rechazar estos honores, pero siento que por encima de todo tenéis que saber cuáles son mis verdaderos sentimientos. Desde principios del verano pasado, nuestras finanzas se han agotado, nuestras flotas han sido destruidas, y nos hemos visto obligados a entrar en hostilidades que nos han causado gran desesperación. ¿Cómo podría tener valor para deleitarme en mis sentidos? Por tanto, decreto que se abandone inmediatamente todo preparativo o ceremonia pública.

Envié mi borrador directamente al primer ministro sin pasar por el Gran Consejero. Temía que mis palabras fueran desobedecidas, al igual que mi deseo de cancelar mis banquetes de cumpleaños.

También me habría gustado compartir con la nación mi pesar por que el hecho de no escuchar el consejo de Li solo había agravado las multas que China tenía que pagar. Ardía en deseos de expresar mi rabia porque Li Hung-chang, a los setenta y dos años, regresaba a casa procedente de Japón para que le llamaran traidor. La gente en las calles escupía a su palanquín al pasar.

Como una forma de demostrar mi apoyo hacia Li, convencí a la Corte de que lo enviaran a San Petersburgo poco después de la coronación del zar Nicolás II.

Li pidió que le acompañara al viaje un ataúd vacío; quería estar preparado. Me pidió que pusiera su nombre en la tapa, lo cual hice.

Como resultado de la visita de Li Hung-chang, se negoció y luego se firmó un acuerdo secreto entre Rusia y China. Ambos países acordaban defender al otro en el caso de sufrir una agresión por parte de Japón. El precio que pagamos era aceptar una cláusula que permitía a Rusia extender su ferrocarril Transiberiano por Manchuria hasta Vladivostok. También permitiríamos a los rusos usar el ferrocarril para transportar tropas y material de guerra a través de territorio chino.

Fue lo mejor que Li Hung-chang pudo conseguir dadas las circunstancias. Tanto él como yo teníamos la sensación de que no se podía confiar en Rusia. Resultó que, cuando concedimos a los rusos el derecho a albergar su flota en nuestro Port Arthur, libre de hielo, se negaron a marcharse, incluso después de expulsar a Japón.

En aquel tiempo, mientras Kuang-hsu y yo trabajábamos en los aspectos prácticos de un programa de arrendamiento de tierras para generar pagos para satisfacer nuestros préstamos extranjeros, llegó inesperadamente Lan, su mujer y mi sobrina.

En cuanto Kuang-hsu vio entrar a Lan, se excusó y salió de la habitación.

Lan vestía una túnica con rosas bordadas. Haciendo juego con la túnica en el cabello llevaba adornos en forma de pequeñas rosas hechas de cintas. El alto cuello de la túnica le obligaba a levantar y sacar la barbilla, lo cual le resultaba visiblemente incómodo. Parecía que había dejado de empolvarse las mejillas; el dolor se traslucía en su expresión. Las comisuras de sus labios se inclinaban hacia abajo y se le saltaron las lágrimas antes de poder hablar.

Ser testigo de su problemático matrimonio era peor que vivir con las muertes de mi marido y mi hijo. Las muertes de Hsien Feng y Tung Chih no curaron nada, pero prepararon el escenario para la curación. La memoria era selectiva y se alteraba con el tiempo. Ya no recordaba los sentimientos más duros. En mis sueños, mi hijo me quería y Hsien Feng era siempre amantísimo.

Con Kuang-hsu y Lan el sufrimiento era como el moho que crece en la estación húmeda: empieza en un rincón de un alero y lentamente se apodera de todo el palacio.

—Vengo de estar junto al lecho de mi suegra. —Lan estaba hablando de mi hermana—. Rong está fatal.

Mi hermana había estado postrada en la cama y rechazaba mis visitas. Rong había insistido en que yo era la causa de su enfermedad, así que yo había enviado a Lan en mi lugar.

—Sé que no estás aquí para hablar de mi hermana —le dije a Lan—. Lo único que puedo decirte es que Kuang-hsu está sometido a una gran presión.

Lan sacudió la cabeza, haciendo volar los adornos de su cabello.

—Necesita pasar tiempo conmigo.

—No puedo obligarlo, Lan.

—Sí puedes, tía, si realmente me quieres.

Me sentía culpable y le prometí que lo volvería a intentar. Trasladé a Lan y su hogar a un recinto que estaba justo detrás del de Kuang-hsu, usando el problema de las termitas como pretexto. Yo pensé que la pareja podía visitarse a través del pasadizo abovedado que los conectaba, pero al día siguiente, Kuang-hsu bloqueó el pasillo con muebles. Cuando Lan hizo quitar los muebles, Kuang-hsu dio orden de que el pasadizo fuera permanentemente sellado con ladrillos.

Mientras tanto, yo veía que Kuang-hsu se estaba enamorando de su concubina Perla, que acababa de cumplir los diecinueve y era una belleza despampanante. Su curiosidad e inteligencia me recordaban mi propia juventud. Yo la quería porque inspiraba a Kuang-hsu para estar a la altura de las expectativas de la nación.

Sentía lástima por Lan cuando intentaba competir con Perla. Lan llevaba demasiada sangre de mi hermano. Tenía ambición, pero no la voluntad para hacerla realidad. Y cuando amenazó con suicidarse, eso no hizo más que aumentar la indignación de Kuang-hsu. Pedí ayuda a Kuei Hsiang, pero él dijo:

—Tú eres la casamentera, hermana Orquídea. Tú eres la que tienes que arreglarlo.

Dispuse un té para los tres. Cuando Lan insistió en que Kuang-hsu probara el pastel de melocotón que había hecho para él, Kuang-hsu se puso nervioso y se levantó para marcharse.

—Demos un paseo por el jardín —le dije acariciándole el codo.

Yo me retrasé y salí detrás de ellos, con la esperanza de que entablasen una conversación, pero Kuang-hsu mantenía la distancia, como si su mujer tuviera una enfermedad contagiosa. Lan se tragó su orgullo y se quedó callada.

—Tienes que elegir, Lan —dije cuando Kuang-hsu se marchó para asistir a un acto de la Corte—. Eras consciente de que las cosas podían no salir como deseabas. Yo te lo advertí.

—Sí, tú me advertiste. —Mi sobrina se enjugó la cara con un pañuelo—. Yo creía que mi amor lo cambiaría.

—Bueno, pues él no ha cambiado. Debes aceptarlo.

—¿Qué voy a hacer?

—Mantente ocupada con tus deberes de emperatriz. Celebra ceremonias y rinde homenaje a los antepasados. También puedes hacer lo que yo hago: aprender sobre el mundo e intentar ser útil.

—¿Eso me valdrá el cariño de Kuang-hsu?

—No lo sé —respondí—, pero seguro que no te privará de él.

Lan empezó su aprendizaje conmigo. Primero, le asigné que leyera un informe reciente sobre la muerte de la reina Min de Corea.

—... conducidos por informadores, los agentes japoneses se introdujeron en el palacio de la reina. —Lan soltó una exclamación y se tapó la boca con el pañuelo.

—Sigue leyendo, Lan —le ordené.

—Después... después de asesinar a dos de sus damas de honor, arrinconaron a la reina Min. El ministro de la casa real llegó a su rescate, pero los intrusos le cortaron las manos con una espada... —Lan estaba horrorizada—. ¿Y... y sus guardaespaldas? ¿Dónde estaban?

—Los debieron matar, apresar o comprar —respondí—. Sigue y termina, Lan.

—La reina Min fue apuñalada repetidas veces y llevada

afuera...—Lan siguió leyendo, pero su voz ya no era audible. Se volvió hacia mí con la cabeza colgando hacia un costado, como una marioneta con una cuerda rota.

—¿Qué pasó? —preguntó.

—Los japonses apilaron leña fuera de su patio y la rociaron con queroseno.

—¿Y luego?

—La pusieron encima y prendieron una antorcha. —A Lan le temblaban los labios.

Cogí el informe y lo dejé sobre mi escritorio.

Lan se sentaba en silencio, como si estuviera paralizada. Al cabo de un rato se levantó y caminó como un fantasma.

Lan nunca volvió a amenazar con suicidarse, aunque siguió quejándose de su marido. Ella pensaba que no tenía que aprender sobre los asuntos de la Corte, pero eso no le impedía tener fantasías sobre ser adorada por la nación. Nunca compartió lecho con el emperador ni se hizo amiga de Perla. Tuvo una vida longeva y regalada y pasó mucho tiempo con la hermana de Perla, la concubina Luminosa, que era lo contrario de Perla. A Luminosa no le interesaba casi nada. Le encantaba la comida y podía sentarse a mordisquear bocados deliciosos todo el día.

El 18 de junio de 1896, Rong murió. Fue después de acusar a los médicos de envenenarla. La Corte se enteró de su enfermedad mental, así que mi decisión de los años anteriores de prohibirle visitar a Kuang-hsu ahora se entendía. Lo desgraciado fue que el emperador sería a partir de entonces considerado hijo de una mujer loca, y el Consejo del Clan utilizaría esa excusa para empezar a pensar en su sustitución.

Yo estaba harta de la lucha interna entre los príncipes manchúes, hermanos y primos que solo parecían compartir la codicia y el odio. Cuando intentaba explicarles el gran cariño que se tenían el emperador Hsien Feng y el príncipe Kung, los jóvenes

Sombreros de Hierro se aburrían. En sus espléndidas túnicas de la Corte, esa generación de la familia imperial manchú luchaba como una manada de lobos por cuestiones de residencias, prebendas y estipendios anuales.

En la reunión de familia que tuvo lugar con ocasión del funeral de mi hermana perdí los estribos. Tal vez influyera el hecho de que no tuve ninguna oportunidad de despedirme de Rong; aquella fue su venganza. Y las quejas del príncipe Ch'un, hijo, y su banda de Sombreros de Hierro por la herencia, me sacaron de quicio y exploté.

—La muerte de tu madre significa que ya no tienes quien te ampare —dije con una voz fría—. La próxima vez que ofendas al trono, no dudaré en ordenar que te destituyan y si me desafías, que te ejecuten.

Ch'un sabía que hablaba en serio; al fin y al cabo había ejecutado a Su Shun, el anterior Gran Consejero, y a su poderosa facción.

Mis palabras duras pusieron fin a las peleas constantes y me dejaron en paz.

Con la mejilla apoyada contra el ataúd de Rong, recordé las dos nueces que colocó en mi mano el día que salí de casa para ir a la Ciudad Prohibida. Me arrepentí de no haber puesto más ahínco en intentar ayudarla. Había sucumbido a su enfermedad, pero había tenido momentos de lucidez y afecto. Me preguntaba si estuvo al corriente de los problemas maritales de Kuang-hsu y Lan. Yo nunca supe cuáles eran sus sentimientos. ¡Cómo añoraba hablar con ella cuando éramos jóvenes! Me habría gustado poder hablar con Kuei Hsiang, para apoyarnos en la pena, pero él no tenía ningún interés. Para mi hermano, la muerte de Rong era un alivio.

Lan y Kuang-hsu parecían una pareja armoniosa en el funeral de Rong. Después de hacer al unísono una reverencia hacia el ataúd, arrojaron grano dorado al cielo. Me hizo pensar que no debía perder las esperanzas.

A pesar de nuestros recientes problemas, Yung Lu había continuado trabajando con Li Hung-chang en el refuerzo del ejército. Durante ese tiempo rara vez nos vimos; estaba decidido a no dar pie a que circulase ningún rumor sobre nosotros que pudiera poner en entredicho los esfuerzos que hacía en nombre del trono. Yo tenía que contentarme con los informes que Li me daba sobre su paradero.

Pero una mañana Yung Lu vino a pedirme permiso para abandonar su actual cargo como comandante en jefe del ejército para dirigir la armada de la nación. Le concedí su deseo, sabiendo que él debía haber meditado la decisión, pero le advertí que muchos considerarían aquel cambio como una degradación.

—Nunca me rijo por los principios de los demás para vivir mi vida —fue su respuesta.

—La armada ha estado experimentando grandes dificultades desde que Li Hung-chang se fue al extranjero —le recordé.

—Precisamente por ese motivo quiero el empleo.

—Li me había dicho: «Se necesita un hombre de la estatura de Yung Lu para influir en la armada». ¿Fue él quien te recomendó el traslado?

—Sí, fue él.

Intenté no pensar en que las nuevas obligaciones de Yung Lu lo alejarían con más frecuencia de Pekín.

—¿Quién te sustituirá? —pregunté.

—Yuan Shih-kai. Se reportará ante mí directamente.

Yo era muy consciente de las cualificaciones de Yuan, claro está. Siendo un joven general había luchado contra los japoneses y había conseguido mantener la paz en Corea durante diez años.

—Entonces tendrás dos trabajos.

—Sí, supongo. —Yung Lu sonrió—. Tú también.

—No me siento a salvo cuando te vas.

—Estaré en Tientsin.

—Eso está a cientos de kilómetros de distancia.

—Comparado con Sinkiang, eso no es nada.

Nos sentamos en silencio a tomar el té. Yo le miraba, los ojos, la nariz, la boca y las manos.

27

Kuang-hsu me pidió que le acompañara a Ying-t'ai, el Pabellón de la Terraza del Océano, en una isla del lago del Mar del Sur, junto al Palacio de Verano. Dijo que la reclusión le ayudaría a concentrarse.

Ying-t'ai era un paraíso que llevaba tiempo deshabitado. Sus elegantes edificios, que pedían a gritos una rehabilitación, estaban unidos a tierra firme por un exiguo paso elevado y un puente levadizo. El pabellón tenía terrazas de mármol que caían directamente sobre el agua, con canales separados por preciosos puentes.

En verano los lagos circundantes estaban cubiertos de flotillas de lotos verdes. En agosto grandes flores rosadas crecían entre las alfombras verdes. Las vistas eran impresionantes. Cuando empezaron las obras de restauración, me pidieron que pusiera un nuevo nombre a cada una de las dependencias habitables. Los llamé: Salón del Cultivo de la Elegancia, Cámara del Descanso Apacible, Estudio de la Reflexión sobre Asuntos Remotos y Cámara de la Entereza de Corazón.

Empezaba a darme cuenta de que podía haber dignidad sin amigos. Me sentía cada vez más atraída por el budismo. Su promesa de paz era muy atractiva y no era discriminatoria contra las mujeres, como el confucianismo. El panteón budista incluía mujeres, entre las que destacaba la diosa de la misericordia, Kuan-yin, con quien yo sentía una afinidad especial. Lo cierto era que no tenía otro lugar donde refugiarme.

Yo creía en la misericordia, pero estaba perdiendo la fe en las personas de mi alrededor. Por ejemplo, había pensado que actuando de manera justa con los eunucos de la casa me aseguraría su honestidad y ganaría su lealtad, pero con una mirada penetrante directamente a los ojos, cacé a un mentiroso.

Había pedido a mi eunuco Chow Tee que enviara un pastel de miel y nueces a Li Lien-ying, que había salido de vacaciones por primera vez en veintinueve años.

—¿Le entregaste tú mismo el pastel? —le pregunté a Chow Tee después de que me informara de que Li Lien-ying me daba las gracias.

—Sí, claro. Fui corriendo para que el jefe Li recibiera el pastel aún caliente.

—Está lloviendo, ¿verdad? —le pregunté.

—Sí.

—¿Cómo es que tus ropas están completamente secas?

Al final, el mentiroso recibió tres azotes de una vara de bambú.

Para intentar serenarme, miraba por la ventana la camelia en floración. Los árboles estaban cargados de gruesos brotes. Me costaba creer que Li Lien-ying hubiera cumplido cincuenta años. Tenía trece cuando An-te-hai me lo trajo.

Ahora yo tenía sesenta y uno; me había vuelto suspicaz con los demás y cada vez más ponía en duda mi propio criterio. Repetidas veces advertía que no toleraría mentirosos, pero mentir siempre había formado parte de la vida en la Ciudad Prohibida. Desde que entramos en guerra con Japón, nunca había recibido un solo informe sobre una pérdida militar. Las únicas noticias que la Corte enviaba eran de victorias, que yo estúpidamente premiaba con ascensos y bonificaciones.

Siguiendo un impulso, elegí un momento para poner a prueba a mis eunucos y damas de honor. Me puso realmente enferma, pero no podía actuar de otra manera. Tenía que ser impredecible y dominante. Siempre tenía la vara a punto, y eso se convirtió en una regla. Ese era mi modo de sobrevivir mentalmente.

Intenté dejar los asuntos menores. Por ejemplo, no hice que castigaran a Li Lien-ying cuando hizo un agujero («para dejar salir el aire») en todas mis botellas de champán; los regalos que Li Hung-chang me había traído de Francia. El eunuco creía que el estallido me perjudicaría.

Durante 1896 había trabajado diariamente con el emperador Kuang-hsu y me alegraba de sus progresos. Intentaba desesperadamente ponerse al día en los asuntos de la Corte, pero se enfrentaba a tremendos obstáculos, y nuestro primer paso fue organizar las cosas. Me levantaba pronto y caminaba por los puentes de piedra para preparar mi mente para la jornada que me aguardaba. Contemplaba los lotos desde que empezaban a despuntar hasta su floración final. Captaba la primera flor que se abría en un amanecer de verano.

Yo no armonizaba con la tranquilidad del entorno. Mientras observaba a mis eunucos hundidos hasta la cintura en el lodo para extraer las raíces de loto para mi desayuno, en mi mente se debatía si debía presionar o no al emperador para que aprobara la reciente proposición de Li Hung-chang de garantizar más préstamos. Para nosotros estaba claro que las potencias extranjeras andaban detrás de nuestros territorios y buscaban cualquier pretexto para invadirnos.

Cuando nos sirvieron las raíces de loto salteadas, Kuang-hsu no tenía apetito. Yo me sentaba a su lado, pero no tenía palabras para consolarlo. En aquel entonces ya había aprendido que Kuang-hsu anhelaba que lo dejaran en paz. Yo estaba preocupada por su salud, pero no me atrevía a plantear ninguna pregunta, ni siquiera a alentarle a coger sus palillos.

Tras acabar de comer, rápidamente me lavé los dientes y entré en el despacho para preparar las audiencias matutinas. Kuang-hsu me seguiría en unos minutos. Esperaría a que los eunucos acabaran de vestirlo y subiríamos a nuestros palanquines.

Después de retirarnos de las audiencias de la tarde, Kuang-hsu y yo continuaríamos hablando de los temas del día. A menudo teníamos que solicitar la presencia de ministros y funcionarios para que nos dieran información detallada. Cuando Kuang-hsu veía que empezaba a bostezar, él me suplicaba que hiciéramos una pausa y nos relajáramos. Yo le pedía un cigarrillo y él me encendía uno. Después de fumar, seguiría trabajando hasta que se hiciera de noche.

«China no ha ofendido a nadie, no ha hecho nada malo, no desea luchar, y está dispuesta a hacer sacrificios —decía el artículo de Robert Hart—. Es como un gran hombre "enfermo", que lentamente convalece de los devastadores efectos de los siglos, y se le critica cuando es superado por ese ágil, saludable y bien armado Japón...»

Kuang-hsu y yo esperábamos que aquellos comentarios de Hart ayudasen a China a ganarse las simpatías y el apoyo del resto del mundo. Por desgracia, las cosas iban en dirección contraria. Nuestra derrota ante Japón solo había animado a las potencias occidentales a aprovecharse de nosotros. «El gusano ha reducido el fuerte tejido de China a un puñado de polvo»; y ahí quedaban los restos para que cualquiera los cogiera.

Habíamos perdido Corea y nuestra nueva armada había quedado hecha trizas. Después de emular servilmente la civilización china durante siglos, los japoneses no tenían nada salvo un altanero desdén por la verdadera fuente de la sabiduría oriental. El mundo parecía haber olvidado que en una fecha tan próxima como 1871, Japón había pagado tributo a China como estado vasallo.

Al igual que todos los demás, Kuang-hsu sospechaba que Li

Hung-chang tenía acuerdos privados con los extranjeros para su propio beneficio.

—Li podía haberlo hecho mejor con esos tratados —insistía.

La única prueba de Kuang-hsu era que Li Hung-chang había confiado a su yerno el aprovisionamiento del ejército.

—Eso se debe a que la experiencia de Li con tus tíos, hermanos y primos fue terrible —le dije—. Li no es culpable de corrupción; así es como se establecen en China relaciones dignas de confianza. Piensa en lo que has ganado. Li ha conseguido salvaguardar el dinero para reconstruir la armada.

—¡No puedo perdonarle que desaprovechara la oportunidad para organizar la defensa! —La voz de Kuang-hsu llegaba a través del pasillo—. ¡Nos vendió en el río!

Kuang-hsu no podía vivir con el hecho de haberse visto obligado a firmar el Tratado de Shimonoseki, el más humillante que ningún emperador chino hubiera firmado en toda la historia.

—Japón le ha proporcionado oportunidades para hacer dinero. ¿Acaso no estoy en lo cierto si digo que Li Hung-chang es el hombre más rico de China?

—No voy a darle una patada al perro de la familia —dije con serenidad—. Prefiero luchar contra el vecino pendenciero. Para empezar, Li no quería tomar parte en las negociaciones. Fue obligado a ir —le recordé a Kuang-hsu—, por ti y por mí. Los japoneses rechazaron al representante que habías enviado antes que a él. Li era el único hombre cuyas credenciales consideraban adecuadas los japoneses.

—Exactamente —dijo Kuang-hsu—. Lo eligieron porque era un amigo. Japón sabía que Li les ofrecería un buen acuerdo.

—¡Por el amor del cielo, Kuang-hsu, la bala erró el ojo de Li por muy poco! ¡Si no hubiera sido por su intento de asesinato, Japón habría ido mucho más allá de sus demandas originales, y habríamos perdido toda Manchuria y trescientos millones de taels!

—No soy yo solo quien acusa a Li. —Kuang-hsu me enseñó un documento—. El censor de la Corte ha estado investigando. Escucha. —Se puso a leer—. Li Hung-chang tenía importantes inversiones en negocios japoneses, y no deseaba perder sus dividendos debido a una guerra prolongada. Parecía tener miedo de perder las grandes sumas de dinero procedentes de sus numerosas especulaciones que había depositado en Japón; por eso puso objeciones a la guerra.

—Si tú no ves que atacar a Li Hung-chang es en sí mismo un ataque contra el trono, no veo el modo de poder trabajar contigo. —Yo estaba muy preocupada.

—Madre. —Kuang-hsu se puso de rodillas—. Solo compartiré contigo lo que sé. Tú confías mucho en Li. ¿Y si no es quien tú crees?

—Si tuviéramos otra opción, Kuang-hsu... —Suspiré—. Lo necesitamos. Si Li no hubiera recurrido a los recelos internacionales, Japón no se habría retirado de la península de Liao-tung.

—Pero Japón nos ha cobrado otros treinta millones de taels en concepto de compensaciones e indemnizaciones —dijo amargamente Kuang-hsu.

—Hijo mío, nosotros somos la nación que ha salido derrotada. No es culpa de Li Hung-chang. —Kuang-hsu se sentaba en silencio mordiéndose los labios.

Le supliqué que no infravalorase a Li.

—Solo podemos valorar el trabajo de Li Hung-chang en función de lo que sea capaz de obtener para nosotros.

Cuando le pregunté cómo había ido la recepción de la delegación extranjera, Kuang-hsu respondió lisa y llanamente.

—No demasiado bien. —Se sentó y alargó el cuello—. Estoy seguro de que los extranjeros están igual de desilusionados. Invirtieron mucho tiempo y energía intentando conseguir la audiencia, solo para descubrir lo aburrida y floja que resultó.

Recordé los comentarios de mi marido Hsien Feng cuando los extranjeros le pidieron tener una audiencia con él. Él sintió que solo les estaba dando la oportunidad de escupirle a la cara.

—No puedo ni verlos —dijo Kuang-hsu—. Intento convencerme a mí mismo de que me estoy reuniendo con personas, no con las personas que me han acosado.

—¿Has recibido a todos los delegados? —le pregunté.

Kuang-hsu asintió.

—Rusia, Francia, Inglaterra y Alemania actuaron como perros. Intentaron que me comprometiera a pedir prestado más dinero. ¿Qué podía hacer? Les dije que China no podía permitirse más préstamos. Les dije que todos mis ingresos se destinarían a pagar la indemnización japonesa.

Los banqueros extranjeros eran unos negociadores feroces, recordé lo que Li Hung-chang me había dicho una vez.

—Y al final ¿qué pasó?

—¿Al final? Les pedí prestado a todos, poniendo mis ingresos de aduanas y tránsito y los impuestos sobre la sal como fianza.

El dolor de su voz era insoportable. Me sentía indefensa y tremendamente triste.

—No estoy preparado para lo que se avecina —volvió a lamentarse mi hijo con un suspiro—. Los rusos siguen transportando tropas y provisiones por nuestro ferrocarril a través de Manchuria hasta el mar.

—Les concedimos ese derecho en tiempo de guerra, no en tiempo de paz. —Podía oír la debilidad de mi propia voz.

Kuang-hsu sacudió la cabeza.

—Los rusos están decididos a mantener el Transiberiano en marcha también en tiempos de paz, madre.

Mientras salía a la terraza en busca de aire fresco, cogí a mi hijo por los hombros.

—Esperemos que funcione el plan de Li de usar un bárbaro para controlar a otro.

Kuang-hsu no estaba seguro.

—Japón se está acercando a Pekín —dijo—, y hemos perdido nuestra defensa por mar por completo.

Me puse de pie en medio del viento e intenté superar el momento.

A mi hijo cada día le traía otra decisión, otra derrota, otra humillación. Había vivido en un estercolero. Tung Chih había tenido suerte: la muerte le había ayudado a alcanzar la paz.

La oscuridad se apoderó de la habitación después de que Li Lien-ying se retirase. Me recliné sobre las suaves almohadas y recordé que una vez Li Hung-chang me había aconsejado que depositara reservas de oro y plata en bancos fuera de China.

«En el caso de Japón...», recordaba que tenía miedo de seguir hablando, pero capté la idea: podía verme obligada a huir de China. La imagen de la reina Min estaba más viva que nunca en mis pensamientos.

Li Hung-chang debió de pensar que yo era una mujer rica. No tenía ni idea de lo pobre que era. Me daba demasiada vergüenza que alguien supiera que había vendido mi compañía de ópera favorita. No tenía prácticamente nada salvo mis siete títulos imperiales honorarios. Li no había insistido en que consultara con los directores del banco inglés de Hong Kong y Shanghai, pero cuando salió de mi palacio, ya no tuvo ninguna duda; comprendió más que nunca en dónde me encontraba yo en términos de supervivencia china.

Kuang-hsu y yo habíamos tenido la esperanza de que las potencias occidentales cesaran en su agresión una vez se hubieran ejecutado los acuerdos, pero en mayo de 1897, Alemania encontró otra excusa para atacarnos. El incidente empezó cuando unos bandidos chinos robaron en un asentamiento alemán de un pueblo de Shantung cerca del pueblo de Kiaochow. Quemaron las casas y asesinaron a los habitantes, junto con dos misioneros católicos alemanes.

Antes de que nuestro gobierno tuviera oportunidad de investigarlo, un escuadrón alemán se dirigió hasta Kiaochow y tomó el puerto. China fue amenazada con la más severa represión a menos que consintiera instantáneamente en pagar una compensación en oro y procesase a los bandidos.

El káiser se aseguró de que su protesta fuera oída por el mundo: «Estoy completamente decidido a abandonar en lo sucesivo la política excesivamente cauta que los chinos han tomado por debilidad, y demostrarles, con la máxima fuerza y, si es necesario, sin ninguna piedad, que el emperador alemán no puede ser tomado a broma y es malo tenerlo como enemigo».

Al cabo de cuatro días, mi hijo me trajo la noticia de que la guarnición china de Kiaochow había sido aplastada. Después de su captura, Kuang-hsu se vio obligado a arrendar el puerto y la tierra de su alrededor, en un radio de cincuenta kilómetros, a Alemania. El arriendo de noventa y nueve años se vio acompañado de la concesión de derechos de minería y ferrocarril en exclusiva para esta zona.

Kuang-hsu se había puesto a temblar al escuchar la descripción que Li Hung-chang hizo de lo que sucedería si se negaba a firmar.

En los meses que siguieron, Li trajo más malas noticias: buques de guerra rusos entraron en el fortificado Port Arthur, tal como le permitía el tratado de 1896, y anunciaron que habían venido para quedarse. Hacia marzo de 1898, Port Arthur y el puerto mercante vecino de Talien-wan fueron igualmente arrendados a Rusia por veinticinco años, con todos los derechos de minería y ferrocarril de cien kilómetros a la redonda.

Uniéndose a la rapiña, el primer ministro británico alegó que el «equilibrio de poder en el golfo de Pechili había quedado alterado». Inglaterra exigía que Weihaiwei, que se encontraba en el mismo caso que Kiaochow, controlado por los alemanes, «fuera entregado a los británicos en cuanto se hubiera pagado la indemnización a los japoneses y la ciudad hubiera sido evacuada. Los británicos también se adjudicaron un aumento del área de Kowloon, en la parte continental que está frente a Hong Kong.

Como no quería ser menos, Francia exigió una cesión similar de noventa y nueve años del puerto de Kwangchowan, al sur de Hong Kong.

Cuando la Corte suplicó al emperador que asumiera el control de la situación, Kuang-hsu le dio a cada ministro una copia de lo que había recibido de Li Hung-chang. Se trataba de un anuncio hecho por las potencias occidentales unidas sobre las «esferas de influencia» en China. Alemania y Rusia habían consentido en que toda la cuenca del Yangtze, desde Szechuan hasta el delta del Kiangsu, fuera británica. Gran Bretaña estaba de acuerdo con que el sur de Cantón y el sur de Yunnan fueran franceses. Un cinturón desde Kausu pasando por Shensi, Shansi, Hunan y Shantung era alemán. Manchuria y Chihli eran rusas. Estados Unidos, tan amante de la libertad, concedía iguales derechos y oportunidades para todas las naciones en las zonas arrendadas y calificó su actitud de una «política de puertas abiertas».

28

Yo no tenía ni idea de que aquel sería mi último encuentro con el príncipe Kung. Era un día nublado y sombrío de mayo de 1898 cuando recibí su invitación. Aunque había estado enfermo, era un hombre animoso y de una salud de hierro, y todos esperaban que se recuperase. Cuando llegué junto a su lecho, me sorprendió su estado y supe en el acto que su vida se acercaba a su fin.

—Espero que no te importe que los peces moribundos sigan haciendo burbujas —dijo el príncipe Kung con una voz débil.

Le pregunté si le gustaría que trajese conmigo al emperador.

El príncipe Kung negó con la cabeza y cerró los ojos para hacer acopio de energía.

Miré alrededor. Había tazas, cuencos, escupideras y bacinillas dispuestas alrededor de la cama. El olor a medicinas de hierbas que llenaba la habitación era desagradable. El príncipe Kung intentó sentarse, pero ya no tenía fuerzas para hacerlo.

—Sexto Hermano —dije, ayudándole a incorporarse—, no deberías haber ocultado tu estado.

—Es la voluntad del cielo, cuñada —dijo entrecortadamente el príncipe Kung—. Me alegro de haberte pillado a tiempo.

Levantó la mano derecha y extendió dos dedos temblorosos. Me acerqué más.

—En primer lugar, siento la muerte de Tung Chih. —La voz del príncipe Kung rezumaba remordimiento—. Sé cuánto sufriste... te pido disculpas. Mi hijo Tsai-chen tuvo el fin que se merecía.

—Basta, Sexto Hermano.

Las lágrimas afloraron a mis ojos.

—Nunca perdoné a Tsai-chen, y él lo sabía —dijo el príncipe Kung.

Pero era a sí mismo a quien no se perdonaba. Nunca tuve el valor para preguntar al príncipe Kung cómo pudo superar la muerte de su hijo.

—Compadece los corazones de los padres —dije pasándole una toalla.

—Le debo mucho a Hsien Feng. —El príncipe Kung se enjugó la cara con la toalla—. Fracasé en lo que era mi obligación. Defraudé a Tung Chih, y ahora tengo que abandonar a Kuang-hsu.

—Tú no debes nada a Hsien Feng. Él no te incluyó en su testamento. Si existía alguna obligación sobre el modo de educar y e influir en Tung Chih, Hsien Feng dejó ese poder en manos de Su Shun y su banda.

El príncipe Kung estuvo de acuerdo con lo que dije, aunque prefería creer que había sido Su Shun, y no su hermano, quien manipuló el testamento imperial.

Volvió a cerrar los ojos, exhausto, como si se fuera a dormir. Mirando el cetrino rostro del príncipe, recordé los días en que había sido fuerte, guapo y lleno de entusiasmo. Él tenía grandes sueños para China, a la altura de su talento. Una vez incluso tuve la fantasía de que me había casado con él en lugar de con el emperador Hsien Feng.

Supongo que siempre creí que Kung habría sido mejor emperador si hubiera subido al trono; y lo habría hecho de no ser por las argucias del gran tutor de Hsien Feng, que aconsejó a su estudiante simular compasión hacia los animales en la cacería de otoño. El príncipe Kung superó a todos sus hermanos ese día, pero el corazón de su padre se conmovió por su hijo menor. Fue una desgracia para el país que la corona recayese en Hsien Feng. Y la desgracia alimenta a la desgracia.

Me pregunto si el príncipe Kung se resintió de vivir a la sombra de Hsien Feng, sabiendo que le había traicionado.

—Si tienes alguna pregunta, será mejor que la hagas antes de que sea demasiado tarde —dijo el príncipe Kung cuando volvió a abrir los ojos.

La idea de perderlo me resultaba insoportable.

—No creo que quieras oír la pregunta que me gustaría hacerte —dije—. No creo que ni siquiera sea decente que te la plantee.

—Orquídea, hemos sido los mejores amigos y la peor cruz. —El príncipe Kung sonrió—. ¿Qué más puede pasar entre nosotros?

Así que le pregunté si estaba resentido por la injusta decisión de su padre y por que su hermano le hubiese robado el reino.

—Si tuve algún resentimiento, mi propia culpa me quitó el aguijón —respondió—. ¿Recuerdas aquel septiembre de 1861?

—¿El mes en que murió Hsien Feng?

—Sí. ¿Recuerdas el trato que hicimos? Fue un buen trato, ¿verdad?

Entonces tendríamos unos veinte años, no sabíamos que estábamos haciendo historia. El príncipe Kung descubrió que había quedado fuera del testamento de Hsien Feng. Aquello lo dejaba indefenso para que Su Shun lo asesinase. Y yo me enfrentaba a la posibilidad de que me enterraran viva, para acompañar a mi marido en su viaje al más allá.

—Su Shun nos tenía acorralados —dije.

—¿Se te ocurrió primero a ti o a mí la idea de prestarnos legitimidad el uno al otro? —preguntó.

—No lo recuerdo. Solo recuerdo que no nos quedó más remedio que ayudarnos mutuamente.

—Fuiste tú la que escribiste el borrador de mi nombramiento como sustituto de Su Shun —dijo el príncipe Kung.

—¿Fui yo?

—Sí. Fue un gesto audaz... e increíble.

—Tú merecías el título —dije en voz baja—. Habría sido la voluntad del cielo, sin dudarlo.

—Soy culpable porque aquellas no eran las intenciones de mi padre y mi hermano Hsien Feng.

—La dinastía no seguiría en pie sin ti —insistí.

—En este caso, me gustaría agradecerte que me brindaras la oportunidad, Orquídea.

—Eres un buen socio, aunque a veces puedas resultar algo difícil.

—¿Podrás perdonarme por la muerte de Tung Chih?

—Tú lo querías, Kung, y eso es todo lo que recordaré.

Lo segundo que el príncipe Kung quería que le prometiera era que continuaría honrando a Robert Hart, el hombre con el que había trabajado codo a codo en el transcurso de los años.

—Él es el contacto más preciado que ha tenido nunca China. Nuestro futuro lugar en el mundo depende de su ayuda. —Kung estaba seguro de que la Corte no seguiría sus instrucciones después de muerto—. Temo que apartarán a Robert Hart.

—Me ocuparé de que Li Hung-chang siga tu camino —le prometí.

—Yo no conseguí que la Corte concediera a Hart una audiencia privada —dijo el príncipe Kung—. ¿Lo recibirás?

—¿Me lo permite su rango?

—Su rango es lo bastante alto, pero no es chino —dijo Kung amargamente—. Los ministros están celosos porque confío en él. Están resentidos con él no porque sea inglés, sino porque no se le puede comprar.

Al príncipe Kung y a mí nos habría gustado tener más hombres con el carácter de Robert Hart.

—He oído que la reina de Inglaterra le rindió honores. ¿Es cierto? —pregunté.

El príncipe Kung asintió.

—La reina le nombró caballero, pero a ella le interesa más la hazaña de que Hart abriera China para Inglaterra que su rango.

—Nunca menospreciaré a Robert Hart —le prometí.

—Hart ama a China. Ha sido tolerante y ha aguantado las faltas de respeto de la Corte. Temo que su paciencia tenga un límite no muy lejano y que se vaya. China depende absolutamente de la dirección de Hart. Perderíamos un tercio de nuestros ingresos de aduana y... nuestra dinastía...

Yo no sabía cómo continuar con el trabajo del príncipe Kung. No tenía modo de comunicarme con Robert Hart, ni confiaba en convencer a la Corte de su importancia vital.

—No puedo hacerlo sin ti, Sexto Hermano. —Me puse a llorar.

El médico de Kung, que rondaba por allí cerca, me dijo que sería mejor que me marchara.

El príncipe parecía aliviado cuando me dijo adiós.

Regresé al día siguiente y me dijeron que el príncipe Kung se había desmayado y había perdido la consciencia. Pocos días más tarde entró en coma.

Murió el día 22 de mayo.

Ayudé a disponer un funeral sencillo para el príncipe Kung, tal como él había querido. El trono en persona notificó a Robert Hart de la muerte de su amigo.

Para mí fue duro separarme del príncipe Kung. El día después de su funeral soñé que regresaba. Kung estaba con Hsien Feng. Ambos tenían el aspecto de unos hombres de veinte años. El príncipe Kung vestía de púrpura y mi marido estaba ataviado con su túnica de satén blanca.

—Vivir es experimentar el hecho de morir y es peor que la muerte —dijo mi marido con su habitual tono deprimido.

—Es cierto —dijo el príncipe Kung—, pero «vivir la muerte» también puede interpretarse como «riqueza espiritual».

Yo los seguía vestida en camisón mientras hablaban entre sí. Entendía sus palabras, pero no sus significados.

—La comprensión del sufrimiento permite al que sufre caminar por el sendero de la inmortalidad —prosiguió mi marido—. Inmortalidad significa capacidad para soportar lo insoportable.

El príncipe Kung estuvo de acuerdo.

—Solo después de experimentar la muerte se puede comprender el placer de vivir.

Aun en el reino de los sueños yo los interrumpí.

—Pero no hay placer en mi vida. Vivir solo significa morir una y otra vez. El dolor se ha vuelto imposible de soportar. Es como un castigo continuo, una muerte prolongada.

—Morir una y otra vez te da el arrobamiento de estar viva —dijo mi marido.

Antes de que pudiera poner objeciones, ambos hombres se desvanecieron. En su lugar vi a una mujer muy anciana, acuclillada en el rincón de una habitación grande y oscura. Era yo. Vestía ropas de criada y parecía enferma. Mi cuerpo se había encogido al tamaño del de un niño. Mi piel estaba muy arrugada y tenía el cabello gris y blanco.

29

He estado pensando en emprender una reforma —confesó el emperador Kuang-hsu—. Es el único modo de salvar a China.

Después de desayunar en la Ciudad Prohibida me dijo que había encontrado una «mente afín», un hombre a quien admiraba mucho.

—Pero la Corte ha negado el permiso para recibirlo.

Aquella fue la primera vez que oí el nombre de Kang Yu-wei, letrado y reformista de Cantón, según él mismo se proclamaba. Descubrí que la Corte había negado ese encuentro porque Kang Yu-wei no tenía ni cargo gubernamental ni rango alguno. De hecho, había suspendido tres veces el examen para ser funcionario.

—¡Kang Yu-wei tiene un talento extraordinario, es un genio político! —insistió Kuang-hsu.

Le pregunté al emperador cómo había oído hablar de aquel hombre.

—Perla me ha presentado sus escritos.

—Espero que Perla sea consciente de que la pueden castigar por introducir libros a escondidas —le dije.

—Lo es, madre, pero tenía razón en traerme sus libros, pues he aprendido el modo de llevar China por la buena senda.

La osadía de Perla me recordó a mí misma cuando tenía su

edad. También recordé cómo odiaba a toda la Corte, sobre todo al Gran Consejero Su Shun, que ponía todas sus energías en destruirme.

—Perla cree que yo tengo poder para protegerla.

—¿Y lo tienes, Kuang-hsu?

Mi hijo se levantó de su silla y se sentó en otra. Tamborileaba nerviosamente con el pie en el suelo.

—Supongo que no estaría aquí si lo tuviera.

—Pero, tú quieres protegerla, ¿verdad? —le pregunté.

—Sí... —parecía vacilar.

—Quiero asegurarme de que realmente estás seguro de lo que dices; así yo sabré a qué atenerme.

—Amo a Perla.

—¿Significa eso que estás dispuesto a renunciar al trono por amor?

Kuang-hsu me miró.

—Estás tratando de asustarme, madre.

—Hay algo que veo muy claro. Podrían obligarte a firmar la sentencia de muerte de Perla si se descubre que se ha inmiscuido en los asuntos del emperador. No importa que tú la hayas invitado. Ya conoces las reglas.

—Siento haber alentado a Perla —dijo Kuang-hsu—, pero ella solo merece elogios; es brillante y valerosa.

—Ya juzgaré yo a Perla con mis propios criterios —dije.

—Estoy preparado para seguir adelante con o sin el apoyo de la Corte —me dijo el emperador días más tarde. Su cara habitualmente pálida estaba arrebolada—. He estudiado los modelos de reforma de Rusia de Pedro el Grande y de Japón de Hideyoshi. Los dos me han ayudado a clarificar lo que me dispongo a hacer. La reforma hará a China lo bastante poderosa como para recuperar sus territorios perdidos y vengar las humillaciones.

—¿Se trata de una predicción de Kang Yu-wei? —pregunté. Kuang-hsu enderezó la postura y asintió.

—Perla se ha reunido con Kang Yu-wei en mi nombre en casa del tutor Weng.

—¿Estás seguro de que Kang Yu-wei no se acercó antes a Perla?

—En realidad se acercó antes al tutor Weng. Le pidió que me transmitiera un mensaje.

—Supongo que se negó a hacerlo.

—Sí, pero Kang insistió. Perla lo vio en la puerta del tutor Weng, repartiendo panfletos a cualquiera que estuviera interesado.

Mi hijo me enseñó unos cuantos. Estaban editados a mano y pobremente realizados, pero los títulos captaron mi atención: *Estudio de las reformas en Japón, Confucio, un reformista* y *Ensayos sobre la reconstrucción de China.*

—Cuando terminé de leer a Kang Yu-wei —dijo Kuang-hsu—, pedí que se enviaran copias a virreyes y gobernadores clave.

—¿Crees que Kang Yu-wei tiene una cura para China?

—Absolutamente. —Kuang-hsu estaba emocionado—. Sus escritos son revolucionarios, me hablan directamente a la mente. No importa que la Corte y los Sombreros de Hierro lo consideren peligroso.

Le dije a Kuang-hsu que la Corte me había informado de la formación del letrado.

—¿Sabes que Kang no ha aprobado los exámenes de funcionario?

—¡La Corte lo juzga injustamente!

—Dime: ¿qué es lo que te impresiona de Kang Yu-wei?

—Su insistencia en que hay que dar pasos drásticos si se quiere que triunfe la reforma.

—¿No crees que Li Hung-chang y Yung Lu ya están haciendo grandes progresos? —le pregunté.

—No son lo bastante eficaces. Se deben abandonar las viejas maneras por completo.

De haber sido pintora de retratos, habría pintado a mi hijo en aquel momento. Estaba de pie junto a la ventana mientras la luz del sol jugaba en sus hombros. Le brillaban los ojos y movía las manos para explicar su opinión.

—Según Kang Yu-wei, Japón también era una nación trabada por la tradición —prosiguió el emperador—. Ha sido capaz de transformarse, de la noche a la mañana ha pasado de ser una sociedad feudal a un Estado industrial.

—Pero cuando Japón empezó sus reformas, no estaba siendo atacada —comenté—, ni tenía tremendas deudas internas e internacionales. Déjame acabar, Kuang-hsu. Los japoneses están prestos a seguir a su emperador cuando este los llama.

—¿Qué te hace pensar que mi pueblo no me seguiría?

—Kuang-hsu, tu propia Corte está contra ti.

El emperador apretó los ojos al cerrarlos.

—El primer punto de mi programa de reformas será desembarazarme de esa traba.

Sentí un escalofrío, pero intenté disimularlo.

—Mis edictos pasarán por encima del Consejo del Clan y de la Corte —Kuang-hsu parecía decidido—. Kang Yu-wei cree que debo hablar directamente a mi pueblo.

—La Corte luchará contra ti, y será el caos.

—Con tu apoyo, madre, les plantaré cara y ganaré.

No quería desanimarlo, aunque creía que renunciar a la Corte era una idea peligrosa.

—Piénsalo bien, hijo. El triunfo de Japón ha amedrentado a nuestra nación. La estabilidad lo es todo.

—Pero la reforma no puede esperar más, madre. —La voz de mi hijo había perdido toda amabilidad.

—Quiero que seas consciente de las realidades políticas.

—Lo soy, madre.

—Ha habido una insurrección en el campo. Los radicales de

Cantón están ganando influencia política. Los últimos informes de los espías revelan que los japoneses han fundado un movimiento por una república china.

Kuang-hsu se estaba impacientando.

—Nadie me impedirá avanzar. Nadie.

El reloj de pie del rincón dio dos campanadas. Li Lien-ying vino para recordarme que ya habían recalentado por segunda vez el almuerzo.

—¿Puedo decir a la Corte que tengo tu permiso para reunirme con Kang Yu-wei? —me preguntó Kuang-hsu.

—Veré si consigo que la Corte afloje un poco.

—Tú tienes el poder para decidir lo que te apetezca.

—Es mejor hacer que la concesión del permiso sea una decisión de la Corte.

Caminó hacia la puerta y luego se volvió, visiblemente molesto.

—¡El miedo ha sido la causa de la enfermedad de China, de su debilidad y pronto será su muerte!

—Kuang-hsu, ¿puedo contarte un poco de mi lucha? Tus tíos y consejeros ancianos han estado acudiendo a mí.

—¿Qué quieren?

—Quieren echarte. —Abrí una pila de documentos que había estado revisando—. Escucha esto: «El emperador ha actuado de manera impetuosa y no se puede confiar en él sin una mano que lo guíe». «Kuang-hsu no ha demostrado capacidad para llegar a decisiones por consenso. Es necesario apartarlo del trono. Sugerimos que P'u-chun, el nieto del príncipe Ts'eng, lo suceda».

—¡Cómo se atreven! —Kuang-hsu estaba furioso—. ¡Los juzgaré por conspiración!

—No si la petición la ha firmado toda la Corte por unanimidad. —Aparté los documentos a un lado.

Kuang-hsu siguió protestando, pero su tono cambió. Bajó la voz, parecía recular, y al final dejó de hablar, se reclinó contra la ventana y se cruzó de brazos. Miró por la ventana durante un rato y luego se volvió hacia mí.

—Necesito tu apoyo, madre.

—Úsame bien, hijo mío. Cuando la Corte habla de volver a dejar el poder en mis manos, significa en sus manos. Mi papel ha sido solo ceremonial. La única ocasión en que me convierto en una pieza importante es cuando me necesitan como cabeza visible. Para prestar legitimidad a príncipes, gerifaltes y altos mandarines; las personas que poseen el verdadero poder.

—Pero, madre...

—He hecho caso omiso de Li Hung-chang y de Yung Lu, que han expresado sus dudas sobre ti. Para ser sincera, yo también tengo mis dudas. Tú aún no has demostrado tu valía.

—Pero estoy intentando hacer lo correcto.

—Eso, hijo mío, no lo dudo ni por un instante.

Cuando Kuang-hsu me suplicó por tercera vez una oportunidad para tener un encuentro con Kang Yu-wei, se le caían las lágrimas. Sus ojos enrojecidos demostraban que no había estado durmiendo bien.

—Como sabes, madre, soy un «eunuco». No es probable que te dé un heredero, así que una reforma eficaz sería mi único legado.

Me conmovió su sinceridad y su desesperación, pero tuve que hacerle una pregunta:

—¿Quieres decir que nunca podrás hacerle el amor a Perla?

—No, madre, no puedo. Seré despreciado por la nación porque todos creen que el cielo recompensa con hijos solo a quienes se han comportado de manera virtuosa —murmuró Kuang-hsu con la voz llena de tristeza y vergüenza.

—Hijo mío, te prohíbo que hables así. Solo tienes veintiséis años. Sigue intentándolo...

—Madre, los médicos me han dicho que se acabó.

—Eso no significa que estés acabado.

Kuang-hsu lloraba y yo abrí los brazos y lo estreché.

—Tienes que ayudarme a ayudarte, Kuang-hsu.

—Deja que me reúna con Kang Yu-wei, madre. ¡Es el único modo!

A petición mía, se dispuso una entrevista con Kang Yu-wei. Los entrevistadores elegidos fueron Li Hung-chang, Yung Lu, el tutor Weng y Chang Yin-huan, el antiguo embajador en Inglaterra y en Estados Unidos. Yo quería una evaluación de la «mente afín» al emperador.

Kang Yu-wei fue citado en el Ministerio de Asuntos Exteriores el último día de enero. La entrevista duró cuatro horas. Supuse que había resultado intimidatoria para un cantonés provinciano, pero la transcripción demostraba que el hombre tenía una audacia innata. Kang demostró su habilidad como orador dinámico y fue agresivo insistiendo sobre sus puntos de vista. Ahora comprendía por qué Perla y Kuang-hsu se habían sentido cautivados por él. Un animal de palacio como Kuang-hsu nunca antes había conocido a alguien con tanto desparpajo, a un hombre que aparentemente no tenía nada que perder.

Según Li Hung-chang, Kang Yu-wei tenía cara de luna y andaría al final de la treintena. La valoración de Li decía que el entrevistado «adoptaba una pose teatral» y que «se pasó todo el rato dando conferencias sobre temas de reforma y las ventajas de una monarquía constitucional como si fuera un maestrillo de escuela en el curso de párvulos de su pueblo».

Tuve que dar crédito a la paciencia de los cuatro hombres poderosos que habían escuchado a Kang.

Li Hung-chang dijo de Kang que sus ideas no tenían nada de original y que estaba explotando las obras de otros, lo cual Kang negó. Cuando Li le preguntó a Kang Yu-wei cómo pensaba generar riqueza para pagar los créditos extranjeros y proporcionar los fondos necesarios para la defensa nacional, Kang fue bastante abstracto y vago. Cuando Li le presionó, Kang respondió que los tratados «habían sido firmados de manera injusta y, por tanto, merecían ser incumplidos». Cuando le preguntó cómo se enfrentaría a la invasión japonesa, Kang Yu-wei soltó una sabia carcajada dramática. «¡No podéis hacer que mi trabajo sea limpiaros el culo!»

En conclusión, a Li Hung-chang el hombre le pareció ofensivo y creyó que era un oportunista, un fanático y probablemente un enfermo mental.

En su informe, el tutor Weng coincidía en su mayor parte con Li Hung-chang, a pesar de haber sido en un principio el pretendido descubridor de «un auténtico genio político». La arrogancia de Kang Yu-wei ofendió al padre fundador de las principales instituciones académicas de China. El tutor Weng se ofendió cuando Kang criticó al Ministerio de Educación y calificó las academias imperiales de «patos muertos flotando en un charco de agua estancada».

«Está resentido por sus propios fracasos —recalcaba el tutor Weng en su evaluación—. Yo era el juez principal cuando él se sometió a los exámenes nacionales, aunque personalmente no califiqué su examen. Kang lo había intentado bastantes veces, y en todas las ocasiones había demostrado ser un perdedor. No se opuso al sistema hasta que el sistema le dio una patada en el trasero.»

«Según la descripción que Kang hizo de sí mismo —prosiguió el tutor Weng—, "estaba destinado a ser un gran sabio, como Confucio". Esto es una grosería inaceptable. He llegado a la conclusión de que Kang Yu-wei es un hombre que anhela estar en el candelero político y cuyo principal objetivo es la notoriedad y la celebridad.»

El embajador Chang Yin-huan expresó menos indignación en sus comentarios, pero tampoco ofreció una evaluación positiva. Al fin y al cabo, su trabajo era poner en contacto a gente interesante. Si la mezcolanza daba resultados, con mucho gusto se adjudicaría el mérito.

Yung Lu, que había vuelto de Tientsin especialmente para la entrevista, me entregó una hoja de papel en blanco como evaluación. Imaginé que perdió todo interés por Kang en el instante en que empezó a evadir las preguntas de Li Hung-chang.

Yo confiaba en Li Hung-chang, en Yung Lu, en el tutor Weng y en el embajador Chang; sin embargo, me parecía que ellos, al igual que yo, pertenecían a la vieja sociedad y tenían una perspectiva inevitablemente conservadora. No nos sentíamos felices con las aduanas, pero nos habíamos acostumbrado. Era natural que el plan de reforma del emperador Kuang-hsu crease dificultades e incluso sufrimientos a las personas como nosotros. Mi hijo tenía razón al recordarme que estuviera preparada para el dolor que acompaña el nacimiento de un nuevo sistema.

Yo tenía grandes esperanzas, si no una gran fe, puestas en Kuang-hsu. Al elegir ponerme de su parte, creía que estaba ofreciendo a China una oportunidad para sobrevivir.

Yo nunca había estado tan inspirado! —El emperador me dio una transcripción de su largo debate con Kang Yu-wei—. Él y yo nos pusimos a trabajar de inmediato en mis planes. Madre, por favor, no pongas objeciones, concédele el privilegio de estar directamente en contacto conmigo. ¡No podemos permitir que censores y guardianes se interpongan en mi camino!

Sin darme la oportunidad de responder, Kuang-hsu me dio una lista de ministros de alto rango que acababa de despedir. El primero había sido su mentor durante más de catorce años, el tutor Weng, de sesenta y ocho años, jefe del Gran Consejo, el Ministerio de Hacienda, el Ministerio de Asuntos Exteriores y la Academia Hanlin.

A mi hijo y a Kang Yu-wei no parecía importarles el hecho de que sin la aprobación del tutor Weng, ellos no se hubieran conocido.

El gran tutor había sido una figura paternal para mi hijo. Había sido su confidente más íntimo durante su adolescencia y desde entonces habían capeado juntos varios temporales. Kuang-hsu se había puesto de parte de Weng en su conflicto con Li Hung-chang en el proceso de la guerra con Japón, cuando las pruebas estaban tan claramente en su contra. Sin embargo, hasta ahora Kuang-hsu no había admitido ante mí que Weng había sido responsable de agravar su estado de nervios desde que era niño. Siempre me había preguntado si la sensación de inseguridad de Kuang-hsu no era resultado de la constante corrección de su tutor.

Le pregunté al emperador los motivos por los que despedía a Weng.

—Su mala gestión de las rentas públicas y su desacierto en la guerra contra Japón —respondió Kuang-hsu—. Pero, sobre todo, quiero poner fin a que él interfiera en mis decisiones.

El orgulloso viejo burócrata confuciano debió de sentirse desconsolado. Se acercaba la fecha de su cumpleaños y la desgracia lo dejó destrozado. Envié al tutor Weng un abanico de seda como regalo, que podía sugerir que aquello era un simple período de reflexión.

A mí no es que me hiciera completamente feliz que lo hubieran despedido. Weng había sido el hombre del dinero del emperador, y me alegraba de que se le hiciera asumir cierta responsabilidad. Me habían acusado de embolsarme dinero de la armada mientras al tutor Weng le alababan por sus virtudes, y el hecho de que lo despidieran contribuiría a exonerarme. Bien es cierto que él nunca desfalcó ni un céntimo, pero la gente que él contrató, la mayoría antiguos alumnos y amigos próximos, robaron descaradamente al tesoro.

El tutor Weng suplicó una audiencia privada, y yo me negué. Li Lien-ying me dijo que el viejo se había pasado de rodillas todo el día al otro lado de la verja de mi casa. Hice saber al tutor que yo tenía que respetar la decisión del emperador.

—No estoy en situación de ayudar —le dije, así como que le invitaría a cenar cuando se hubiera calmado.

Le diría que había llegado el momento de dejar solo a su estudiante. Citaría su propia y famosa frase:

—«No se deben perder ni el té, ni la ópera, ni la poesía; la longevidad depende del cultivo mental de uno mismo.»

Me senté a repasar la transcripción de la conversación de Kuang-hsu con Kang Yu-wei. En mi opinión, el punto de vista de Kang no era muy distinto del de Li Hung-chang. No quería llegar a la conclusión de que era el predispuesto oído del emperador el que hacía que Kang Yu-wei adquiriera dimensiones épicas, pero la transcripción no conseguía demostrar lo contrario:

KANG YU-WEI: China es como un palacio arruinado, con las puertas rotas y sin ventanas. Es inútil reparar los alféizares y los adornos de las ventanas y poner parches en las paredes. El palacio ha sido azotado por los huracanes y se avecinan más. El único modo de salvar la estructura es derribarla por completo y construir una nueva.

KUANG-HSU: Todo está controlado por los conservadores.

KANG YU-WEI: Pero su majestad está comprometido con la reforma.

KUANG-HSU: ¡Sí, sí lo estoy!

KANG YU-WEI: Los bufones de la Corte son demasiado incompetentes para ejecutar los planes de su majestad... y eso suponiendo que estuvieran dispuestos a seguiros.

KUANG-HSU: ¡Me parece que tienes razón!

KANG YU-WEI: El trono debería aprender de la clase dirigente occidental. Lo primero que hay que hacer es crear un imperio de la ley.

Y así seguía una página y otra página... Me pregunté qué le hacía a mi hijo pensar que Kang Yu-wei era una mente original. Hacía tiempo que el príncipe Kung había defendido la idea de una ley civil. Li Hung-chang había introducido un sistema de leyes no solo en los estados septentrionales, donde había sido virrey, sino también en el sur. Aquellas leyes encontraron mucha oposición, pero se estaban imponiendo. Los tratados que habíamos firmado con las potencias occidentales se basaban en la comprensión de tales leyes.

Cuando Li Hung-chang viajó a las potencias occidentales, su propósito era «evaluar a los verdaderos tigres»: obtener información de primera mano sobre cómo funcionaban sus gobiernos. Así que me parecía que lo que Kang Yu-wei predicaba al emperador ya lo había logrado Li. Otro ejemplo fue la reforma educativa. Li Hung-chang apoyó la dotación de colegios al estilo occidental. Con la ayuda de Robert Hart contratamos misioneros extranjeros para dirigir nuestras escuelas en la capital. Por sugerencia de Li animamos a los manchúes a enviar a sus hijos e hijas a estudiar al extranjero. Li creía que aquello facilitaría su trabajo para que nuestra propia élite comprendiera lo que él intentaba conseguir. Para mí, si los manchúes iban a mantener su posición como gobernantes, tan importante como el poder era un conocimiento y una perspectiva más amplios.

Li Hung-chang estaba en lo cierto cuando dijo: «La esperanza de China llegará cuando sus ciudadanos se sientan orgullosos de que sus hijos desarrollen profesiones tales como la ingeniería. Necesitamos ferrocarriles, minas y fábricas». China se estaba transformando, pero lenta y dolorosamente. Los jóvenes tenían muchas ganas de ver mundo, aunque no pudieran permitirse ir al extranjero. Antes de que dispararan a Li en Japón, los miembros de la familia real habían dispuesto que sus hijos fueran a vivir al extranjero. Poco después, algunas familias cambiaron de idea porque temían por la seguridad de sus hijos. El propio Li seguía viajando al exterior, en parte para demostrar que semejantes temores eran infundados, pero nadie seguía su ejemplo.

Kang Yu-wei subrayó la importancia de fundar escuelas en el campo, pero durante años el gobierno había estado ofreciendo créditos fiscales a los gobernadores provinciales y destinando fondos para colaborar en la creación de escuelas. Nuestros esfuerzos tenían que luchar contra campesinos supersticiosos que protestaban cuando templos desvencijados eran convertidos en aulas. Un grupo de campesinos furiosos prendió fuego a los edificios de la escuela y a la casa del gobernador de la provincia de Jiangsu.

Kang Yu-wei ponía en entredicho los textos que se usaban tradicionalmente en las escuelas chinas. Se negaba a ver que en los estados en que gobernaba Li Hung-chang, ya se empezaban a impartir técnicas industriales en las escuelas. Escritores chinos de talento se convirtieron en traductores y periodistas.

En los periódicos que Li controlaba —el *Canton Daily* y el *Shanghai Daily*— se trataban intereses políticos de China y se introducían ideas extranjeras.

Seguí leyendo la conversación de Kang con el emperador con la esperanza de hallar algo sorprendente y valioso.

Caí en la cuenta de que Kang Yu-wei no estaba proponiendo una reforma sino una revolución. Kang pedía al emperador que creara una «Oficina de Instituciones», que él dirigiría. «Se encargaría de las reformas de China en todos los campos.» Cuando el emperador dudó, Kang intentó convencerle de que «la determinación todo lo puede».

Kuang-hsu se sentía inquieto y envalentonado a la vez. En Kang Yu-wei mi hijo sentía una fuerza absoluta, que a él le habría gustado tener desde hacía mucho tiempo. Una fuerza que no se detendría ante nada, ni reconocería ningún límite. Una fuerza que podía transformar a un hombre débil en otro poderoso.

Empezaba a comprender por qué Kuang-hsu pensaba en Kang Yu-wei como una «mente afín» a la suya. Yo no conocía personalmente a Kang, pero había criado a Kuang-hsu. Yo era la responsable de cultivar su ambición. Era consciente de que a mi hijo le torturaban la falta de confianza en sí mismo, que no le abandonaba, como una enfermedad persistente.

De niño, a Kuang-hsu le encantaba reparar relojes. Pronto su habitación se llenó de relojes. Engranajes, muelles, ruedas de escape y péndulos estaban desparramados por toda su habitación, y los eunucos se quejaban de que no podían limpiar. Pero, desmontar relojes y volverlos a montar mejoraba su concentración y su capacidad para resolver problemas. Hacer algo en lo que salía airoso le daba confianza en sí mismo, pero sus dudas siempre acababan volviendo.

La crítica de Kang Yu-wei sobre la «composición de ocho partes» era justa, aunque carente de originalidad. El ensayo era una redacción formal en ocho partes, que se exigía a cualquier estudiante que se presentase a los exámenes para el funcionariado. Cualquiera que se presentase a un cargo en el gobierno debía obtener una buena puntuación. Las pocas mentes brillantes que hacían bien el ensayo dominaban las arcanas palabras de la antigua literatura china y normalmente eran demasiado librescos para funcionar en la vida cotidiana. Sin embargo, sus altas puntuaciones les hacían ganar el cargo de gobernador.

Li Hung-chang había llegado hacía tiempo a la conclusión de que los puntos flacos de nuestro sistema educativo residían en nuestro sentido de atraso en el mundo. La Corte ya había añadido materias a los exámenes imperiales, como las matemáticas, la ciencia, la medicina occidental y la geografía del mundo. Los conservadores creían que estudiar la cultura de los enemigos constituía en sí mismo un acto de traición y un insulto a nuestros antepasados. En cualquier caso, la mayoría del país apoyaba las reformas en la educación.

Yo hablé ante una gran audiencia en apoyo del decreto de Kuang-hsu que ordenaba la abolición de la composición de ocho partes.

—Mi hijo Tung Chih no pudo ejercer como emperador —empecé—, y eso me ha llevado a cuestionarme su educación. Se pasó quince años con las mejores mentes de China, pero no tenía ni idea de dónde provenían nuestros enemigos, de qué eran capaces o cómo negociar con ellos. Los grandes tutores son los principales directores de los exámenes nacionales, y lo único que saben es recitar poemas antiguos. Es hora de que abandonen sus puestos.

Cuando entró en vigor el decreto de Kuang-hsu, cientos de estudiantes protestaron. «No es justo que se nos examine de algo que no nos han enseñado», decía su petición.

Yo entendía su frustración, sobre todo la de los estudiantes más mayores que habían dedicado sus vidas al dominio de la composición de ocho partes. Fue difícil para las familias que habían depositado sus esperanzas en que sus hijos pasaran el examen y se aseguraran un cargo gubernamental.

Cuando Kuang-hsu siguió adelante con su reforma, algunos de los estudiantes más mayores se colgaron ante el templo de Confucio, no muy lejos de la Ciudad Prohibida. El emperador fue acusado de provocar la desesperación que condujo a la tragedia. Yo consolé a las familias con títulos honoríficos y taels. Mientras tanto, el trono seguía alentando a la generación más joven para que abarcase temas no tradicionales. Lo que no esperábamos era que cuando el gobierno por fin hizo el aprendizaje posible y libre para todos, las escuelas acabaron cerrando debido a la falta de estudiantes.

El reformista Kang Yu-wei envió al trono sesenta y tres transcripciones en tres meses. Aunque estaba desbordada, revisé todas y cada una de las que el emperador me envió.

«La mayoría de vuestros altos ministros son conservadores retrógrados —decía una—. Si su majestad desea confiar a ellos la reforma, sería como trepar a un árbol para pescar un pez.»

Kang insinuaba que los funcionarios de menor rango (como él mismo) fueran promocionados a la Oficina de la Reforma, pasando por encima de los «malhumorados chicos mayores».

No me permití alarmarme hasta que leí lo siguiente:

KANG YU-WEI: Su majestad debería concentrarse en la velocidad. Las potencias occidentales tardaron trescientos años en modernizarse. China es una nación más grande y es capaz de generar mucha más mano de obra. Yo anticipo que en tres años nos convertiremos en una superpotencia.
KUANG-HSU: No será tan fácil, ¿verdad?
KANG YU-WEI: Con mis estrategias y la determinación de su majestad, claro que lo será.

Pensé en que Li Hung-chang había comentado que Kang Yu-wei era un fanático y recordé una historia que Yung Lu me había contado. Se refería a un breve encuentro que había tenido con Kang fuera del salón de audiencias, donde ambos esperaban ser recibidos por el trono. Cuando Yung Lu le preguntó a Kang cuáles eran sus planes con respecto a los conservadores, este respondió: «Lo único que se necesita es decapitar a un par de funcionarios de primer rango», entre los cuales, por supuesto, se incluía el propio Yung Lu.

Aunque era fácil ser escéptico con Kang, intenté permanecer neutral. Me recordé a mí misma que yo podía estar ciega con mis propias limitaciones. China se había ganado la reputación de inflexibilidad, de una pretendida superioridad moral y de oponerse a cualquier tipo de cambio. Yo sabía que teníamos que cambiar, pero no estaba segura de cómo. Intenté morderme la lengua.

El trono se vio pillado en medio cuando la Corte se dividió en dos facciones: los reformistas contra los conservadores. Los amigos de Kang Yu-wei decían ser los representantes del emperador y tenían el apoyo del público, mientras que los Sombreros de Hierro manchúes, guiados por el príncipe Ts'eng, su hijo el príncipe Ts'eng y el hermano del emperador, el príncipe Ch'un, hijo, llamaban a sus contrarios «falsos expertos en reforma y asuntos occidentales». Los conservadores apodaron a Kang Yu-wei «el zorro salvaje» y «el bocazas».

Los Sombreros de Hierro le estaban haciendo el juego a Kang. De la noche a la mañana, sus ataques convirtieron a un fracasado letrado cantonés que estaba en la relativa oscuridad en un personaje de renombre nacional: «el principal consejero del trono para la reforma».

Los moderados de la Corte estaban en un aprieto. Las reformas que Yung Lu y Li Hung-chang habían puesto en marcha fueron barridas por los planes más radicales de Kang, y ahora ellos mismos estaban siendo obligados a tomar partido. Para empeorar las cosas, Kang Yu-wei se jactaba ante la prensa extranjera de que conocía íntimamente al emperador.

El 5 de septiembre de 1898, Kuang-hsu dictó un nuevo decreto declarando que había «dejado de interesarle podar ramas —que era un lenguaje de Kang Yu-wei— y quería arrancar las raíces podridas».

A los pocos días, el emperador destituyó a los consejeros imperiales junto con los gobernadores de las provincias de Cantón, Yunnan y Hupeh. Las verjas de mi palacio estaban bloqueadas porque los gobernadores y sus familias habían venido a Pekín en busca de mi apoyo. Me suplicaban que controlase al emperador.

Mi despacho se llenó de memorandos enviados por Kuang-hsu y sus oponentes. Me centré en estudiar a los nuevos amigos de mi hijo. Conmovida por su patriotismo, me preocupaba su ingenuidad política. Las opiniones radicales de Kang Yu-wei parecían haber cambiado el modo de pensar de mi hijo. Ahora Kuang-hsu creía que podía conseguir la reforma de la noche a la mañana si presionaba lo suficiente.

A medida que las hojas adquirían los colores del otoño, se

me hacía más difícil contenerme; sentía enormes tentaciones de entrometerme en las decisiones de mi hijo.

En medio de la agitación política, Li Hung-chang volvió de un viaje a Europa. Pidió una audiencia privada y le recibí con agrado. Me había traído un telescopio alemán y un pastel de España, y Li describió su viaje como una experiencia que le había abierto los ojos. Incluso parecía distinto; se había dejado la barba sin recortar. Respondiendo a su sugerencia de que yo también debería viajar, no puedo sino lamentar que la Corte ya hubiera rechazado la idea; a Kuang-hsu le preocupaba que pudieran atentar contra mi vida. La Corte creía que podían tomarme como rehén y que el precio del rescate fuera la soberanía de China.

Supuse que Li Hung-chang se había dejado crecer la barba para ocultar las cicatrices de la herida. Le pregunté si seguía molestándole la mandíbula, y me aseguró que ya no le dolía. Le pedí que me enseñara a usar el telescopio. Sacó la óptica, me enseñó a enfocarlo y me dijo que de noche podía ver planetas y estrellas lejanas.

—Al emperador le encantaría esto —exclamé maravillada.

—Intenté llevarle uno a su majestad —dijo Li—, pero me negaron la entrada.

—¿Por qué? —pregunté.

—Su majestad me destituyó el 7 de septiembre. —Li Hung-chang hablaba como si no le afectase—. Estoy sin trabajo y sin títulos.

—¿Le ha destituido? —No daba crédito a lo que había oído.

—Sí.

—Pero... mi hijo no me ha informado.

—Pronto lo hará, estoy seguro.

—¿Qué... qué va a hacer? —No sabía qué otra cosa decir, me sentía fatal.

—Con vuestro permiso, me gustaría abandonar Pekín. Quiero trasladarme a Cantón.

—¿Por eso ha venido, Li Hung-chang? —pregunté—. ¿Para informarme?

—Sí, he venido a despedirme, majestad. Mi estrecho colaborador S. S. Huan está preparado para serviros en todos los asuntos. Sin embargo, sería mejor mantenerlo alejado de la política de la familia real.

Le pregunté a Li Hung-chang quién le sustituiría en el frente diplomático.

—El príncipe I-kuang ha sido elegido por la Corte, por lo que tengo entendido —respondió Li.

Me sentí desolada.

Li movió la cabeza ligeramente y sonrió. Parecía frágil y resignado a su destino.

Nos sentamos contemplando el exótico pastel que teníamos delante.

Después de mirar cómo mi amigo desaparecía atravesando un largo pasillo, me senté en mi habitación durante el resto de la tarde.

Poco antes de oscurecer oí fuertes ruidos en la verja principal. Li Lien-ying entró con un mensaje de Yung Lu, que se había unido a la multitud que desde fuera me suplicaba que frenara al emperador.

Kang Yu-wei ha dicho a su majestad que dictara sentencias de muerte para los funcionarios que rechazaran su destitución —decía el mensaje de Yung Lu—. Me han ordenado que arreste a Li Hung-chang, pues los reformistas creen que ha sido la principal traba. Estoy seguro de que no tardaré en recibir la orden de mi propia ejecución.

¿Debía abrir la puerta? Las cosas parecían desmoronarse. ¿Cómo podría sobrevivir la dinastía sin Li Hung-chang y Yung Lu?

—Los ministros y funcionarios recién destituidos han venido a arrodillarse ante la verja de palacio. —Li Lien-ying parecía agobiado.

Salí y crucé el jardín y miré a través de la verja. Proyectando largas sombras en la luz moribunda, la multitud estaba arrodillada.

—Ábrela —le dije a Li Lien-ying.

Dos de mis eunucos empujaron la verja hasta abrirla.

La multitud enmudeció en el instante en que aparecí en la terraza.

Esperaban que dijera algo, y tuve que morderme la lengua para tragarme mis palabras.

Recordé la promesa que le había hecho a Kuang-hsu. Mi hijo estaba ejerciendo sus derechos como emperador, me dije a mí misma. Merecía completa independencia.

La multitud permaneció de rodillas. Me dolió ver que la gente tenía muchas esperanzas depositadas en mí.

Di media vuelta y le dije a Li Lien-ying que cerrara la verja.

Detrás de mí la multitud se agitó, se puso en pie y su rumor se hizo cada vez más fuerte.

Más tarde me enteraría de que Yung Lu tenía otros motivos para unirse a los funcionarios despedidos. Mientras trabajaba en la fundación de la marina, tenía el ojo puesto en los gobiernos extranjeros para asegurarse de que estaban en contacto con elementos subversivos de China. Sin embargo, el servicio de información decía que misioneros británicos y americanos y aventureros ingleses de formación militar estaban agitando en secreto a la gente a favor de la monarquía constitucional. Aunque el verdadero propósito de Yung Lu era evitar que le forzasen a tomar medidas enérgicas contra la reforma, que por aquel entonces ya se había convertido en un movimiento de ámbito nacional, estaba en especial alarmado por el alto nivel de actividad subversiva que se desarrollaba en la legación japonesa. Los agentes sospechosos eran miembros de la Sociedad Genyosha, los ultranacionalistas responsables del asesinato de la reina Min de Corea.

El príncipe Ts'eng, su hijo y el hijo del príncipe Ch'un estaban convencidos de que Kang Yu-wei estaba apoyado por las potencias extranjeras como cobertura de un golpe de Estado.

«La confianza del emperador en Kang Yu-wei ha hecho mi trabajo imposible», me decía Yung Lu en un mensaje.

«No tengo más remedio que apoyar al trono —le respondí a Yung Lu por escrito—. De ti depende sofocar cualquier levantamiento.»

Una mañana temprano, Yung Lu apareció sin anunciarse en mi palacio.

—Ito Hirobumi viene de camino hacia Pekín.

Ito había sido el arquitecto de la Restauración Meiji de Japón y primer ministro durante nuestra reciente guerra. Había tenido un papel destacado en el asesinato de la reina Min.

—¿Y... no tiene miedo Ito? —pregunté—. Kuang-hsu podría ordenar su decapitación por lo que Japón ha hecho a China.

Yung Lu guardó un instante de silencio y luego respondió:

—Majestad, Ito viene como invitado del emperador.

—¿Mi hijo le ha invitado?

—Ito afirma que se ha retirado de la política y ahora es un ciudadano de a pie.

—¿Sabe Li Hung-chang algo de esto?

—Sí. En realidad me ha enviado. Aunque Li siente que su papel ya no es ofrecer consejo al trono, no quiere que os enteréis de las noticias por los Sombreros de Hierro.

—Sus enemigos lo acusan de actuar solo en beneficio propio, pero nuestro amigo siempre ha encarnado la parte más amable y sabia del carácter chino.

Yung Lu estuvo de acuerdo conmigo.

—Li se niega a ofrecer a los Sombreros de Hierro la oportunidad de poner en peligro los planes de reforma del emperador.

Según mi hijo, la visita de Ito fue organizada por Kang Yu-wei y dispuesta por su discípulo, un estudiante y aventurero de veintitrés años llamado Tan Shih-tung. Recordé que Tan había escrito un extraordinario ensayo analítico sobre Japón, y que conocía a su padre, el gobernador de Hupeh.

Al igual que su maestro Kang Yu-wei, Tan también había suspendido el examen para el funcionariado nacional. Se decía que había calificado el puesto en el gobierno que su padre le había ofrecido antaño como «un trabajo de pordiosero». Junto con Kang Yu-wei, Tan se hizo famoso por publicar cartas condenando el sistema de exámenes imperial. Era el segundo de a bordo del nuevo gabinete del emperador.

En mi opinión, la creencia de Tan en Ito como salvador de China era ingenua y peligrosa. No me cabía ninguna duda sobre la capacidad de Ito para manipular al emperador, así que no tenía ningún sentido intentar convencer a mi hijo para que despidiera a Ito.

—Sería una tontería que os invitarais al encuentro. —Yung Lu me ofreció su opinión mientras discutíamos la reunión de Kuang-hsu con el japonés—. Simplemente guardarían silencio y buscarían otra oportunidad para encontrarse en privado.

En los próximos días, Yung Lu y yo buscamos el consejo de Li Hung-chang.

—El servicio de información japonés ya se ha convertido en parte del tejido de nuestra sociedad, tal como hizo en Corea —advertía Li en una carta—. La jugada de Ito acrecentará la penetración japonesa.

Supliqué a Li Hung-chang que viajara al norte para prestarnos su ayuda.

—Debe recibir personalmente a Ito usted mismo, para que sepa que mi hijo no está solo.

Li no respondió a esta súplica, así que lo convoqué de manera oficial. Sentía la necesidad de que me diera su consejo en persona. No había modo de saber lo que podía pasar, sobre todo si mi hijo no decía ni una palabra de sus planes.

Al acabar el día, cuando Yung Lu se fue, me venció la desilusión. Li Hung-chang no me había respondido aún, y yo estaba agotada ante la mera mención del nombre de Ito. Comprendía la fascinación que mi hijo sentía por el personaje, pero si se reunían, Ito pronto descubriría las carencias del emperador de China.

Temía que mi hijo se apresurase a reemplazar el bloque de poder feudal chino por simpatizantes japoneses. En realidad, ya había empezado a hacer esto. El nombramiento de Tan, el erudito projaponés, como emisario entre Ito y Kuang-hsu solo era un preludio. El emperador tenía la fantasía de que China era una potencia influyente entre las modernas naciones industriales; pero Japón tenía la última palabra. Y mi hijo no se daría cuenta.

El 11 de septiembre de 1898, Yung Lu dio la bienvenida a Ito Hirobumi a China. El ex primer ministro fue recibido en Tientsin. Pocos días más tarde, a su llegada a Pekín por tren, Li Hung-chang se reunió con él.

Yung Lu tenía pocas palabras para describir al invitado. Era como si deseara olvidar la experiencia lo antes posible.

—He recibido cinco mensajes del trono pidiéndome que llevara a Ito a la Ciudad Prohibida —dijo Yung Lu.

Aunque me contó que se sintió incómodo durante todo el tiempo que duró la recepción, se esforzó en mostrar hospitalidad.

—Ito debió de notar que nuestra bienvenida no era sincera —comentó Yung Lu—. No sé cómo conseguía mantener el tipo y ofrecer su gratitud.

Li Hung-chang me dio más detalles.

—Ito se comporta al estilo de un samurái —dijo Li.

En su opinión, Ito era un genio. Li le envidiaba el servicio que había prestado al emperador japonés y el éxito que había tenido en la reforma de su país. Li nunca olvidaría la humillación que había sufrido ante Ito en la mesa de negociaciones.

—Ito no tenía vergüenza, ni virtud, ni piedad. También era el héroe de su país.

Recuerdo las noches en que Li negociaba el Tratado de Shimonoseki. Yo contaba cada tael que habíamos pagado como compensación de guerra, cada hectárea de tierra de la que nos habíamos visto obligados a desprendernos. Los telegramas de Li Hung-chang llegaban como una tormenta de nieve en enero. Mi eunuco se dejó las suelas de los zapatos llevando mensajes entre Li Hung-chang y yo.

Intentar que Kuang-hsu apreciara los esfuerzos negociadores de Li había sido como hablar con la Gran Muralla.

—Al menos deberías reconocer que Li Hung-chang ha estado cargando con una culpa que es nuestra.

—Li Hung-chang solo merece nuestro desprecio —había respondido Kuang-hsu.

Bajo la influencia de Kang Yu-wei, mi hijo dejó de lado los telegramas que Li le envió relativos a la visita de Ito.

Yo estaba preocupada y le dije a mi hijo:

—No te canses porque Li es el que está soportando la carga más pesada.

—Bueno, no lo necesito. Lo despedí hace mucho tiempo. Eres tú la que lo ha vuelto a invitar.

—¡Lo he invitado porque Rusia y Japón no hablarán de paz con nadie más!

—Madre, ¿no te parece sospechoso?

—¿Qué?

—¿Los contactos extranjeros de Li?

Cuando supe que mi hijo había vuelto a despedir a Li Hung-chang, me negué a hablar con él durante días. Kuang-hsu hacía que sus eunucos me trajeran sopa de semilla de loto, pero no iba a disculparse.

Conservé los telegramas de Li hasta que Kuang-hsu anunció que no soportaba volver a oír el nombre de Li Hung-chang. Mi hijo insistía en que China estaría mejor sin él.

En lugar de reconocer la devoción de Li Hung-chang, mi hijo creía que cualquier acontecimiento negativo era obra de la manipulación de Li.

Empecé a caer en la cuenta de que Kuang-hsu vivía en su propio mundo de fantasía. Al igual que su mentor, el tutor Weng, al que acababa de despedir, odiaba pero también sentía veneración por Japón. En el futuro me culparía a mí misma por creer que mi hijo sería capaz de juzgar con acierto.

Kuang-hsu me despreciaba por seguir buscando la ayuda de Li Hung-chang, y yo me despreciaba a mí misma por ser incapaz de acabar con el conflicto.

En respuesta al edicto del trono: «Ito no representa ninguna amenaza para China», Li escribió un memorando:

> A los ojos del mundo, Ito da la impresión de que es un partidario de la cultura china. Podría ser un moderado, podría haberse opuesto a los auténticos jefes políticos de Japón, como el militarista Yamagata Aritomo y otros padrinos de la Genyosha, pero sin embargo dirigió la guerra chino-japonesa. China cayó en un pozo profundo debido a su autoindulgencia y a su ignorancia, mientras Japón ha demostrado ser capaz de derribar pesadas rocas.

Me habría gustado poder decir a mi hijo lo mucho que odiaba a Ito.

—¡Ve a hablar con el emperador de Japón de hombre a hombre en lugar de culpar a Li Hung-chang! —quería gritarle.

Tenía razones para no responder a los ataques que desde fuera y dentro del país se emprendían contra mí. Era para asegurarme de que a mi hijo no le harían responsable de sus posibles fracasos. En ese sentido traicioné a Li Hung-chang; al olvidar deliberadamente sus advertencias, hice de Li un chivo expiatorio. Por mi parte, fue una traición a mí misma por encima de todo.

Me preguntaba si Li se arrepentiría de su devoción.

El perdón era un regalo que yo no podía permitirme, pero que por suerte recibí de Li Hung-chang.

No había otro modo de amar a mi hijo.

Kuang-hsu quería demostrarme que él e Ito podían ser amigos. Yo no sabía que habían acordado reunirse en privado antes del encuentro oficial del 20 de septiembre, al que yo estaba invitada.

A mí me resultaba imposible concentrarme en otra cosa. Las palabras de mi hijo traían peligrosos ecos a mis oídos.

—¡Madre, Ito solo quiere ayudarme!

Intenté trabajar el tema de la confianza, pero mi hijo ya estaba convencido.

No quería sacar a relucir el informe del espía de Yung Lu, pero sentía que no podía permitirme el lujo de ocultarlo.

—Yamagata ha puesto en movimiento las intrigas de Japón —le dije a Kuang-hsu—. Yamagata es el principal promotor de la expansión japonesa y un noble protegido por la Genyosha.

—No tienes pruebas de que Ito pertenezca a la Genyosha. —Mi hijo estaba muy molesto—. ¡Yung Lu ha falseado esta información para evitar que me reúna con Ito!

—¿No crees que deberíamos confiar más en Yung Lu y Li Hung-chang que en Ito? —le supliqué.

—Lo único que puedo decir es que Yung Lu se ha convertido a sí mismo en un obstáculo para la reforma. Debería haberle cesado.

Fui a sentarme, debilitada por lo que estaba oyendo.

—Voy a destituir a Yung Lu, madre —dijo Kuang-hsu en tono categórico.

—¡Por el amor del cielo, Yung Lu es el último general manchú que moriría por ti! —grité.

Mi hijo se marchó furioso.

Al cabo de dos días envié una disculpa a Kuang-hsu junto con un telegrama de Li Hung-chang que acababa de llegar. Decía así:

> La red de espías tramada por agentes de la Genyosha ha estado actuando bajo la cobertura de un sindicato farmacéutico con el nombre de «Salón de los Deleites Placenteros». Para mantener su secreto, los espías viajan por el país como si fueran vendedores. No hay pruebas que demuestren que el ejército, la marina, la diplomacia y los representantes de las grandes corporaciones de negocios japonesas, los zaibatsu, no estén detrás de los asesinatos, secuestros y extorsiones de la Genyosha.

32

Las reuniones secretas del emperador con Ito provocaron una reacción violenta entre los conservadores de la Corte. Liderados por el príncipe Ts'eng, los Sombreros de Hierro me presionaban para que sustituyera a Kuang-hsu en el trono. Al mismo tiempo, Ts'eng preparaba sus tropas musulmanas en el noroeste para trasladarlas hacia Pekín. Yo me veía sorprendida en medio, incapaz de decidir e incapaz de salir.

Cuando el ministro del Cementerio Real requirió mi presencia para una inspección, lo utilicé como excusa para escapar de la Ciudad Prohibida. Li Lien-ying contrató un carpintero para que me hiciera un asiento ajustable para mi carruaje de caballos y poder viajar en posición reclinada. Boté y dormité durante los tres días de viaje en que cubrí los ciento veinticinco kilómetros que separaban Pekín de la provincia de Hupeh.

Cuando llegué al cementerio era temprano por la mañana. El cielo estaba cubierto y una fina neblina caía sobre los ríos azules. Puentes blancos, tejados dorados, murallas rojas y cipreses formaban un panorama de impresionante belleza. El ministro del Cementerio me saludó en la Gran Avenida Sacra. Un hombre mayor casi sordo, se disculpó por el polvo y el barro y dijo que la tumba de Nuharoo estaba siendo reparada.

—Los animales salvajes han excavado la tierra y han estropeado el sistema de drenaje —explicó el ministro—. Algunas tumbas, entre ellas la de la emperatriz Nuharoo, se inundaron durante la última tormenta.

Pensé en que Nuharoo habría odiado la inundación.

—¿Cuándo se acabarán las reparaciones?

—Me avergüenza decir que no puedo daros una fecha exacta —respondió—. El trabajo ha sido esporádico. A veces tenemos que quedarnos de brazos cruzados durante semanas mientras solicito más dinero.

Me guiaron a mi propia tumba, que parecía bien conservada.

—También se inundó, pero la reparación tuvo la máxima prioridad. —El ministro no fue humilde a la hora de ponerse medallas.

Mi tumba estaba junto a la de Nuharoo como la de una hermana gemela. Cuando Tung Chih ascendió al trono en 1862, ordenó que empezara la construcción de nuestras tumbas. Tardaron trece años en acabar la tumba exterior y otros cinco la interior.

Al haber alcanzado los sesenta y tres años de edad, me había familiarizado con el proceso de la muerte. Seguía asistiendo a ceremonias expiatorias siempre que podía. Veneraba a los dioses de todas las religiones, no solo a Buda. Creía en prestar atención a la fuerza de la energía de mi interior. No todo el mundo tendría la suerte de lograr el Gran Vacío, pero yo entendía que tenía que intentarlo. Luchaba por equilibrar el yin y el yang, por difícil que pareciera.

Mientras la nación aplaudía el cese de los llamados funcionarios corruptos por parte de Kuang-hsu, pocos edictos del trono se ejecutaban, lo cual quería decir que la reforma no había hecho ningún progreso importante. Kuang-hsu esperaba cosechar el éxito de sus reformas a final de año, pero lo único que parecía avecinarse era una guerra contra Japón.

«Jóvenes japonesas están ofreciendo su virginidad a los soldados que se presenten voluntarios para prestar servicio en China», informaba un periódico de Pekín.

Kuang-hsu trabajaba a puerta cerrada con sus amigos reformistas en el Salón de la Nutrición Espiritual hasta que «los gansos salvajes surcaran el cielo del ocaso», según los eunucos. El país estaba al borde del caos. Los ministros y los funcionarios que habían sido destituidos seguían arrodillados frente a la verja principal de mi palacio, mientras que los Sombreros de Hierro entrenaban a sus tropas musulmanas.

Me miraba al espejo y me venía a la mente un proverbio: «El barco se hunde cuando viaja una mujer a bordo». Nunca antes lo había creído. Por el contrario, pretendía ponerme como prueba de que no era cierto, pero este pensamiento persistía: «¡El barco de Hsien Feng se había hundido! ¡El barco de Tung Chih se había hundido! ¡Y ahora el de Kuang-hsu, con todos a bordo!».

Cuando le conté mi reciente viaje al cementerio real, Kuang-hsu demostró muy poco interés. Ya era hora de empezar la construcción de su propia tumba, pero me habían dicho que no se podían conseguir fondos.

—Hubo emperadores manchúes que no fueron enterrados en el cementerio real —me respondió cuando imploré a mi hijo que encontrara el modo de financiar el proyecto.

—Fue fruto de las circunstancias, no lo eligieron ellos. —Le conté a Kuang-hsu que me dolía pensar que sería excluido del cementerio familiar.

—Si consigo recaudar algún dinero, lo destinaré a la reforma —dijo Kuang-hsu.

A través de la cortina transparente, observaba a Ito Hirobumi. Yo me sentaba en un rincón del Gran Salón, donde podía ver al invitado, pero él no podía verme.

Ito se sentaba enfrente de mi hijo vestido con un sencillo traje azul japonés, que reflejaba su posición tal como Li Hung-chang la había descrito, la de un «ciudadano particular en su tiempo libre». Las manos de Ito descansaban sobre las rodillas. Tenía la espalda recta y la barbilla baja.

Mi hijo, aún vestido con la túnica del dragón dorada de emperador, se sentaba como un pupilo, mientras se inclinaba hacia delante para escuchar. Un conjunto de cuerdas y gongs interpretaba bajito una música antigua de fondo. Los gongs pretendían evocar lejanos tiempos pacíficos, pero a mí me parecían explosivos; cañones japoneses destruyendo nuestra flota. Me esforcé en separar el hombre humilde que tenía delante del asesino de la reina Min. Intenté verlo a través de los ojos de mi hijo.

Los dos hombres intercambiaron unas palabras sobre el tiempo y la salud de cada uno. Mi hijo le preguntó si la comida china era del agrado del invitado. Ito respondió que no había mejor cocina en el mundo que la china.

Esperaba tener una conversación de importante cariz político, pero no fue así.

El invitado empezó a hablar de sus poetas chinos favoritos y a recitar:

—«Mientras los haces de luna bailaban en la cresta de las olas allí donde el agua toca el cielo...»

Mi hijo sonreía y tomaba el té.

—En Japón —dijo Ito en tono amable—, solo a los niños de las clases privilegiadas se les enseña poesía china, y solo la nobleza puede leer y escribir mandarín.

Su voz estaba llena de admiración.

Kuang-hsu asentía respetuosamente, enderezando los hombros y luego hundiéndose en su sillón.

Cuando el reloj dio cuatro campanadas, apareció el ministro del Interior y declaró que la recepción imperial había acabado.

Yo me retiré en silencio antes de que se levantaran los dos hombres.

El ministro de Seguridad Nacional, que trabajaba directamente para Yung Lu, me envió un memorando. Me pedía permiso para dictar un aviso de violación de la ley para Kang Yu-wei. Nuestro espía había descubierto que el reformista había ido a la embajada japonesa, donde supuestamente se había reunido con Ito.

«Mi hijo se sentiría ofendido», fue lo primero que me vino a la mente. Kuang-hsu consideraría tal aviso como un ataque personal de Yung Lu contra él.

Envié a buscar a Yung Lu y le pregunté si era consciente de las relaciones entre el Ministerio de Seguridad Nacional y los Sombreros de Hierro del príncipe Ts'eng, cuya meta era sustituir a mi hijo en el trono.

Yung Lu dijo que conocía la conexión. Estaba de acuerdo conmigo en que «al intentar matar la mosca, podíamos acabar haciendo añicos el vaso».

Le pregunté qué podíamos hacer.

—Tiene que ser decisión vuestra, majestad.

Protesté y dije que mi prioridad era evitar poner en peligro el plan de reforma del emperador.

—Mi hijo debería ser quien dictara el aviso para Kang. No puedo hablar de que lo haga hasta que me proporciones pruebas contundentes de que las actividades de Kang amenazan la seguridad de la nación.

—Es imposible probar todos los hechos en este momento —dijo Yung Lu.

—Entonces no puedo conceder el permiso al ministro.

Yung Lu dijo tranquilamente que si no se le permitía hacer su trabajo, dimitiría.

—No me abandonarás —fue mi respuesta.

Permanecimos sentados mirándonos durante un largo rato.

—Dejasteis ir a Li Hung-chang —dijo.

—Tú no eres Li Hung-chang.

—No puedo trabajar con vuestro hijo. ¡Él no me respeta y cree que no me necesita!

—¡Yo te necesito! —Se me escaparon las lágrimas.

Yung Lu suspiró sacudiendo la cabeza.

Mi hijo me hizo saber que el reformista Kang Yu-wei decía ser amigo de embajadores de todo el mundo.

—¿Y qué hay de Li Hung-chang? —le pregunté a mi hijo—. Li se ha reunido realmente con los «auténticos tigres» y ha negociado con ellos durante años.

—Claro que Li ha negociado, pero para él mismo, no para China.

—Li Hung-chang ha estado detrás de cada reforma importante —intenté calmarlo.

—¡Pero no ha exigido una reforma política completa! —Mi hijo ya no podía bajar la voz.

—Kuang-hsu, exigir un cambio tan radical podría significar que fueras derrocado...

El emperador se echó a reír.

—¡Tal como están las cosas, soy un emperador sin imperio! No tengo nada que perder.

—Deja que te haga una pregunta: ¿Sabes por qué Japón impidió que los aliados prendieran fuego a la Ciudad Prohibida en 1861?

Kuang-hsu negó con la cabeza.

—Porque los planes del emperador japonés eran vivir aquí algún día.

—¡Otra astuta historia de Li Hung-chang y Yung Lu!

—Tengo pruebas, hijo mío.

—Madre, nada de lo que diga te convencerá de que Ito no

es un monstruo. Lo único que te pido es que tengas paciencia. Por favor, júzgame por los resultados. Mis planes aún no han surtido efecto.

En la voz de Kuang-hsu había un eco de seguridad en sí mismo. Recordé los días en que temía el sonido del trueno, cuando temblaba en mis brazos. ¿Qué más podía o debía pedirle?

33

El reformista pasaba las noches en la Ciudad Prohibida y discutía la puesta en marcha de los planes de reforma con el trono», los periódicos extranjeros reproducían las mentiras de Kang Yu-wei un día y otro día. Cualquiera que estuviera familiarizado con la ley imperial sabría que un plebeyo no puede pasar la noche en la Ciudad Prohibida. Hasta que no leí: «La solución para la reforma de China es privar permanentemente a la Emperatriz Viuda de su poder», no entendí lo que se proponía Kang Yu-wei.

No quería que el mundo pensase que Kang me importaba ni que él tenía capacidad de manipular a mi hijo. Sus mentiras saldrían a la luz en cuanto mi hijo se afianzase en el trono y yo pudiera retirarme del todo. Los ciudadanos del mundo verían con sus propios ojos lo que me proponía hacer.

Me hice un favor a mí misma y empecé a usar pelucas. Gracias a Li Lien-ying, que había recibido una formación de peluquero, podía dormir media hora más cada mañana. Sus pelucas eran magníficas, con preciosos ornamentos, y muy cómodas de llevar.

En junio decidí volver a mudarme al Palacio de Verano. Aunque había vivido muy cómoda con Kuang-hsu en Yingt'ai, nuestro cercano pabellón de la isla, me di cuenta de que él necesitaba salir de debajo de mi ala. Nunca lo había expresado, pero sabía que le molestaba el hecho de que mis eunucos pudieran ver a todo el que entraba y salía de sus aposentos. A Kuang-hsu le preocupaba exponer a sus amigos a las iras de los Sombreros de Hierro, que solo pretendían hacerles daño. Yo también pensaba que el emperador tenía motivos para preocuparse: si los sobornaban, mis eunucos traicionarían a cualquiera.

Los conservadores de la Corte no se alegraron de mi traslado porque esperaban que espiase al trono para ellos. Creía que mi hijo conocía mis intenciones y confiaba en mí a pesar de nuestros crecientes desacuerdos. Dejar solo a Kuang-hsu significaba otorgarle toda mi confianza, que era la mayor ayuda que le podía ofrecer.

Por las noches, cuando acababa de bañarme, Li Lien-ying encendía las velas perfumadas de jazmín. Mientras leía las últimas comunicaciones de Kuang-hsu poniéndome al día, mi eunuco se sentaba a los pies de mi cama con su cesta de bambú llena de herramientas. Allí trabajaba en mis nuevas pelucas. Cuando mis ojos se cansaban de leer, yo miraba cómo cosía joyas, trozos de jade y cristal tallado en una peluca. A diferencia de An-te-hai, que se expresó a sí mismo desafiando su destino, Li Lien-ying encontró una manera de expresarse a través de la elaboración de pelucas. Los primeros años después del asesinato de An-te-hai, yo me sentía sola y deprimida e incluso sospechaba que Li Lien-ying había tenido algo que ver en su muerte.

—Tú estabas celoso de An-te-hai —le acusé una vez—. ¿Le echaste secretamente una maldición para poder ocupar su puesto? —Le dije a Li Lien-ying que él nunca conseguiría lo que quería si yo descubría que había estado implicado en la muerte de An-te-hai.

Mi eunuco dejó que las pelucas hablaran por él. Nunca le molestaron mis modales tempestuosos. Hasta que no vi que sus pelucas mejoraron mi aspecto no empecé a confiar realmente en él. Después de cumplir los sesenta, se me hizo cada vez más duro estar a la altura de la expectativa de parecerme a la diosa Kuan-yin. Li Lien-ying atendía mis necesidades igual que lo había hecho An-te-hai.

Cuando le pregunté por qué me soportaba, respondió:

—El mayor sueño de un eunuco es que su ama lo eche de menos cuando muera. Me consuela que no os hayáis repuesto de lo de An-te-hai. Significa que también me echaríais de menos si muriera mañana.

—Me temo que debo continuar viviendo para poder exhibir tus preciosas pelucas —bromeé—. Soy tan pobre que cuando muera probablemente solo podré dejarte las pelucas.

—No podría tener mejor suerte, mi señora.

Cuando la glicinia trepó por el enrejado aún no estuve en situación de retirarme. La incapacidad de Kuang-hsu para ejercer el control sobre la Corte lo dejaba en una posición vulnerable. Se había ganado la enemistad de todos y cada uno de los miembros más ancianos de la vieja Corte, y sus nuevos consejeros no tenían la influencia política y militar que requería una acción eficaz. No se había llevado a cabo ninguna reforma esencial, y parecía que todo el programa de cambios de Kuang-hsu se estaba esfumando.

Yo lo perdería todo si se frustraban las reformas de Kuang-hsu. Me vería obligada a sustituirlo otra vez, y eso me costaría el retiro: tendría que volver a empezar, a elegir y a criar otro niño que algún día pudiera gobernar China.

La misma frustración me producía el hecho de que las consecuencias del despido de Li Hung-chang empezaran a ponerse en evidencia. La esperada industrialización del campo se había parado. Todo aguardaba a Li Hung-chang, el único hombre con las relaciones internacionales y nacionales necesarias para que las cosas se llevaran a cabo.

Yung Lu seguía desempeñando su deber en el frente militar, pero solo porque yo intervine en el último minuto para evitar que mi hijo lo despidiera. Hechizado por el reformista, Kuang-hsu se volvía cada vez más radical en sus acciones. Cada vez se hacía más difícil para mí comprender su lógica.

El emperador seguía insistiendo en que Yung Lu y Li Hung-chang eran un obstáculo para el progreso.

—¡Pero sobre todo —dijo con lágrimas amargas en los ojos—, es tu sombra que aún se sienta detrás de la cortina!

Dejé de dar explicaciones. No podía hacer entender a Kuang-hsu que yo tenía que seguir comprometida. Le había dado permiso para destituir a Li Hung-chang, pero de inmediato había empezado a preparar el terreno para su regreso. Era solo cuestión de tiempo que el emperador descubriera que no podría funcionar sin Li y tendría que reparar su relación con él, y también con Yung Lu. Yo serviría de nexo de unión, así ninguna parte tendría que arriesgarse a perder su prestigio y reputación. Y resultaba que, por mucho que mi hijo los hiciera rabiar y los humillara, los dos hombres siempre regresaban.

«El fallo de un dique de mil kilómetros empieza con una colonia de hormigas.» Así comenzaba el mensaje que Li Hung-chang me envió en 1898 advirtiéndome que existía una conspiración extranjera contra mí. El objetivo era hacer de Kuang-hsu un rey títere.

No podía decir que me sorprendiera. Era consciente de que mi hijo se había dejado llevar por su visión de una nueva China, reactivada por su propia mano. Pero prefería no saberlo porque no podía soportar seguir luchando contra él. Quería complacerle para que no pensara en otra cosa más que en mi amor.

Mientras yo admiraba las flores de loto que se mecían en la dulce brisa del lago Kun Ming, el reformista Kang Yu-wei se ponía secretamente en contacto con el general Yuan Shih-kai, la mano derecha de Yung Lu en el ejército. No tenía ni idea de que el permiso que Kuang-hsu había dado a Kang para «disfrutar de un acceso ilimitado a la Ciudad Prohibida» se extendía hasta la puerta de mi dormitorio.

Una semana después del ataque difamatorio que la prensa extranjera lanzó contra mí, recibí una carta formal de Kuang-hsu. Después de ver los familiares sellos y abrir el sobre, no daba crédito a lo que estaba leyendo: una petición para trasladar la capital a Shanghai.

Me fue imposible mantener la calma. Mandé llamar a mi hijo y le dije que sería mejor que me diera una buena razón para poner en práctica una idea tan descabellada.

—El *feng shui* de Pekín me perjudica —fue todo lo que podía decir.

Intenté impedir que un fuerte «no» saliera de mi garganta.

Kuang-hsu estaba de pie junto a la puerta como si se preparase para salir huyendo.

Yo paseaba por la habitación, entonces me di la vuelta y le miré. La luz del sol incidía sobre su túnica, haciendo centellear sus accesorios. Estaba pálido.

—Mírame a los ojos, hijo.

No podía; los mantenía fijos en el suelo.

—A lo largo de la historia —dije—, solo el emperador de una dinastía caída, como los Song, trasladaron la capital. Y eso no salvó la dinastía.

—Tengo una audiencia aguardándome —dijo tajantemente Kuang-hsu. No quería seguir escuchando lo que le estaba diciendo—. Debo irme.

—¿Qué vas a hacer con la inspección militar de Tientsin? Ya ha sido programada. —Le di alcance en la verja.

—No voy a ir.

—¿Por qué? Podrías enterarte de lo que Yung Lu y el general Yuan Shih-kai están haciendo.

Kuang-hsu se detuvo. Giró su cuerpo en un ángulo extraño y puso las manos hacia la pared.

—Tú sí irás, ¿verdad? —Me miró muy nervioso, sus ojos parpadeaban involuntariamente—. ¿Quién más? ¿El príncipe Ts'eng? ¿El príncipe Ch'un, hijo? ¿Quién más?

—Kuang-hsu, ¿qué te pasa? Fue idea tuya.

—¿Cuánta gente?

—¿Cuál es el problema?

—¡Quiero saberlo!

—Solo tú y yo.

—¿Por qué Tientsin? ¿Por qué una inspección militar? ¿Hay algo que quieras hacer allí? —Su rostro estaba a pocos milímetros del mío—. Es un montaje, ¿verdad?

Como si repentinamente el miedo lo atenazase, el cuerpo de Kuang-hsu empezó a temblar. Se sujetó a la pared como si intentara conquistarla. El momento hizo que me remontara a su infancia, cuando una vez dejó de respirar después de oír una historia de fantasmas.

—Ahora mismo te explico los motivos por los que voy a ir —dije—. En primer lugar, me gustaría averiguar si los préstamos extranjeros que pedimos se han gastado realmente en nuestras defensas. En segundo lugar, me gustaría rendir honores a nuestras tropas. Quiero que el mundo, y en especial Japón, sepa que China está en vías de tener un ejército moderno.

Kuang-hsu seguía estando tenso, pero por fin se permitió respirar.

Tardé diez días en conseguir que me explicara lo que se le había pasado por la mente. Sus consejeros le dijeron que yo planeaba usar el acontecimiento militar para deponerlo.

—Están preocupados por mi seguridad.

Me eché a reír.

—Si quisiera destronarte, sería mucho más fácil hacerlo dentro de la Ciudad Prohibida.

Kuang-hsu se limpió el sudor de la cara y de ambas manos.

—No quiero correr el riesgo.

—Como sabes, ha habido propuestas referentes a tu sustitución.

—¿Qué opinas de las propuestas, madre?

—¿Qué pienso? ¿Aún estás sentado en el trono del dragón?

—El modo en que escuchas a los Sombreros de Hierro hace que me preocupe por si estás cambiando de opinión sobre mí. —Kuang-hsu humilló los ojos, pero habló muy claro.

—Claro que los escucho. Tengo que hacerlo para jugar limpio. Debo escuchar o fingir que escucho a todo el mundo. Así es como te protejo.

—¿Has hecho tuya la idea del príncipe Ts'eng?

—Depende. Quedaría como una idiota si eso sucede. Quiero que el mundo piense que sabía lo que estaba haciendo cuando te elegí para ser emperador de China.

—¿Y trasladar la capital a Shanghai?

—¿Quién sería responsable de tu seguridad en Shanghai? Al fin y al cabo, está más cerca de Japón. El asesinato de la reina Min y el atentado frustrado contra Li Hung-chang ciertamente no fueron accidentales.

—Eso a mí no me pasará, madre.

—¿Qué haría yo si te pasara? Solo yo sé lo que Japón exigiría a cambio de tu vida. Ito sumaría a su colección el esplendor arquitectónico de la Ciudad Prohibida.

—Kang Yu-wei me ha garantizado mi seguridad.

—Trasladar la capital a Shanghai es una mala idea.

—Le he dado a Kang Yu-wei mi palabra de que haré lo que sea para conseguir la reforma.

—Deja que me reúna con Kang Yu-wei yo misma. Ya es hora.

34

Tal vez porque temía que Kang Yu-wei no fuera escuchado con imparcialidad por mi parte o tal vez porque tenía sus dudas sobre el reformista, mi hijo le ordenó que se trasladara a Shanghai y dirigiera un periódico local. Kang desobedeció este edicto imperial. El reformista diría más tarde al mundo que el emperador se vio obligado a alejarlo y que él, «a pesar del peligro, se quedó en Pekín para rescatar el trono».

En cualquier caso, yo no insistí en tener una reunión con Kang Yu-wei porque algo más acuciante reclamaba mi atención. Un ataque de unos campesinos de tierra adentro a unos misioneros extranjeros provocó un incidente internacional. Supuse que los Sombreros de Hierro del príncipe Ts'eng estuvieron alentando en secreto a los campesinos. Como yo no denuncié al príncipe ni a los campesinos que causaron los problemas, los periódicos extranjeros pronto me tacharon de «sospechosa asesina». Mientras tanto, el supuesto conflicto entre mi hijo y yo, que había sido fabricado y difundido por Kang Yu-wei, llevó a las masas a creer que había un «partido del Trono» y un «partido de la Emperatriz Viuda». Empezaban a describirme como un «genio de maldad».

Era ingenuo por mi parte pensar que la tensión levantada por el incidente podía distenderse sin el uso de la fuerza. Hablé con mis ministros sobre el poder de la superstición entre los granjeros chinos, y que no debíamos tomarnos a broma su creencia en que el agua oxidada que goteaba de los herrumbrosos alambres del telégrafo era «sangre de espíritus ultrajados». Recalqué que solo mediante el respeto y la comprensión podríamos empezar a educar a los campesinos.

Mandé llamar a Li Hung-chang a Pekín otra vez. El ferrocarril que él mismo había defendido y construido lo trajo en un abrir y cerrar de ojos. Li habló en mi nombre ante una audiencia de la corte sobre cómo influir en los expertos provinciales en *feng shui*.

—Solo el dinero les tirará de la lengua —fue su conclusión—. Ese es el único modo de que podamos seguir construyendo ferrocarriles y levantando postes de telégrafo por todo el país.

También animé a Li a que informara a los funcionarios y misioneros extranjeros.

—Quiero que sepan que las muertes podían haberse evitado si los extranjeros hubieran aprendido a comunicarse con nuestra gente.

El último día de la audiencia, el ministro de Archivos Históricos hizo una presentación sobre la historia de los misioneros cristianos en China.

—La raíz del problema es que estos misioneros construyen sus iglesias en las afueras de los pueblos, a menudo en tierra ya consagrada como cementerio —explicó el ministro—. Los extranjeros no pretenden molestar a los espíritus de los lugareños, pero acaban haciendo precisamente eso.

»Los granjeros no han visto una iglesia en su vida —prosiguió el ministro—. Les da miedo que sean tan altas. Cuando los misioneros les explican que la altura permite que sus oraciones lleguen a Dios, a los lugareños les entra pánico. A sus ojos la larga sombra en forma de espada que atraviesa el cementerio es como un hechizo, y los espíritus malditos de sus antepasados salen a perseguirles.

Durante medio siglo los campesinos chinos han estado exigiendo que los misioneros trasladen sus iglesias. Los campesinos creen que los airados dioses chinos con toda seguridad clamarán venganza y castigo. Cuando se producía una grave sequía o una inundación, los campesinos temían que a menos que se quitaran las iglesias y se expulsara a los misioneros, ellos morirían de hambre.

El príncipe Ts'eng había estado en el norte azuzando el miedo y la superstición de los campesinos. En todo memorando que enviaba a Pekín repetía el mismo mensaje: «La conducta de los bárbaros cristianos está irritando a nuestros dioses y genios, de ahí los flagelos que estamos padeciendo ahora... El camino de hierro y los carros de hierro perturban al dragón terrestre y están destruyendo las influencias benéficas de la tierra».

Sabía que no podía permitirme convertir al príncipe Ts'eng en un enemigo. Era el único hermano de mi marido que quedaba con vida. También era consciente de que tenía un creciente número de rebeldes bajo su mando y que en cualquier momento podría intentar derrocar a Kuang-hsu. Mi estrategia fue mantener la paz y el orden para que Li Hung-chang y los moderados de la Corte pudieran disfrutar de algún tiempo para modernizar el país.

—Cuando los granjeros pierden su tierra, pierden su alma —le dije a mi hijo, intentando hacerle comprender lo difícil que era para Li Hung-chang mantener en funcionamiento los ferrocarriles y los hilos telegráficos—. De no haber sido por el ejército del norte de Li, no habríamos podido mantener a raya la destrucción de los rebeldes locales.

Pocos años después de la construcción del ferrocarril, las ciudades brotaron alrededor de las estaciones. Cuando estas ciudades prosperaron, los campesinos pasaron de «ladrones» a «guardianes»: harían cualquier cosa para proteger las vías férreas que les habían traído una vida mejor. Pero las ciudades que no se habían beneficiado se consideraban víctimas de la modernización. Los lugareños consideraban a Li Hung-chang el portavoz de los extranjeros y sus esfuerzos empresariales «parte del maleficio que los extranjeros habían lanzado contra China».

Como resultado, nacían y proliferaban bandas violentas y sociedades secretas. El crimen grave se propagaba. Los rebeldes no solo destruían las vías férreas y saboteaban el equipo móvil, sino que también saqueaban iglesias y tomaban a los misioneros como rehenes. La situación se volvió tan desesperada que ni siquiera Li Hung-chang pudo contenerla. Carteles fijados en las puertas de la ciudad amenazaban con colgar a los «cristianos de arroz», lugareños que se convertían para conseguir la comida que necesitaban.

Yo estaba en mitad de un sueño. Miraba a mi madre vestirse por la mañana. Su dormitorio daba al lago Wuhu y tenía una gran ventana. La luz del sol se derramaba en la madera tallada y sobre los paneles de dibujos florales de la ventana. Los pequeños tallos de bambú y de lapacho amarillo de su habitación estaban verdes incluso en invierno.

Mi madre se desperezó como un gato, con sus largos brazos desnudos extendidos por encima de su cabeza. Se pasó los dedos por el sedoso cabello negro. Se pasó una camisa de algodón de color melocotón por la cabeza y la alisó. Se abotonó despacio la camisa y luego se dio la vuelta y me miró.

—Mi hija ha dormido bien, lo noto —dijo—. Eres la muchacha más guapa de Wuhu, Orquídea.

Apoyaba la cabeza en la almohada y enterraba la cara en sus sábanas para oler su perfume.

A la mañana siguiente tuve el mismo sueño. Cuando los suaves dedos de mi madre me acariciaron la mejilla me desperté.

Hubo un fuerte estruendo en el vestíbulo. Algo pesado cayó al suelo, seguido del estridente grito de un eunuco.

Me senté, aún con los sentidos nublados. Entonces la imagen de la reina Min muerta pasó por un instante por mi mente, abrí las cortinas.

Yung Lu, completamente uniformado y con una espada en la mano, corría hacia mí.

Pensé que aún estaba soñando.

Antes de que pudiera alcanzarme, Li Lien-ying saltó sobre él por la espalda. El peso del eunuco arrastró a Yung Lu al suelo junto con las cortinas de la cama.

De un movimiento, Yung Lu sujetó a Li Lien-ying en el suelo como si se tratara de un insecto.

—¡Asesinos, mi señora! —gritó Li Lien-ying.

Yo me quedé paralizada, sin saber lo que estaba ocurriendo.

Yung Lu ordenó a sus hombres registrar todo el palacio.

—¡Cada cosa, persona y animal que se mueva! ¡Cada árbol y arbusto!

Me temblaban las manos y no conseguía encontrar mis ropas. Todos mis ayudantes estaban arrodillados en el suelo. Cogí una sábana y me envolví en ella.

Entraron varios hombres de Yung Lu y le dijeron que todo estaba despejado.

—Dame un momento para vestirme, ¿quieres? —le pedí cuando por fin conseguí articular palabra.

—Por favor, necesito que me concedáis una audiencia privada, aquí y ahora mismo —dijo Yung Lu señalando una silla.

Arrastrando la sábana fui a sentarme. Me sentía como una enorme polilla dentro de una crisálida rota.

Li Lien-ying cogió arrodillado mis ropas. Sujetándose el estómago con una mano, con la otra me cubrió los hombros desnudos con un abrigo.

—Dejaré que Yuan Shih-kai os cuente lo que ha ocurrido —dijo Yung Lu envainando la espada.

—¿Yuan Shih-kai? Pensé que el joven general estaba en Tientsin, dirigiendo el nuevo ejército y preparándose para una inspección real.

—Majestad, Yuan Shih-kai fue enviado por vuestro hijo para buscar vuestra cabeza.

35

Su majestad el emperador me mandó llamar el 14 de septiembre —empezó el general Yuan Shih-kai. Permanecía de pie muy erguido vestido de uniforme, con la cabeza afeitada y los músculos de su cuello en tensión. Su voz era clara, pero contenida—. El emperador Kuang-hsu me preguntó sobre mi historial en Corea y mi uso de las tácticas militares. Le dije que durante doce años que estuve acuartelado en Corea aprendí mucho, pero no lo bastante. Su majestad quería saber la fuerza de mis tropas en comparación con las de Yung Lu. Le respondí que yo tenía siete mil hombres y Yung Lu más de cien mil.

Eché una mirada a Yung Lu, cuya expresión era seria. Me volví hacia Yuan Shih-kai.

—¿Y qué respondió el emperador?

—Su majestad me preguntó si mis hombres estaban mejor armados y entrenados. —Yuan Shih-kai se quedó callado.

—Continúa —ordenó Yung Lu.

—Sí, señor. El 16 de septiembre, su majestad volvió a citarme —prosiguió Yuan—. Me vi honrado con un ascenso: viceministro del Ministerio de la Guerra y Seguridad Nacional. Me sorprendió, pues no había hecho nada para hacerme merecedor de él. Sabía que su majestad estaba impaciente por que se pusieran en marcha sus planes de reforma y que había encontrado una fuerte oposición en la Corte. El príncipe Ts'eng y sus hijos de los Sombreros de Hierro ya se habían puesto en contacto conmigo. Querían que uniéramos nuestras fuerzas y me pidieron que entrenase a sus tropas musulmanas. Me imaginé que su majestad quería prepararme para que combatiera a quienes se oponían a él.

—Yuan Shih-kai fue llamado una vez más —dijo Yung Lu, intentando que el general se diera prisa.

—Es cierto —continuó Yuan Shih-kai—. Eso fue tres días después de nuestro primer encuentro, la mañana del 17 de septiembre.

Recordé que el 17 fue el día en que Kuang-hsu y yo tuvimos nuestra mayor pelea. Le dije a mi hijo que tendría que matarme antes de que me aviniese a hacer dos cosas: una, rendirme ante Japón; y dos, ceder mi poder a petición de Kang Yu-wei. Según parecía, nuestra pelea había decantado a Kuang-hsu hacia el otro lado.

—Su majestad me preguntó si era consciente de mi poder —dijo Yuan Shih-kai—. «Tu nuevo título significa que tú y Yung Lu operáis con independencia.» Le supliqué que me explicase más, y dijo: «A partir de ahora, recibirás órdenes directamente de mí». En ese momento estaba realmente perdido, porque mi deber había sido recibir órdenes de nadie más que de Yung Lu.

—Más tarde, esa misma noche, la mano derecha de Kang Yu-wei, Tan Shih-tung, visitó a Yuan Shih-kai. Pretendía representar al «partido del Trono» —interrumpió Yung Lu.

—Es cierto —dijo Yuan Shih-kai—. Sabía que Tan era el hijo del gobernador de Hupeh. Existía un motivo para que me despertara a las dos de la mañana. Me dijo que el emperador corría gran peligro y que debía ir a rescatarlo. El emperador me ordenó que regresara inmediatamente a Tientsin. Estaba a punto de buscar a mis tropas y regresar a Pekín para reprimir al enemigo. Tan dijo concretamente que el emperador quería que eliminara a dos personas...—Yuan intentó calmar su voz temblorosa.

—¿Era yo una de ellas? —pregunté.

Yuan Shih-kai me miró con cara solemne.

—Sí.

—¿Y la otra? —pregunté.

Yuan Shih-kai humilló la mirada, luego la dirigió hacia Yung Lu.

—Ya veo. —Negué con la cabeza.

Yung Lu permanecía de pie sin expresión, como una estatua de bronce.

—Yo... —Yuan Shih-kai se esforzaba en acabar la frase— ... me pidieron que cobrase las dos cabezas. —Cayó de rodillas y me saludó ritualmente tocando el suelo con la frente.

—Levántate, Yuan Shih-kai —dije, y noté mi boca ponerse rígida.

—Cuéntale a su majestad que le pediste una prueba de la autenticidad del edicto. —De nuevo, Yung Lu intentaba que se diera prisa.

—Sí, claro. —Yuan Shih-kai se levantó—. Pedí que Tan me mostrara el edicto firmado por el emperador. Tan dijo que no podía. Dijo que las pruebas debían ser ocultadas. Dijo que la situación se acercaba a un momento crítico y la vida del emperador Kuang-hsu corría peligro.

—¿Le creíste? —pregunté.

—Le creyera o no, no podía arriesgarme en ningún sentido, pero hice saber a Tan que su majestad y yo nos habíamos visto esa misma mañana, y su majestad no me había mencionado nada sobre un golpe de Estado. Tan se molestó y dijo que «las cosas habían cambiado» y que «la vida de su majestad no se había visto amenazada hasta aquella tarde». Le pedí testigos y me dio una lista de nombres con los que podía ponerme en contacto. Entre ellos estaba el secretario de la Corte Suprema, Yang, el Juez General, Lin, el General Jefe, Liu, y Kuang-jen, el hermano de Kang Yu-wei.

—¿Cuándo supiste que el emperador quería que me asesinaras? —le pregunté.

Yo estaba perdiendo todo sentido de la causalidad, de la lógica entre acontecimientos. Empezaba a embargarme una sensación de estupor. Seguía oyendo los gritos de Kuang-hsu cuando tenía cuatro años, y mi mente se remontaba a la escena de la noche en que Yung Lu lo había traído a la Ciudad Prohibida.

—Tan dijo que no podía presentarme el edicto real —respondió Yuan Shih-kai—. En cualquier caso, Tan me dijo que su majestad había ordenado «matar a cualquiera que se atreviera a usar su poder y su influencia para impedir que la reforma avanzara». Cuando le dije a Tan que yo no iba a morder la mano que me daba de comer, dijo que lo único que tenía que hacer era facilitar las cosas. Quería que lo introdujera a él en el Palacio de Verano. Aquellas fueron las palabras de Tan: «Yo mismo degollaré a la Emperatriz Viuda». Se abrió la camisa para enseñarme el cuchillo de treinta centímetros que llevaba.

—¿Y tú qué pensaste, Yuan Shih-kai? —le pregunté.

—Pensé que de un modo u otro me estaba metiendo en líos, suponiendo que Tan dijera la verdad, sobre lo cual tenía serias dudas. Si traicionaba al emperador, mi castigo sería la muerte, y si os traicionaba a Yung Lu y a vos, majestad, lo mismo. Así que sopesé mi decisión mientras Tan seguía hablando. Quería estar seguro de que realmente representaba al trono. Tan seguía diciendo: «Si cortamos la cabeza del monstruo antirreformista, el cuerpo se marchitará y morirá».

—Toma, bebe agua, Yuan. —Yung Lu le ofreció su vaso.

El general bebió agua y se limpió la boca con el dorso de la mano.

—Tan me enseñó su mapa. Era meticulosamente detallado. Señalaba las entradas del Palacio de Verano, en concreto donde estaba el dormitorio de su majestad. Según Tan, también se habían puesto en marcha varios planes alternativos. Todas las salidas de vuestro palacio quedarían bloqueadas, y también los túneles subterráneos de almacenamiento. Entre los cómplices de Tan dentro de palacio se encuentra una persona de vuestro séquito. Me asombraba la rigurosidad de la información. Tenía que haberla elaborado una mano militar experimentada. No podía evitar pensar en el asesinato de la reina Min. La conjura llevaba la misma firma.

Me quedé helada por dentro y conmocionada.

El sudor goteaba del cráneo afeitado de Yuan Shih-kai y lo hacía brillar como un melón en la lluvia.

Yung Lu paseaba mientras escuchaba.

—Tan me pidió una respuesta inmediata. —Yuan Shih-kai respiró hondo—. Cuando vio que no iba a darle ninguna, me amenazó: «Mi cuchillo hará lo que sea necesario para garantizar la reforma». En ese momento supe cuál sería mi próximo movimiento. Me excusé con una mentira, prometiéndole que estaría preparado para actuar el 5 de octubre, el día que tendría lugar la inspección militar imperial en Tientsin. «Todas mis tropas estarán allí reunidas», le dije a Tan. Aquello le cuadró, pues sabía que a la inspección asistiría el emperador Kuang-hsu y su majestad. Tan se fue satisfecho.

Yuan Shih-kai parecía cansado.

—Puedes sentarte —le dije.

Yung Lu le acercó una silla.

No tengo recuerdos de los dos días siguientes. La voz de Yuan Shih-kai seguía repitiéndose dentro de mi cabeza: «No podía creer que el trono ordenase la ejecución de su madre, pero Tan estaba convencido de ello». Yo negué que aquello fuera posible. Intenté protegerme en cuerpo y alma contra un terrible asalto. Cada fibra de mi ser iba a defender a mi hijo contra la acusación de Yuan Shih-kai.

Según Yung Lu, yo llamé a Yuan Shih-kai mentiroso y ordené que lo decapitaran en el acto. Yung Lu me describió lo ate-

rrado que estaba Yuan y cómo suplicó por su vida. Yung Lu creyó que había perdido la razón, que estaba en estado de choque,
así que no ejecutó mis órdenes.

Pocas horas después del informe de Yuan Shih-kai, Yung Lu
reunió al Gran Consejo, a los príncipes y nobles manchúes clave y a los altos oficiales de los consejos, entre ellos los ministros
que el emperador había previamente destituido y a otros que
me habían suplicado que los rehabilitase en el cargo.

Me pidieron que volviera a tomar las riendas del imperio.

Aguanté la audiencia. La Corte tomó mi silencio como una
aceptación de su propuesta.

Al amparo de la noche, junto con Yuan Shih-kai, Yung Lu
trasladó sus fuerzas desde Tientsin y sustituyó a los guardias de
palacio. La Ciudad Prohibida y el Palacio de Verano estuvieron
firmemente custodiados. Antes del alba, los cómplices de Tan
dentro del palacio fueron arrestados en secreto. Se enviaron a
eunucos de confianza a Ying-t'ai a espiar a Kuang-hsu y su séquito.

Cuando me desperté aquella mañana me sentí como si estuviera saliendo a la superficie de un pozo profundo. Me vestí,
desayuné y fui a sentarme al trono del dragón en el Salón de la
Nutrición Espiritual.

Todos los ojos de la Corte estaban fijos en mí, algunos curio-
sos, otros compasivos, otros indescifrables. El testimonio de los
ministros en persona confirmó lo que Yuan Shih-kai me había
contado. No cabía duda de que existía una conjura en curso.

—Es necesario que nos pongamos en contacto con el emperador Kuang-hsu —propuso Yung Lu.

Yo di mi aprobación.

—Ve a Ying-t'ai a darle las noticias al emperador Kuang-
hsu —ordené a Yung Lu—. Si mi hijo sabía algo de la conjura,
dile que no quiero volver a verle la cara en la vida.

Kuang-hsu suplicó de rodillas permiso para acabar con su vida. Estaba en pijama. Aún no había acabado de cepillarse los dientes. Tenía los labios blancos de pasta dentífrica.

Al verle tuve que girar la cabeza y respirar hondo. Por fin me levanté, regresé a mi dormitorio y cerré la puerta. Pasaron los días y yo caí enferma. Me ardía el estómago, me salieron úlceras en la lengua y me dolía al tragar.

—El ser interior de su majestad ha cogido fuego. —El doctor Sun Pao-tien insistía en que me quedara en cama—. Bebed solo sopa de semilla de loto para apagarlo.

Llegó la emperatriz Lan, con los ojos y las mejillas rojas e hinchadas. Informó de que Kuang-hsu había intentado suicidarse.

Aunque apenas podía sentarme erguida, me expuse ante mi hijo; quería que me explicara por qué.

—Puede que me haya impacientado, enfurecido. Y sí, quería despedir a Yung Lu y borrar su influencia —dijo Kuang-hsu—, pero nunca pensé en quitarte la vida. —Manoseó nervioso dentro de su túnica y sacó un fajo de papeles—. Este es mi edicto para que Kang Yu-wei y sus cómplices sean arrestados y decapitados.

—¿Cómo explicas sus acciones? —pregunté.

—No sé cómo mi proyecto de reforma se ha convertido en un plan de asesinato. Kang propone una cosa y hace otra. Soy culpable y merezco morir por haber confiado en él.

Kuang-hsu estaba más desesperado que furioso. Yo deseaba que se defendiera y declarara su inocencia. Aunque nunca sabría la verdad, necesitaba creer que le habían tendido una trampa. En lo más hondo de mi corazón sabía que se habían aprovechado de mi hijo.

La luz de los ojos de Kuang-hsu desapareció. El emperador se pasaba días de rodillas suplicándome que le concediera el derecho a morir.

—Así el país podrá avanzar —dijo llorando—. Así tú podrás avanzar. Kang Yu-wei no se invitó a sí mismo a la Ciudad Prohibida. Yo lo invité.

Estaba destrozado, con los ojos hundidos y cargado de hombros.

—Estoy harto de mí mismo y harto de vivir. Ten misericordia y piedad, madre.

Antes de tener la oportunidad de manifestar mi propia ira, me vi obligada a enfrentarme con la angustia de Kuang-hsu. Se negaba a comer y a beber. Se encontró sangre en su escupidera.

—Su majestad se quiere castigar severamente —dijo el doctor Sun Pao-tien—. Se está dejando morir. Lo he visto antes en otros pacientes. Una vez toman la decisión nada los puede detener.

La orden de arrestar a Kang Yu-wei y a sus cómplices, firmada por el emperador Kuang-hsu, agitó a la nación. Los Sombreros de Hierro y los conservadores de la Corte ocuparon sus asientos en el Salón del Castigo, donde empezaría el juicio. Estaban dispuestos a mostrar su fuerza y enseñar una brutal lección.

—Los moderados saldrán perjudicados cuando empiece el juicio —dijo Yung Lu—. Una vez revelados, sus nombres se vincularán con los reformistas. Los Sombreros de Hierro están sedientos de sangre.

Yung Lu y yo temíamos un enfrentamiento armado. Recibimos información de los servicios secretos que revelaba que existían planes para un levantamiento, instigado por los Sombreros de Hierro. Lo iniciarían las tropas musulmanas del general Tung. Tung recibía órdenes del príncipe Ts'eng, alguien que no era precisamente un amigo del trono.

—¿Dónde están las tropas del general Tung ahora? —pregunté.

—Están acampadas en los barrios periféricos del sur de Pekín. Si se llega al enfrentamiento, las tropas entrarán a galope por las calles de Pekín. Me preocupan las legaciones británica y americana.

—Me imagino al general Tung invitándose a la Ciudad Prohibida. El príncipe Ts'eng no pierde ocasión para intimidarme. Me obligará a destronar a Kuang-hsu.

—Esa es la posibilidad que yo también percibo —afirmó Yung Lu.

—Para evitar una hemorragia fatal debe aplicarse un doloroso torniquete —le dije a Yung Lu—. Preséntame una lista de los que deben ser ejecutados y yo me encargaré de que el emperador la firme. Espero que ayude a detener el descontento popular que alimenta la revuelta.

Los historiadores futuros me condenarían unánimemente como una «villana de inmenso poder, dedicada a hacer el mal» cuando se refieren al intento de reforma del emperador Kuang-hsu, que se llamarían los Cien Días, que contaban desde la fecha de su primer edicto hasta la última.

El 28 de septiembre de 1898, cuando solo había transcurrido un día de juicio, los procedimientos tuvieron que pararse cuando llegó la noticia de que Kang Yu-wei había escapado; había sido rescatado por agentes militares británicos y japoneses que operaban entre bastidores. Temiendo que hubiera más «rescates internacionales», Kuang-hsu dictó un edicto ordenando la decapitación de seis presos, entre ellos Kuang-jen, el hermano de Kang Yu-wei. Serían conocidos como los Seis Mártires de los Cien Días.

Lo único que pude decir en defensa de mi hijo fue que se hizo aquel sacrificio para evitar una tragedia mayor. Las decapitaciones sirvieron para dejar clara cuál era la postura del emperador Kuang-hsu, y demostrar que él ya no era una amenaza para mí. Como resultado, el notoriamente independiente general Tung del príncipe Ts'eng retiró sus tropas musulmanas a unos ciento y pico kilómetros de Pekín, lo que significaba que desaparecía la posibilidad de que se produjeran disturbios, e incluso asesinatos, en las legaciones británica y americana.

La ejecución de los seis moderados salvó a los moderados, y se evitaron enfrentamientos entre bandos opuestos que fácilmente podían haber escalado en una guerra civil. Y las muertes dictaron cautela entre los defensores de la venganza. Aquello permitió que los moderados volvieran a escena, para conseguir lo que tanto temían los Sombreros de Hierro: la apertura del sistema político existente.

Yo estaba sentada en el patio mirando los árboles de pistachos cuando tuvieron lugar las decapitaciones de los seis jóvenes. Las hojas estaban de un amarillo vivo y habían empezado a caerse. Ninguno habló de arrepentimiento. Dos de ellos se entregaron. A Tan Shih-tung, el hijo del gobernador de Hupeh, se le dio la oportunidad de escapar, pero se negó.

Los hombres de Yung Lu habrían acabado por capturar a Kang Yu-wei si John Otway Percy Bland, el corresponsal en Shanghai del *Times* de Londres, no le hubiera ayudado a escapar. El cónsul general de Inglaterra dio instrucciones a los consulados de un extremo a otro de la costa china de que estuvieran alerta por si veían a Kang durante la búsqueda de Yung Lu.

El 27 de septiembre agentes británicos escoltaron, en compañía del buque de guerra *Esk*, un vapor con Kang Yu-wei a bordo, rumbo al puerto de Hong Kong. Mientras tanto, en el consulado británico en Cantón se preparó la huida de la madre, la esposa, las concubinas, las hijas y el hermano de Kang. En Hong Kong, Kang fue recogido por Miyazaki Torazo, el poderoso patrocinador de la Genyosha, y zarparon directamente hacia Tokio.

Las ejecuciones convirtieron a Tan, el hijo del gobernador, en inmortal. Las simpatías del pueblo fueron para los infortunados. La Emperatriz Viuda odiaba a su hijo adoptivo, por ello ordenó decapitar a sus amigos; eso decía la opinión pública. El poema que Tan recitó antes de su muerte se hizo tan famoso que durante muchos años se enseñó en la escuela elemental:

> *Estoy dispuesto a derramar mi sangre*
> *si así mi país puede salvarse.*
> *Pero, por cada uno de los que hoy mueren,*
> *mañana se alzarán mil para seguir con mi labor.*

36

E MPERADOR CHINO ASESINADO. Pudo haber sido torturado. Algunos creen que fue envenenado por los conspiradores.» Esto dijo el *New York Times*. Era la versión de Kang Yu-wei de la realidad. Yo había «asesinado al emperador Kuang-hsu envenenándolo y estrangulándolo». Mi hijo «fue sometido a una espantosa tortura, le habrían metido un hierro candente por el intestino».

Kang Yu-wei «me informó —escribió J.O.P. Bland en el *Times* de Londres— de que había salido de Pekín gracias a un mensaje secreto del emperador que le advertía del peligro que corría. Declaró además que los recientes acontecimientos se debían enteramente a la acción del partido manchú, encabezado por la Emperatriz Viuda y el virrey Yung Lu... Kang Yu-wei insta a que Inglaterra tenga la oportunidad de intervenir y restaurar al emperador en el trono... A menos que se brinde protección a las víctimas del golpe, de ahora en adelante será imposible para cualquier funcionario nativo apoyar los intereses británicos».

Le había dicho a Li Hung-chang que dejara de enviarme periódicos, pero se hacía el sordo. No podía culparle por intentar educar al emperador. Li se aseguró de que las dos copias llegaban al mismo tiempo. Una para mí y otra para su majestad. Yo intenté mantener la calma, pero leyera lo que leyese me deprimía. Era doloroso recordar que Kuang-hsu había considerado a Kang Yu-wei un genio, su «mejor amigo» y su «mente afín».

Kang emprendió un viaje alrededor del mundo. Los periódicos recogían un discurso que dio en un congreso celebrado en Inglaterra: «Como el emperador empezaba a mostrar interés en los asuntos del Estado, la Emperatriz Viuda había estado tramando su destitución. Solía jugar a cartas con él, y le daba bebidas embriagantes para evitar que asistiera a los asuntos de Estado. Durante la mayor parte de los últimos dos años, el emperador ha sido relegado a ejercer como figura simbólica en contra de sus deseos».

Tanto mi hijo como yo estábamos envenenados por nuestros propios remordimientos. No importaba cómo intentáramos justificar la situación; el hecho innegable era que Kuang-hsu había permitido urdir un complot cuyo objetivo era asesinarme.

Kang Yu-wei seguía con su campaña: «Todos saben que la Emperatriz Viuda no es una persona con cultura, que es muy conservadora [...] que ha sido muy reacia a ceder al emperador cualquier poder auténtico para gestionar los asuntos del imperio. En el año 1887 se decidió apartar treinta millones de taels para la creación de la armada china [...] La Emperatriz Viuda se apropió del dinero para la reparación [del Palacio de Verano]». Este tipo de calumnias no cesaban.

Mi hijo se pasaba horas interminables sentado en su sillón sin hacer nada . Yo ya no quería que viniera a mí ni que me pidiera que hablara con él. Perdí el valor para hacerle frente. Entre los dos se había creado una gran distancia; era terrible. Cuantos más periódicos leía Kuang-hsu, más profundamente se retraía. Cuando le pedí que reanudara las audiencias, se negó. Kuang-hsu ya no podía mirarme a los ojos, y yo ya no podía decirle que lo quería a pesar de todo lo que había ocurrido.

Ayer lo descubrí sollozando después de leer la nueva calumnia de Kang Yu-wei: «Hay un falso eunuco en palacio que en la práctica tiene más poder que cualquier ministro. El nombre del falso eunuco es Li Lien-ying [...] Todos los virreyes se han asegurado sus puestos oficiales sobornando a ese hombre, que es inmensamente rico».

Si alguna vez hubiera podido llegar a perdonar a mi hijo, lo que sucedió después me lo impidió. No tuve la oportunidad de defenderme, mientras Kang Yu-wei era libre de hacerme daño calificándose a sí mismo de portavoz del emperador chino y a mí de «ladrona asesina» y de «azote del pueblo».

Los editores más prestigiosos del mundo reproducían las maliciosas acusaciones que describían mi vida con detalle. Se tradujeron al chino y circularon entre mi pueblo como una verdad revelada. En las casas de té y en las tabernas, las historias sobre cómo había envenenado a Nuharoo y asesinado a Tung Chih y a Alute empezaron a propagarse como una enfermedad.

La publicación clandestina de la versión que Kang Yu-wei elaboró sobre la reforma de los Cien Días fue todo un éxito. En ella Kang escribía: «En combinación con uno o dos dignatarios traidores, la Emperatriz Viuda ha encerrado a nuestro emperador y trama en secreto usurpar el trono, alegando falsamente que está aconsejando al gobierno [...] Todos los letrados de mi país están furiosos porque esa entrometida concubina de palacio lo haya recluido [al emperador] [...] Se ha apropiado de las medidas de los Bonos de Buena Fe del gobierno para construir más palacios donde dar rienda suelta a sus libidinosos deseos. No le importa en absoluto la degradación del Estado y la miseria del pueblo».

Mi hijo se encerró en su despacho de Ying-t'ai. Detrás de la puerta se acumulaban montañas de periódicos que acababa de leer. Algunos contenían informes sobre la vida de Kang Yu-wei en su exilio japonés y su apretón de manos con el líder rebelde cantonés Sun Yat-sen, a quien la Genyosha había contratado para ser el beneficiario de mi asesinato. En nombre del emperador de China, Kang pedía al emperador japonés que «pasara a la acción para apartar a la Emperatriz Viuda, Tzu Hsi».

Durante los ocho años siguientes, a pesar de que mi hijo emitió repetidamente edictos condenando a su anterior mentor, Kang Yu-wei seguiría tramando mi asesinato.

Ahora no suplicaba a Kuang-hsu que me abriera la puerta. Le dije que ya había perdido a Tung Chih y no podía seguir viviendo si tenía que perderlo a él.

Kuang-hsu me dijo que estaba avergonzado y que nunca se perdonaría por lo que había hecho. Dijo que podía ver en mis ojos que yo ya no sentía ningún amor por él. Sin embargo, yo no podía decirle que mi amor por él había quedado intacto.

—No soy yo, porque estoy herida —le confesé.

No me atrevía a decir nada más; sentía la rabia bajo la piel. Expresar con palabras esa rabia solo causaría más daño. Mi propósito era guardarme el dolor para mí y afectar lo menos posible a los que me rodeaban.

Kuang-hsu me preguntó qué quería de «un inservible conjunto de piel y huesos» como él.

Le dije que estaba dispuesta a trabajar para rehacer nuestra relación. Le hice saber que su negativa a reponerse era lo que más me dolía. Pero yo notaba que también me rendía. Sabía que había fracasado con aquel muchacho que había adoptado y criado desde que tenía cuatro años. Tampoco había conseguido mantener la promesa que le había hecho a mi hermana Rong.

—Después de la muerte de Tung Chih, invertí todas mis esperanzas en ti —le dije a Kuang-hsu. No solo había perdido la esperanza sino también el valor para volver a intentarlo.

Una parte de mí nunca creyó que Kuang-hsu quisiera asesinarme, pero había cometido un grave error, y era demasiado grande para que yo lo arreglara.

Kuang-hsu me suplicó que lo destronara y dijo que lo único que quería era retirarse de la esfera pública y nunca más volver a estar expuesto a ella.

Fue el momento más triste de mi vida. Me negaba a aceptar semejante derrota.

—No, no te concedo el derecho a abdicar —le dije con frialdad y dureza.

—¿Por qué? —gritó.

—Porque eso solo demostraría al mundo que lo que Kang ha dicho sobre mí es cierto.

—¿No son mis sellos sobre la orden de su arresto una prueba legal suficiente?

De repente me pregunté de qué se arrepentía más mi hijo, si de la pérdida de mi cariño o de la incompetencia de Kang Yu-wei para matarme.

Yung Lu abandonó la caza de Liang Chi-chao —la mano derecha y discípulo de Kang Yu-wei— porque «el sujeto ha conseguido huir a Japón».

Liang Chi-chao era un periodista y traductor que había trabajado como secretario chino para Timothy Richard, galés baptista y activista político, cuya meta era socavar las bases del régimen manchú. Liang era famoso por su enérgica escritura; en la Corte se le llamaba «la pluma venenosa».

Cuando se emitió el edicto que ordenaba el arresto y la decapitación de Liang Chi-chao, él aún estaba en Pekín. Los hombres de Yung Lu cerraron las puertas de la ciudad, y Liang buscó refugio en la legación japonesa. Debió de ser una agradable sorpresa para el fugitivo descubrir que Ito Hirobumi estaba allí invitado.

—Liang se disfrazó de japonés y fue enviado a Tientsin —informó Yung Lu—. Su escolta fue un infame agente de la Genyosha.

Mi hijo parecía un ciego. Tenía la mirada perdida mientras escuchaba a Yung Lu.

—Protegido por el cónsul japonés, Liang Chi-chao llegó hasta el fondeadero de Taku y subió a bordo del buque de guerra *Oshima* —prosiguió Yung Lu—. Como habíamos estado observando de cerca sus movimientos, alcanzamos al *Oshima* en alta mar. Mis hombres exigieron que nos entregaran al fugitivo, pero el capitán japonés se negó a entregarlo. Alegó que habíamos violado la ley internacional. Era imposible llevar a cabo un registro, aunque sabíamos que Liang se ocultaba en uno de los camarotes.

Mi hijo enseguida se dio la vuelta cuando Yung Lu le puso una copia del *Crónica de Kobe* de Japón delante de él. El periódico afirmaba que el 22 de octubre el *Oshima* llevó a Japón «un regalo muy valioso».

Japón tenía motivos para la celebración. En el exilio se reunieron Kang Yu-wei y Liang Chi-chao. Como invitado del ministro de Asuntos Exteriores de Japón, Shigenobu Okuma, durante cinco meses, Kang estuvo bien alimentado y, según un informe, su cabello trenzado tenía «un lustre brillante y saludable». Durante los años siguientes, los dos hombres trabajaron juntos incansablemente. Consiguieron amañar un retrato de mí como una tirana malvada, confirmando las peores suposiciones y los peores prejuicios de todo el mundo.

Kang y Liang consiguieron el reconocimiento internacional que ansiaban. Occidente los consideró los héroes del movimiento reformista de China. Kang Yu-wei, «de cara de luna llena» fue descrito como «el sabio de la China moderna». Sus entrevistas y artículos se recopilaron en libros que vendieron miles de ejemplares en varios países. A los lectores de lejos de China se les dio una idea aparentemente autorizada de quién era yo.

Pero estaba en juego más que mi orgullo. Los obscenos ataques de Kang y Liang proporcionaban argumentos a aquellos que querían la guerra contra China. Pues «los auténticos líderes de

China están suplicando que salven el país», ¿qué otra excusa necesitaba alguien para destituir a una «corrupta», «obsesa», y «reptilesca» dictadora?

Las audiencias occidentales que se reunían para escuchar a Kang Yu-wei deseaban tanto ver a China transformada en una utopía cristiana que eran propensas a aceptar las mentiras de Kang. Li Hung-chang me dijo que Japón había proporcionado fondos a Kang Yu-wei para que hiciera un recorrido individual por Estados Unidos, donde fue loado por críticos y eruditos como «el hombre que habría dado a China una democracia al estilo americano».

«El cielo nos ha dado este santo para salvar a China. —Kang empezaba sus discursos elogiando a mi hijo—. Aunque su majestad haya sido encarcelado y destronado, por suerte aún está con nosotros. ¡El cielo no ha abandonado a China!»

Tras recaudar más de trescientos mil dólares de los mercaderes chinos del otro lado del mar que deseaban garantizar la buena voluntad de cualquier nuevo régimen, y con la ayuda de agentes secretos de la Genyosha japonesa que operaban desde dentro de China, Kang Yu-wei empezó a preparar un levantamiento armado.

El dúo Kang Yu-wei y Liang Chi-chao aparecía en el *New York Times*, el *Tribune* de Chicago y el *Times* de Londres. «La Emperatriz Viuda Tzu Hsi solo conoce una vida llena de placeres, y Yung Lu solo conoce la codicia de poder. ¿Se ha parado a pensar alguna vez la emperatriz en el bien de su país? Una tortuga no tiene pelo, un conejo no tiene cuernos, un gallito no pone huevos, y un árbol marchito no puede florecer, porque no está en su naturaleza hacerlo; ¡no podemos esperar de ella lo que no existe en su corazón!»

37

Además del desastre de la reforma, 1898 también resultó ser un año largo y amargo de inundaciones y hambruna. Primero la cosecha fue desastrosa en Shantung y las provincias de los alrededores, cuando el río Amarillo se tragó a cientos de pueblos en una despiadada crecida. Miles de personas se quedaron sin hogar, haciendo imposible plantar las cosechas del año siguiente. Y, para empeorarlo, las langostas descendieron para devorar los escasos restos. Los ocupantes ilegales, los desempleados, los descontentos y los desposeídos anhelaban un motivo, una causa, una cabeza de turco.

Yo me mantenía ocupada apagando incendios. Los Sombreros de Hierro habían propuesto colgar a la concubina Perla para que el emperador cargara con la responsabilidad. Perla fue encontrada culpable de violar numerosas reglas de palacio. Yo rechacé los amañados cargos, sin ofrecer ninguna explicación.

Las algaradas contra los extranjeros continuaban. Un misionero inglés fue asesinado en la provincia de Kweichow, y un sacerdote francés fue torturado y asesinado en Hupeh. En las provincias donde los extranjeros vivían en barrios vecinos a los chinos, las quejas fomentaron el malestar, en particular en Kiaochow, lugar de nacimiento de Confucio, que estaba controlado por los alemanes. A los lugareños les molestaba el cristianismo. En las zonas de Weihaiwei y Liaotung, controladas por los británicos y los rusos, estalló la violencia cuando los extranjeros decidieron que ellos, como arrendatarios, tenían derecho a beneficiarse de los impuestos chinos.

Con la excusa de protegerme, el príncipe Ts'eng y sus hijos pidieron la abdicación del emperador. La facción de Ts'eng estaba respaldada por el Consejo del Clan manchú y el ejército musulmán del general Tung. Aunque para mí era duro seguir apoyando a Kuang-hsu, sabía que la dinastía caería en poder del príncipe Ts'eng. Todas las industrias y relaciones internacionales que Li Hung-chang había construido, como nuestras relaciones diplomáticas con los países occidentales, cesarían. Una guerra civil daría a las potencias extranjeras la excusa perfecta para intervenir.

La estabilidad requería que Kuang-hsu continuara como emperador. Admití un plan alternativo de los conservadores que decía que yo retomaría la regencia. Kuang-hsu lo firmó, pero no quería hacer nada más.

«Los asuntos de la nación se encuentran en una situación difícil —decía el edicto—, y todo aguarda la reforma. Yo, el emperador, estoy trabajando día y noche con todas mis fuerzas. Pero a pesar de mi cuidadoso esfuerzo, temo constantemente que me aplaste el peso de la labor. Movido por un profundo interés en el bienestar de la nación, he implorado repetidas veces a su majestad la Emperatriz Viuda que se complazca graciosamente en aconsejarme en asuntos del gobierno, y he recibido su consentimiento. Esto asegurará la prosperidad de toda la nación, sus funcionarios y su pueblo.»

Era una humillación tanto para Kuang-hsu como para mí. Hablaba de la incompetencia del emperador y de mi error al ponerlo en el trono, en primer lugar.

Poco después de que se emitiera el edicto, Kuang-hsu cayó enfermo. Tenía que correr en mitad de las audiencias para estar con él. Mi hijo estaba postrado en la cama. Todos los esfuerzos del doctor Sun Pao-tien fracasaron, sus medicinas herbales se agotaron. Corrió el rumor de que el emperador se estaba muriendo o ya había muerto. Parecía demostrar las palabras de Kang Yu-wei de que el veneno que supuestamente le daba a Kuang-hsu ahora estaba «surtiendo su mortal efecto».

I-kuang, nuestro ministro de Asuntos Extranjeros, recibió numerosas preguntas sobre la «desaparición» del trono. I-kuang no era el príncipe Kung. Lo único que podía decirme era que «las legaciones han estado discutiendo la invasión».

Mi hijo sabía que debía dejarse ver en la corte, pero apenas podía salir de la cama.

—Si insistís en que su majestad asista, bien podría desmayarse en mitad de una audiencia —me advirtió Sun Pao-tien.

Yung Lu estuvo de acuerdo con él.

—La aparición de su majestad haría más mal que bien.

Después de ser testigo de los vómitos que dejaron a mi hijo retorciéndose y sollozando, pedí urgentemente a las provincias médicos capaces. Ningún médico chino se atrevió a venir. Sorprendentemente, recibí una petición colectiva de las legaciones extranjeras. Por lo que decían las cartas, las legaciones parecían dar crédito a las versiones que Kang Yu-wei había hecho del acontecimiento: «Solo un concienzudo examen médico de su majestad aclarará los rumores corrosivos y restaurará la confianza británica e internacional en el régimen». La carta ofrecía la ayuda de médicos occidentales.

Pero la Corte y el propio Kuang-hsu declinaron el ofrecimiento. Para la Corte, la salud del trono era una cuestión de orgullo nacional y su estado actual era un secreto. En cuanto a Kuang-hsu, había sufrido ya bastante humillación como emperador y no quería sufrir ninguna más como hombre. Él era consciente de su propio estado, y no quería que el mundo descubriera por qué no tenía hijos.

Yo era reacia a someter a mi hijo y a China a mayor vergüenza, pero como madre estaba dispuesta a intentarlo todo para salvar la vida de mi hijo. Un médico occidental podía ser la última esperanza de que Kuang-hsu recuperara la salud. Tal vez yo no fuera una mujer de mundo, pero no era una estúpida. Creía que «en un pequeño trozo de piel moteada se podía ver todo un leopardo». Mis tintes para el cabello franceses, mis relojes ingleses y mi telescopio alemán hablaban de la gente que los habían creado. Las maravillas industriales de Occidente: el telégrafo, el ferrocarril, el armamento militar, aún hablaban con más contundencia.

Pregunté con delicadeza si Kuang-hsu estaba dispuesto a revelar toda la verdad, con lo que me refería a su disfunción sexual. Mi hijo me dio una respuesta positiva. Me sentí aliviada y fui a compartir la buena noticia con mis nueras. Aquello nos llenó de esperanza y juntas fuimos al templo del palacio a rezar.

En la última semana de octubre, un médico francés, el doctor Detheve, fue escoltado hasta la Ciudad Prohibida y entró en el domitorio del emperador. Yo estuve presente durante toda la entrevista. El doctor sopechaba de una dolencia renal y llegó a la conclusión de que Kuang-hsu había padecido numerosos síntomas secundarios de esa enfermedad.

«A primera vista —decía la evaluación del doctor Detheve—, el estado de su majestad es en general débil; terriblemente delgado, actitud depresiva, tez pálida. Tiene buen apetito, pero la digestión es lenta [...] Vomita con mucha frecuencia. Al auscultarle los pulmones con un estetoscopio, lo cual su majestad ha permitido de buen grado, no se han revelado indicaciones de buena salud. Son numerosos los problemas circulatorios. El pulso es débil y rápido, sufre dolores de cabeza, ardores en el pecho, zumbido en los oídos, mareos y camina de un modo que parece que ha perdido una pierna. A estos síntomas se une una sensación general de frío en las piernas y las rodillas, pérdida de sensación en los dedos, calambres en las pantorrillas, picores, ligera sordera, pérdida de visión, dolor de riñones. Pero por encima de todo hay problemas de aparato urinario [...] Su majestad orina con frecuencia, pero solo poca cantidad cada vez. En veinticuatro horas la cantidad de orina es menor de la normal.»

Kuang-hsu y yo nos quedamos con una impresión favorable del médico y esperábamos su tratamiento. Lo que no esperábamos era que su diagnóstico se diera a conocer al público; no teníamos modo de saber si fue intencionado o no, pero sí que fue una fuente de rumores en China, Europa y Estados Unidos. Fue el golpe de gracia a la imagen que Kuang-hsu tenía de sí mismo. Por las expresiones burlonas de la Corte durante las audiencias, podía deducirse que nuestros ministros habían leído una traducción de la opinión del doctor Detheve.

Los periódicos y revistas chinos de las provincias difundieron el rumor como una noticia: «Su majestad suele tener eyaculaciones nocturnas, seguidas de una sensación voluptuosa. La evaluación del doctor Detheve concluía: "Estas emisiones nocturnas se han visto seguidas por la disminución de la facultad de conseguir erecciones voluntarias durante el día". En opinión de Detheve, la enfermedad del emperador le impedía mantener relaciones sexuales. El emperador no podía hacer el amor a la emperatriz ni a sus concubinas. Y sin sexo, su majestad no tendría hijos, lo que significa que no habrá heredero al trono». Semejantes informes hicieron que los Sombreros de Hierro exigieran la sustitución de Kuang-hsu.

Yo fui testigo del sacrificio de la dignidad de mi hijo. Aunque el examen del médico francés demostraba que Kuang-hsu estaba vivo y por tanto yo no podía ser su asesina, yo estaba destrozada.

Kuang-hsu continuó sufriendo —fiebre alta, falta de apetito, garganta y lengua hinchadas y doloridas—, pero para guardar las apariencias se ofreció a sentarse conmigo durante las audiencias. Para los reformistas radicales, la imagen de nosotros dos sentados uno al lado del otro era la prueba de que yo era una tirana. Los periódicos publicaron sus observaciones describiendo cómo debía sentirse el injustamente tratado emperador viviendo semejante infierno. En una versión popular, se veía a Kuang-hsu «dibujando enormes pinturas de un poderoso dragón, su propio emblema, y rompiéndolas de desesperación».

Por otro lado, los Sombreros de Hierro encontraron justificación en el pensamiento ortodoxo chino: Kuang-hsu había tramado virtualmente el matricidio y, según el canon confuciano, no había crimen peor que la falta de piedad filial, en especial la de un emperador, que tenía que dar un ejemplo moral a su pueblo.

Se suponía que yo tenía que mostrar ante Kuang-hsu la correcta rectitud moral, pero yo no podía hacer caso omiso de su dolor. Mi hijo fue lo bastante valiente como para enfrentarse a los hombres a los que había ordenado dimitir antes del intento de golpe. Cada día se sentaba sobre una alfombra hecha de miles de agujas. Tal vez siguiera teniendo la lealtad de la Corte, ¿pero tendría el respeto de sus miembros?

Dado el delicado estado de salud de mi hijo, me vi impelida a aceptar la propuesta de los Sombreros de Hierro de considerar su sustitución. Actué con sinceridad en los debates y al final declaré a P'u-chun, nieto adolescente del príncipe Ts'eng y sobrino-nieto mío, el nuevo heredero. Sin embargo, insistí en que P'u-chun se sometiera a una evaluación de carácter, prueba que estaba segura de que el niño malcriado no superaría. Tal como había predicho, el chico fracasó miserablemente, y ya no fue tenido en cuenta.

El trono de Kuang-hsu estaba seguro, al menos por el momento, pero parecía aburrido y se escabullía de las audiencias a la primera oportunidad que se le presentaba. Después, lo encontraba jugando con sus relojes. No abría la puerta ni me hablaba. Sus ojos tristes daban muestras de vacío, y me dijo que su mente «vagaba errante como un alma en pena». Lo único que no se cansaba de decir era: «Me gustaría estar muerto».

Convoqué a mis nueras.

—Debemos intentar ayudarlo —dije.

—Debéis dejar en paz a su majestad —respondió con presteza la concubina Perla.

Cuando le pregunté por qué debía hacer tal cosa, Perla respondió:

—Tal vez, majestad, deberíais considerar volver a vuestro retiro. El emperador ya es un hombre adulto. Sabe cómo dirigir su imperio.

Le pregunté a Perla si recordaba que era ella la que había presentado a Kang Yu-wei a mi hijo.

La chica se puso furiosa.

—La reforma fracasó porque a Kuang-hsu nunca le dejaron en paz para dirigir sus asuntos. Ha sido investigado, encarcelado en sus propios aposentos, separado de mí. Lo siento... esto es, no se me ocurre otro modo de decirlo, una conspiración contra el emperador Kuang-hsu.

Yo no sabía cómo tratar aquel estallido de furia. ¿Estaba realmente intentando provocarme?

Cuando Perla pidió cuidar a Kuang-hsu, yo me negué.

—No en ese estado mental. Mi hijo no puede sufrir más daño.

—Teméis que le diga la verdad.

—No creo que sepas cuál es la verdad. —Le dije a Perla que a menos que cooperase conmigo y reconociera sus pasados errores, no se le permitiría volver a ver a Kuang-hsu nunca más.

—Su majestad preguntará por mí —protestó Perla—. ¡No seré una prisionera!

38

El griterío se hacía cada vez más fuerte en las calles de Pekín: «¡Defended a la gran dinastía Qing! ¡Exterminad a los bárbaros!».

Los Sombreros de Hierro usaban estas consignas para obligarme a ponerme de su parte. Hasta que las intenciones criminales de Kang Yu-wei no se pusieron al descubierto, no había tenido la oportunidad de preguntarme a mí misma quiénes eran mis verdaderos amigos.

Los repetidos llamamientos de Kang a una intervención internacional contrariaron y desilusionaron a mi hijo. Cuando el séptimo hombre de Kang fue arrestado por preparar un atentado contra mi vida, mi hijo prometió arreglarle las cuentas al «astuto zorro».

Ninguna nación respondió a la demanda de Kuang-hsu de que Kang Yu-wei fuera arrestado. Gran Bretaña, Rusia y Japón se negaron a ofrecer ninguna información sobre su paradero. En cambio, los periódicos extranjeros seguían reproduciendo las mentiras de Kang sobre que «el emperador de China está siendo encarcelado y torturado».

Japón también empezó a aplicar presión militar requiriendo mi «desaparición definitiva». Se creía que Kuang-hsu había sido «drogado, llevado a rastras y atado a su asiento del dragón» para asistir a las audiencias conmigo. A los ojos del mundo se le había dado un «desayuno venenoso» «recubierto de moho». Se decía que lo que el emperador de China necesitaba desesperadamente era una invasión de las potencias extranjeras.

La situación hundía aún más a mi hijo en la melancolía. Volvió a su soledad y rechazaba el contacto de cualquier tipo, incluido el afecto de su amada concubina Perla.

No hay palabras para describir mis sentimientos cuando veía el deterioro de mi hijo. Cada mañana antes de que subiéramos al trono, le preguntaba a mi hijo cómo había pasado la noche y le resumía los temas que se presentarían ante la Corte. De vez en cuando, Kuang-hsu respondía a mis preguntas con mucha educación, pero era como si su voz viniera de una gran distancia. Solía decirme simplemente: «bien».

Supe por sus eunucos que había dejado de tomar la medicina que los doctores occidentales le habían prescrito. Ordenó que su dormitorio fuera cubierto de cortinas negras para que no entrara la luz del sol. Dejó de leer los periódicos y se pasaba el tiempo ajustando sus relojes. Estaba tan delgado que parecía tener quince años. Sentado en el trono, se quedaba dormido.

Cuando consulté a mi astrólogo, este me pidió permiso para hablar libremente.

—El interés por vuestro hijo es significativo —me dijo—. Reloj, en mandarín, se pronuncia igual que «zona». Es el mismo sonido y el mismo tono que el carácter *zhong*, que significa «final».

—¿Se refiere a su vida... acabar su vida? —le pregunté.

—No podéis hacer nada por ayudarlo, majestad. Es la voluntad del cielo.

Me habría gustado poder decirle al astrólogo que había estado luchando contra la voluntad del cielo toda mi vida. Solo mi puesto era una prueba de mi lucha. Había sobrevivido a lo que se suponía que tenía que ser mi muerte muchas veces, y estaba decidida a luchar por mi hijo. Era la esperanza que me daba una razón para vivir. Cuando mi marido murió, Tung Chih se convirtió en mi esperanza. Cuando Tung Chih murió, mi esperanza fue Kuang-hsu.

Mi peinado y mis pelucas nunca me habían preocupado, pero ahora sí. Me quejé a Li Lien-ying de que sus diseños eran aburridos y los ornamentos enjoyados, demasiado pesados. Ciertos colores que antes eran mis favoritos, ahora me disgustaban. Lavarme y teñirme el pelo se convirtió en una carga. Li Lien-ying renovó todas sus herramientas de peluquería. Usó alambres y horquillas ligeros para sujetar las joyas a mi tablilla del cabello en forma de abanico, y así me dio una nueva altura, creando lo que él llamaba una «sombrilla de tres pisos».

Este esfuerzo para darme una nueva y fantástica proyección pareció surtir efecto —la Corte pareció humillarse ante mi nuevo aspecto—, pero mi agonía seguía por dentro. Mi languidez crecía con la decadencia de mi hijo. Los ojos se me llenaban de lágrimas en mitad de una conversación al recordar los días en que Kuang-hsu era un niño cariñoso y valiente.

Me negué a aceptar la conclusión de la Corte de que el emperador había hecho retroceder al país.

—Si Kuang-hsu ha convulsionado el barco del estado —recordé a la audiencia—, hace tiempo que el barco navega sin timón, a la deriva, en un mar caótico y a merced de cualquier viento de cambio.

Nadie pensó en la posibilidad de que Kuang-hsu estuviera sufriendo un colapso nervioso. Dada la triste historia de su madre (la vida de Rong había sido, en cualquier caso más atormentada), yo tenía que haber sido la primera en comprenderlo. Pero no lo hice, o mi mente no deseaba hacerlo. El centro del mundo de Kuang-hsu se había desplazado hacia abajo y residía entre sus piernas; cuando otros le miraban, él se ponía nervioso.

Sentado con la mente absorta, parecía oír la audiencia sin

seguir sus debates. Cuando se levantaba de la silla, sufría un ataque imaginario. Tal vez no fuera imaginario, en cualquier caso, para él era real y lo dejaba temblando. Kuang-hsu se excusaba, a veces en mitad de un tema importante, y ya no volvía.

Tal vez mi astrólogo estuviera en lo cierto al creer que el emperador «ya había elegido la desaparición y la muerte». Sin embargo, solo yo era lo bastante cruel como para obligarle a continuar dando la cara.

Cuando miré atrás para repasar los Cien Días, llegué a la conclusión de que la atracción de mi hijo por Kang Yu-wei tenía que ver con el atractivo de un mito extranjero. El letrado hizo proselitismo de su fantasía de Occidente, y Kuang-hsu no tenía idea de lo que estaba comprando. Li Hung-chang tenía razón cuando dijo que no eran las tropas extranjeras las que habían derrotado a China, sino nuestra propia negligencia e incapacidad para ver la verdad en medio de un mar de mentiras.

La planeada inspección imperial de la armada había sido cancelada debido al fracaso de las reformas. Todo el mundo estaba convencido del rumor de que la inspección señalaría el día del destronamiento de Kuang-hsu. Nuestro servicio de inteligencia demostró que las potencias extranjeras estaban preparadas para intervenir.

Animada por Li Hung-chang, tomé un tren para reunirme en privado con los gobernadores de las provincias clave, del norte y del sur. Me paré en Tientsin y visité el Espectáculo de la Gran Máquina, que organizaba el socio de Li Hung-chang, S. S. Huan. Me impresionó mucho una máquina que deshilaba las crisálidas de seda, una tarea que se había hecho minuciosamente a mano durante siglos. Me dieron ganas de instalar un «cuenco de cerámica con cisterna» dentro de la Ciudad Prohibida.

No podía creer la descripción escrita que decía que el retrete había sido inventado por un príncipe británico para su madre. Fuera cierto o no, la historia era elocuente: parecía ser que a los niños de la familia real de Gran Bretaña se les daba una educación práctica. A Tung Chih y a Kuang-hsu se les enseñaron los clásicos chinos más exquisitos, pero ambos llevaron vidas inútiles.

Mi temor aumentó mientras admiraba todos los demás inventos extranjeros. ¿Cómo esperaba China sobrevivir cuando todos sus enemigos tenían una mente científica y eran incansables en la búsqueda del progreso?

«El modo de ganar una guerra es conocer a tu enemigo tan bien que puedas predecir su próximo movimiento», escribió Sun Tzu en *El arte de la guerra*. Apenas podía predecir cuál sería mi próximo movimiento, pero me daba cuenta de que sería sensato aprender de mis enemigos. Decidí que en mi sexagésimo cuarto cumpleaños invitaría a numerosos embajadores extranjeros a Pekín. Quería que ellos vieran a la «asesina» con sus propios ojos.

Li Hung-chang estaba emocionado ante la perspectiva.

—Cuando los ciudadanos de China sepan que la propia Emperatriz Viuda desea ver y entretener a los extranjeros, su propia antipatía ante las personas de fuera se aplacará.

Tal como esperábamos el Consejo del Clan manchú protestó. Se suponía que no tenía que dejarme ver para nada y mucho menos hablar con los bárbaros. No tenía sentido argumentar que la reina de Inglaterra no solo era vista por el mundo, sino que su rostro estaba acuñado en cada moneda.

Después de largas negociaciones, me dieron la aprobación para dar una fiesta solo para mujeres, con la condición de que el emperador Kuang-hsu estuviera presente para que pudiera estar acompañada de un hombre de la familia imperial. La fiesta fue presentada como una oportunidad para satisfacer mi curiosidad por la moda. Entre mis invitadas se encontraban las esposas de ministros de Gran Bretaña, Rusia, Alemania, Francia, Holanda, Estados Unidos y Japón.

Según el ministro de Asuntos Exteriores, I-kuang, los ministros extranjeros habían insistido en que sus damas fueran recibidas «con todo signo de respeto». Tardamos seis semanas en disponerlo todo, desde el estilo de los palanquines hasta la elección de los intérpretes.

—Los extranjeros permanecen inflexibles en todos los puntos esenciales —informó I-kuang—. Yo me temía que pudieran haber cancelado las invitaciones, pero finalmente la curiosidad de las damas demostró ser más fuerte que la oposición de sus maridos.

El 13 de diciembre de 1898, las damas extranjeras con sus mejores galas fueron escoltadas hasta el Palacio de Invierno, uno de los «palacios de mar» vecinos a la Ciudad Prohibida. Yo me senté en un estrado detrás de una mesa larga y estrecha decorada con frutas y flores. Mi vestido de oro era pesado y la tablilla de mi cabello era peligrosamente alta. Aquello era una fiesta para mis ojos.

Al margen de la esposa del embajador japonés, cuyos kimono y obi se parecían a nuestros trajes de la dinastía Tang, las damas estaban vestidas como magníficos farolillos festivos. Me hacían reverencias y se inclinaban ante mí. Mientras pronunciaba «alzaos» a cada una de ellas, estaba fascinada por el color de sus ojos, su cabello y sus cuerpos curvilíneos. Me las presentaron en grupo, pero demostraron tener una personalidad propia.

I-kuang me presentó a la esposa del ministro británico, lady MacDonald. Encabezaba la procesión y era una mujer alta, elegante, de unos cuarenta años. Lucía un precioso vestido de satén azul claro con una gran cinta púrpura detrás de su cintura. Tenía la cabeza llena de rizos dorados, complementada con un gran sombrero oval lleno de ornamentos. Lady Conger era la esposa del ministro americano. Era adepta de la Ciencia Cristiana y vestía de negro de la cabeza a los pies.

Le dije a I-kuang que se diera prisa con las presentaciones y acortase los saludos ceremoniales del intérprete.

—Escoltad a las invitadas hasta el salón del banquete y que empiecen a comer —dije. Presentarles nuestra cocina me dio seguridad, pues recordé algo que Li Hung-chang había dicho: «No hay nada que comer en Occidente».

Ya me arrepentía de haber prometido a la Corte no hablar ni hacer preguntas. Después de comer, cuando las damas volvieron para poder hacerles regalos, cogí la mano de cada una y les puse un anillo de oro en la palma. Dejé que mi sonrisa les dijera que quería que fuéramos amigas. Estaba agradecida de que vinieran a ver a aquella «mujer fría y calculadora con corazón de hielo».

Era muy consciente de que me estaban observando como a un animal en un zoo. Esperaba cierta arrogancia por parte de ellas. En cambio, las damas solo me mostraron cariño. Me sobrecogió la sensación de que si las trataba como a mis hermanas extranjeras, tal vez siguiera una conversación. Quería preguntar a lady MacDonald sobre su vida en Londres, y a lady Conger cómo era ser científica cristiana y madre. ¿Estaba contenta con el modo en que había criado a sus hijos?

Por desgracia, lo único que se me permitía era observar y escuchar. Mis ojos viajaban desde los ornamentos que colgaban de los sombreros de las damas hasta las cuentas cosidas en sus zapatos. Observaba a las damas, y ellas me observaban a mí. Mis eunucos apartaban sus cabezas cuando mis invitadas movían sus torsos de pechos prominentes y hombros desnudos. Por otro lado, mis damas de honor miraban con ojos como platos. La elegancia de las extranjeras, la conversación inteligente y respuestas respetuosas daban un nuevo significado a la palabra «bárbaro».

Cuando lady MacDonald dio un corto discurso de buena voluntad, supe por su dulce voz que aquella mujer no había pasado hambre ni un solo día de su vida. Envidié su sonrisa luminosa y casi infantil.

Kuang-hsu apenas levantó la mirada durante la fiesta. Las damas extranjeras lo contemplaban fascinadas. A pesar de estar extraordinariamente incómodo, mantenía su promesa de quedarse hasta el final. En un principio se había negado a asistir, pues sabía que aquellas damas se habían enterado de su estado médico por sus maridos. Le prometí que la recepción acabaría lo antes posible.

No esperaba que se produjera ningún entendimiento auténtico durante la fiesta, pero para mi gran sorpresa, lo hubo. Más tarde, aquellas mujeres, en especial lady MacDonald, dieron impresiones favorables de mi persona, en contra de la opinión del mundo. El editor del *Times* de Londres publicó una crítica de la fiesta, calificando la presencia de las damas de «asquerosa, ofensiva y farisaica». En respuesta a ello, lady MacDonald escribió:

Debo decir que la Emperatriz Viuda era una mujer de cierta fortaleza de carácter, ciertamente genial y amable [...] Esta es la opinión de todas las damas que me acompañaron. Tuve la suerte de tener como intérprete al secretario chino de nuestra legación, un caballero con más de veinte años de experiencia en China y en los chinos. Antes de nuestra visita, su opinión sobre la Emperatriz Viuda era la que podemos llamar aceptada generalmente. Mi marido le había pedido que tomase minuciosa nota de todo lo que pasara, en especial que se esforzara por todos los medios en hacer una estimación de su verdadero carácter. A su regreso informó de que todas sus ideas preconcebidas se habían visto alteradas por lo que había visto y oído.

39

En primavera de 1899, el nombre de bandas errantes de jóvenes estaba en boca de todos: Los Puños de la Correcta Armonía, I Ho Ch'uan —en breve los bóxers— se había convertido en un movimiento antiextranjero en toda la nación. Aunque el I Ho Ch'uan era un movimiento campesino de fuertes raíces budistas y respaldo taoísta, sus adeptos procedían de todas las sendas de la vida. Con su creencia profesa en los poderes sobrenaturales, era en palabras de Yung Lu «el camino del pobre hacia la inmortalidad».

Los gobernadores de todo el país esperaban mis instrucciones sobre cómo tratar con los bóxers. Informaron de que los bóxers se habían esparcido por dieciocho provincias y estaban empezando a dejarse ver por las calles de Pekín. Los jóvenes llevaban turbantes rojos y teñían sus prendas de rojo, con cintas en las muñecas y los tobillos del mismo color.

Los jóvenes afirmaban que empleaban un estilo único de combate. Entrenados en las artes marciales, creían que eran reencarnaciones de los dioses. Un gobernador escribió un memorando urgente: «Los bóxers han estado reuniéndose en torno a las iglesias cristianas de mi provincia. Han amenazado con matar con espada, hacha, bastón, hierro, alabarda y un millar de armas distintas».

A mis ojos se trataba de una gestación de otra rebelión Taiping. La diferencia era que esta vez los cabecillas eran los Sombreros de Hierro manchúes, lo cual dificultaba los arrestos.

Una despejada mañana de marzo, el príncipe Ts'eng, hijo, solicitó una audiencia inmediata. Entró en el salón y anunció que se había unido a los bóxers. Mostrando sus puños, me juró lealtad. En fila detrás de ellos estaban sus hermanos y primos, entre los que se encontraba el príncipe Ch'un, hijo.

Miré el rostro del príncipe Ts'eng, que estaba marcado con pequeñas cicatrices de viruela. Sus ojos de hurón producían la impresión de una brutal ferocidad. Ts'eng seguía mirando a su guapo y gallardo primo Ch'un, que tenía la mirada de sus ancestros estandartes manchúes. Aunque el príncipe Ch'un se había convertido en un personaje afable, su boca malhablada revelaba sus flaquezas. Muchos príncipes eran apasionados retóricos. Ch'un podía llegar a las lágrimas cuando hablaba de sacrificar su vida «para restaurar la supremacía manchú».

—¿Qué queréis de mí? —pregunté a mis sobrinos.

—Que nos aceptéis como bóxers y nos apoyéis —dijo el príncipe Ts'eng.

—¡Permitid que los bóxers reciban un sueldo como tropas gubernamentales! —dijo el príncipe Ch'un.

Como si salieran de la nada, hombres con uniforme bóxer entraron en tropel en mi jardín.

—¿Por qué venís a mí cuando habéis cambiado vuestros resplandecientes uniformes militares manchúes por harapos de vagabundos? —les pregunté.

—Perdonadnos, majestad. —El príncipe Ch'un se puso de rodillas—. Venimos porque hemos oído que estaban atacando la Ciudad Prohibida y vos corríais grave peligro.

—¡Fuera! —le dije—. ¡Nuestro ejército no es para gamberros y vagabundos!

—¡No podéis rechazar a una fuerza de campeones enviada por el cielo, majestad! —me desafió el príncipe Ts'eng—. Los maestros de los bóxers son hombres con poderes sobrenaturales. Cuando los espíritus están con ellos, son invisibles e inmunes al veneno, las lanzas e incluso las balas.

—Dejadme que os informe de que el general Yuan recientemente puso en fila a unos bóxers ante un pelotón de fusilamiento y los fusiló a todos.

—Si murieron, quizá no eran verdaderos bóxers —insistió Ts'eng—. O solo parecieron morir... sus espíritus volverán.

Después de despedir a los bóxers imaginarios, me fui a Ying-t'ai. El emperador estaba sentado en un rincón de su habitación como una sombra. El aire a su alrededor exhalaba un amargo olor a medicinas de hierbas. Aunque estaba completamente vestido y afeitado, carecía de vida.

—Me temo que si no apoyamos el movimiento —dije—, podría volverse contra nuestro reinado y derrocarlo.

Kuang-hsu no respondió.

—¿No te importa?

—Estoy cansado, madre.

Volví a mi palanquín, más enfadada y triste que nunca.

El invierno de 1899 fue el más frío de mi vida. Nada conseguía calentarme. Mi astrólogo dijo que mi cuerpo se había quedado sin «fuego».

—Las yemas de los dedos frías indican una mala circulación de la sangre, y reflejan problemas de corazón —dijeron los médicos.

Empecé a soñar con más frecuencia con los muertos. Los primeros en aparecer fueron mis padres. Mi padre aparecía con el mismo atuendo marrón apagado y una expresión desaprobadora. Mi madre seguía hablando de Rong.

—Tienes que cuidar a tu hermana, Orquídea —repetía una y otra vez.

Nuharoo entró en mis noches con Hsien Feng a su lado. Los diamantes de la tablilla de su cabello se hacían más grandes en cada sueño. Sostenía un ramo de peonías rosadas en la mano. La luz del sol iluminaba sus hombros como un aura. Parecía contenta. Hsien Feng sonreía, aunque permanecía en silencio.

La visita de Tung Chih nunca era predecible. Solía aparecer justo antes del alba. A menudo no le reconocía, no solo porque había crecido, sino también porque tenía un carácter diferente. Una de las últimas noches vino vestido de bóxer con un turbante rojo. Después de identificarse, me explicó que Yuan Shih-kai le había disparado. Me enseñó el agujero que le había dejado en el pecho. Yo estaba aterrada y me desperté en aquel mismo instante.

Seguían llegando informes de lugareños que culpaban a los extranjeros por sus penalidades. La introducción de los barcos de vapor y el ferrocarril hizo que una enorme cantidad de barqueros del Gran Canal se quedaran sin empleo. Una serie de malas cosechas seguidas convenció a los campesinos de que los espíritus estaban enojados. Los gobernadores suplicaron al trono que «pidiera a los bárbaros que se llevaran sus misioneros y su opio».

Poco podía hacer yo. Yung Lu no tenía que recordarme las consecuencias de asesinar misioneros. Un escuadrón naval alemán había usado los incidentes violentos que habían afectado a sus compatriotas para capturar los fortines que custodiaban la ciudad de Tsingtao. Kiaochow estaba ocupada, lo que convertía la bahía en una base naval alemana.

Intenté reunir información sobre los misioneros y sus conversos, y me contaron historias estrambóticas: algunos decían que los misioneros usaban drogas para atraer conversos, hacían medicinas a partir de fetos y abrían orfanatos para recoger niños que utilizaban en sus orgías caníbales.

A partir de relatos más lógicos y creíbles, descubrí el turbador comportamiento de los misioneros «y sus gobiernos». Las iglesias católicas parecían dispuestas a hacer todo lo posible para aumentar las conversiones, aceptando a marginados y criminales. Los zascandiles de los pueblos que estaban pendientes de juicio se hacían bautizar para conseguir una ventaja legal; según se acordó en los tratados, los cristianos disfrutaban de la protección imperial.

El caos ocasionado por el fracasado movimiento de reforma se convirtió en un caldo de cultivo para la violencia y las algaradas. En la escena política aparecieron más alborotadores, como Sun Yat-sen, cuya idea de una república china atrajo a los jóvenes de la nación. En tándem con los japoneses, Sun Yat-sen tramó asesinatos y destrucción, en especial de las instituciones financieras gubernamentales.

Aquellos días solía conducir las audiencias yo sola. La mala salud de Kuang-hsu le dejaba tan agotado que no se podía contar con que estuviera más que medio despierto. No quería decepcionar a los gobernadores provinciales que a veces esperaban una eternidad para reunirse con el emperador.

Yo quería que el mundo creyera que el régimen de Kuang-hsu era aún poderoso. Me las arreglé para que China pudiera seguir cumpliendo los tratados y los derechos concedidos a los extranjeros. Mientras tanto, trataba de conseguir entendimiento para los bóxers. Mi edicto a todos los gobernadores decía: «El resultado de no conseguir distinguir el bien y el mal es que las mentes de los hombres están llenas de temor y de dudas. Esto demuestra no que la gente sea anárquica por naturaleza, sino que nuestros dirigentes han fracasado».

Relevé al gobernador de la provincia de Shantung después de que dos misioneros alemanes fueran asesinados allí. Lo sustituí por el firme y eficiente Yuan Shih-kai. No ordené el juicio de los anteriores gobernadores; sabía que semejante jugada enfurecería a la ciudadanía y me haría más vulnerable. En cambio, hice que lo transfirieran a otra provincia, lejos de cualquier acalorada respuesta de los alemanes. Mi investigación reveló que el principal motivo por el que los alemanes presionaban al anterior gobernador de la provincia de Shantung no era la muerte de los misioneros sino los derechos sobre los recursos de China.

Otro gobernador también informó de los problemas. Había intentado crear un equilibrio engatusando a los bóxers para que permanecieran como una fuerza defensiva y no una fuerza agresiva, pero enseguida los bóxers exaltados prendieron fuego a los ferrocarriles y las iglesias cristianas y ocuparon edificios gubernamentales. «Ya no se puede persuadir a los rebeldes de que se dispersen —se lamentaba el gobernador pidiendo permiso para reprimirlos—. Nuestros comandantes, indecisos y tolerantes, sin duda nos conducirán hacia calamidades innecesarias».

En Shantung, el nuevo gobernador, Yuan Shih-kai, tomó él mismo cartas en el asunto. No hizo caso de mi advertencia de que «la gente debía ser persuadida para que se dispersara, no aplastada por la fuerza bruta», y se deshizo de los bóxers hasta erradicarlos de su provincia.

«Estos bóxers —escribió Yuan después en su telegrama al trono— están reuniendo gente para que deambulen por las calles. No se puede decir que estén defendiéndose a ellos y a sus familias. Están incendiando casas, secuestrando personas y resistiéndose a las tropas del gobierno; están saqueando y matando a gente de la calle. No se puede decir que sean solamente anticristianos.»

Debido a los trastornos políticos, los gobiernos de los pueblos situados a lo largo del río Amarillo descuidaron el omnipresente problema del control de las inundaciones. En verano de 1899 ocurrió un desastre de grandes dimensiones. Se inundaron centenares de miles de hectáreas en el norte de China, las cosechas quedaron destruidas y con ello llegaron las hambrunas. Luego siguió un período de sequía, que dejó sin hogar a un millón de familias campesinas. Los bóxers reclutaban cada vez más adeptos. «Hasta que todos los extranjeros no hayan sido exterminados, la lluvia no nos visitará», creían los frustrados pobres.

Bajo la presión de los Sombreros de Hierro, la Corte empezó a decantarse hacia el apoyo de los bóxers. Después de que Yuan Shih-kai los echara de Shantung, los bóxers se dirigieron hacia el norte, cruzando la provincia de Chihli y entrando en el propio Pekín. Reclutando por el camino a cientos de campesinos que se creían invulnerables, los bóxers se convirtieron en una fuerza imparable en la sociedad china. «¡Proteged a la dinastía Manchú y destruid a los extranjeros!», gritaban los hombres mientras rodeaban las legaciones extranjeras.

Yung Lu y yo no estábamos seguros de si debíamos reprimir a los bóxers o no. Sin embargo, el resto de la Corte había decidido unirse a ellos.

Yung Lu me dijo que no tenía ninguna fe en la auténtica capacidad de los bóxers de ganar batallas contra los invasores extranjeros. Sin embargo, no podía inducirlo a desafiar a la Corte. Le pedí que presentara un memorando, y yo explicaría a la Corte por qué los bóxers tenían que ser detenidos. Él estuvo de acuerdo.

Cuando recibí el borrador de Yung Lu, pensé en lo extraña que se había vuelto nuestra relación. Él era mi oficial más leal y fiel, y yo dependía constantemente de él. Habíamos andado un largo camino desde los días en que éramos jóvenes y estábamos al borde de la pasión. En las ocasiones en que estaba sola conmigo misma revivía aquellos momentos. Ahora nos habíamos hecho viejos y los cometidos que nos habían juntado eran cómodos y absorbentes. Los sentimientos aún estaban ahí, pero se habían suavizado y hecho más profundos y convivían con que ahora, en mitad del caos que reinaba en China, nuestras vidas y nuestra supervivencia dependían del otro.

El día que leí el borrador de Yung Lu en la audiencia, los

príncipes Ts'eng y Ch'un me acusaron de perder la iniciativa en la guerra contra los bárbaros. Con los bóxers ya concentrados en el barrio de las legaciones de Pekín, los príncipes habían acudido para obtener el permiso del trono para abalanzarse sobre su presa.

Empecé diciendo que resultaba muy gratificante para el trono ver a nuestro pueblo mostrar valor, ser testigo de su entusiasmo para ajustar viejas cuentas con los extranjeros. Luego pedí a los jóvenes que tuvieran en cuenta las consecuencias de sus actos y templaran su furia antes de que la realidad lo arrasase todo.

Les conté lo que Yung Lu me había dicho: «Como fuerza de combate los bóxers son absolutamente inútiles, pero sus pretensiones de artes y magia sobrenaturales podían ayudar a desmoralizar al enemigo. Sin embargo, sería un auténtico error, por no decir un error fatal, dar algún crédito a sus ridículas pretensiones o considerarlos de alguna utilidad en la acción».

Mi discurso tuvo el efecto deseado. Algunos de los conservadores acabaron votando por cancelar cualquier acción inmediata contra las legaciones. Sin embargo, el movimiento bóxer siguió fermentando y supe que enseguida me quedaría sin alternativas.

De todo el país me pedían instrucciones sobre cómo manejar la situación. Yung Lu y Li Hung-chang diseñaron una estrategia. El trono se centraría en convencer a los bóxers del sur de China para que desistieran, pues allí las naciones extranjeras tenían las empresas más comerciales y éramos más vulnerables a la intervención. El edicto decía: «El objetivo principal es evitar que el edicto del trono se convierta en una excusa para que los radicales hagan causa común».

Una vez más el edicto parecía ambiguo. No condenaba directamente, sino que concedía un grado de autonomía para que Li Hung-chang y otros gobernadores del sur pudieran despachar sus asuntos como de costumbre con los países extranjeros y suprimir a los bóxers, en caso necesario, con sus ejércitos provinciales.

«Al trono le gustaría recordar a la ciudadanía que la nación se ha visto obligada a pagar una compensación por los asesinatos de extranjeros. Solo en el caso de Shantung, además de la destitución del gobernador y el desembolso de seis mil taels de plata para las familias de los fallecidos, Alemania consiguió los derechos exclusivos sobre nuestros ferrocarriles y minas del nordeste y la licencia para construir una estación naval en Kiaochow. Perdimos Kiaochow y Tsingtao; Alemania las ocupó como concesiones durante noventa y nueve años.»

40

Kuang-hsu no levantó los ojos del reloj que estaba arreglando cuando le dije que diez mil bóxers habían tomado el control de las líneas de ferrocaril de la ciudad de Chochou, a ochenta kilómetros al sudoeste de Pekín.

—Han atacado e incendiado estaciones y puentes que encontraron a lo largo de las líneas del telégrafo. Las autoridades locales han sido golpeadas en repetidas ocasiones por «ofrecer a los diablos extranjeros la vía de aprovisionamiento».

—¿Qué más hay de nuevo? —murmuró Kuang-hsu.

—Kuang-hsu, las legaciones extranjeras han enviado cartas amenazando con la acción militar si no reprimimos a los bóxers, pero si lo hacemos, los bóxers derribarán el trono —me detuve, furiosa por la apatía de Kuang-hsu.

Para él, el mundo se reducía a un viejo reloj de sobremesa de porcelana francés, pintado con nubes y querubines.

Cuando notó mi emoción, Kuang-hsu levantó la vista del reloj.

—¡Por el amor del cielo, di algo! —grité.

—Perdóname, madre...

—Por favor, no me pidas perdón. Lucha contra mí o lucha conmigo, Kuang-hsu, ¡pero haz algo!

Mi hijo enterró la cara entre sus manos.

A principios de junio de 1900, las calles de Pekín se convirtieron en la plaza de armas de los bóxers. La multitud se apiñaba allí donde se hacía «magia». Los bóxers corrían adelante y atrás, blandiendo espadas y lanzas. Las armas centelleaban ominosamente a la luz del sol.

Al este de la capital, cerca de Tientsin, las fuerzas de Yung Lu intentaban evitar que los bóxers cortasen la línea férrea entre los barcos extranjeros de Taku y las legaciones de la ciudad. Yung Lu los desbarató, pero el hecho de enfrentarse a los bóxers le hizo extraordinariamente impopular. El príncipe Ts'eng, hijo, contó a sus amigos que había incluido a Yung Lu en su lista de la muerte.

El 8 de junio los bóxers prendieron fuego a la tribuna del hipódromo de Pekín, un lugar de reunión muy popular entre los extranjeros. De la noche a la mañana, la «crisis china» captó la atención del mundo. George Morrison, del *Times* de Londres, escribió: «Ahora es inevitable que tengamos que luchar».

Al día siguiente, el príncipe Ts'eng, seguido de varios cabecillas bóxers, irrumpió en el Palacio de Verano. El turbante rojo de Ts'eng estaba empapado y tenía la piel del color de un boniato. Me dijeron que había estado ejercitando sus músculos golpeando un mazo bajo el sol ardiente. Olía a alcohol y sus ojos de hurón chispeaban.

Antes de que me diera tiempo a preguntarle sobre el incendio del hipódromo, el príncipe Ts'eng ordenó que todos mis eunucos se dirigieran al patio. Él y un cabecilla bóxer conocido como el maestro Espada Roja procedieron a examinar sus cabezas. Quería ver si alguno de ellos tenía una cruz en ella.

—Esta cruz no es visible para un ojo ordinario —le dijo a Li Lien-ying—. Solo unos pocos pueden identificar a un cristiano de este modo.

Al cabo de unos minutos el príncipe Ts'eng vino a mi cámara con el maestro Espada Roja. Ts'eng me dijo que el maestro Espada Roja había descubierto que dos de mis eunucos eran cristianos. Me pidió permiso para ejecutarlos.

No podía creer que aquello estuviera pasando realmente. Me senté inmóvil mientras el maestro Espada Roja tocaba el suelo con la frente varias veces. Podía decir que el hombre estaba emocionado y nervioso a la vez: ningún campesino chino corriente se atrevería siquiera a soñar con verme la cara.

—¿Qué más le has prometido a este hombre? —le dije al príncipe Ts'eng—. ¿Vas a hacerlo ministro del Consejo de Defensa Nacional?

Sin saber qué decir, el príncipe Ts'eng se frotó la nariz y se rascó la cabeza.

—¿Tiene este maestro algunos estudios? —pregunté.

—Sé leer el calendario, majestad —se precipitó a responder el bóxer.

—Entonces deberás saber qué año es.

—Sí, lo sé. —El bóxer estaba encantado de su facilidad de palabra—. Es el año veinticinco, majestad.

—¿El año veinticinco de qué?

—De... de la era Kuang-hsu.

—¿Lo has oído, príncipe Ts'eng? Repetid la era, maestro Espada Roja.

—La era Kuang-hsu...

—¡Más alto!

—¡La era Kuang-hsu, majestad!

Me volví hacia el príncipe Ts'eng.

—¿Te ha quedado claro? Kuang-hsu es aún el emperador. Le dije al confuso bóxer que se retirase.

El príncipe Ts'eng parecía ofendido.

—Majestad, no tenéis que apoyar a los bóxers, pero necesito dinero para daros la victoria.

—¡Cállate! —me salió con suma facilidad. Tuve que inhalar una bocanada de aire para calmarme—: Cuando me pidieron que dotara de fondos a la construcción de los fuertes de Taku, me dijeron que mantendría alejados a los extranjeros para siempre. Y cuando me rogaron que diera fondos para una nueva armada, me dijeron lo mismo. Dime Ts'eng: ¿cómo van a derrotar tus lanzas de bambú a las pistolas y cañones de los extranjeros?

—Majestad, serán cincuenta mil bóxers contra unos pocos centenares de burócratas extranjeros. Elegiré una noche sin luna y llenaré las legaciones con mis hombres. Estaremos tan cerca que sus cañones no les serán de ninguna utilidad.

—¿Y cómo te enfrentarás a las fuerzas de rescate extranjeras que vendrán por mar?

—¡Tomaremos rehenes! Las legaciones nos proporcionarán una base perfecta para la negociación. Los rehenes serán nuestra pieza para negociar. Me aseguraré de que mis hombres no decapiten a los prisioneros. —Ts'eng reía como si ya hubiera vencido.

El príncipe Ts'eng insistió en que se le diera una oportunidad para demostrar su magia y que el emperador estuviera presente. Así que al día siguiente en mi espacioso patio, delante de Kuang-hsu y de mí, los bóxers actuaron. Sus habilidades en las artes marciales eran magníficas. Hacían añicos la dura piedra con sus manos desnudas. En un intenso combate, el maestro Espada Roja se enfrentó cuerpo a cuerpo contra diez espadachines venciéndoles a todos. Luego le atacaron con lanzas y balas y le quemaron con fuego, pero salió indemne de todo. Y en cambio, sus oponentes estaban todos en el suelo, atontados y ensangrentados. Desconfié de lo que veían mis ojos e intenté averiguar sus trucos. Desde principio a fin, el maestro Espada Roja parecía en un trance de embriaguez, que el príncipe Ts'eng me explicó que se llamaba «compromiso espiritual con el dios de la guerra».

Estaba impresionada, pero no convencida. Elogié a los bóxers por su pasión patriótica. Una extraña sensación me invadió cuando me volví hacia Kuang-hsu y vi su expresión de absoluto desinterés. Pensé en el príncipe Ts'eng; por terrible que fuera, al menos estaba dispuesto a luchar.

Había fallado a mis dos hijos y mis dos hijos habían fallado a China. Cada vez que los periódicos occidentales acusaban a Ts'eng de ser «la maldad en persona», mientras alababan a Kuang-hsu como el «emperador sabio», mis viejas cicatrices se abrían. Imaginaba que Kuang-hsu era «rescatado» por las potencias extranjeras y se convertía en un rey títere. Empecé a oír que mi voz se amortiguaba cuando hablaba con personajes como el príncipe Ts'eng.

A la mañana siguiente, después de que se marchara el príncipe Ts'eng, mi eunuco apareció vestido con el harapiento uniforme rojo de bóxer. Cuando Li Lien-ying me dio un uniforme para mí —regalo del príncipe Ts'eng—, le di una bofetada en pleno rostro.

A eso del mediodía, Kuang-hsu y yo oímos un extraño ruido que parecía el sonido de olas lejanas. No podía localizar su origen; no eran las ardillas trepando a los árboles, no era el viento soplando entre las hojas, ni el arroyo fluyendo entre las rocas. Me alarmé y llamé a Li Lien-ying, pero no hubo respuesta. Le busqué por los jardines. Por fin, mi eunuco volvió, sin aliento. Señaló detrás de él con el dedo y vocalizó sin sonido la palabra *hietnan*, bóxers.

Antes de que pudiera averiguar qué estaba pasando, el príncipe Ts'eng estaba ante mí.

—¿Cómo te atreves a rodear mi palacio con tu maldita panda de asesinos? —dije.

Tocó descuidadamente el suelo con la frente.

—Todo el mundo quiere oír personalmente vuestro edicto.

Ts'eng se comportaba como si el emperador no estuviera en la habitación.

—¿Quién dice que voy a emitir un edicto?

—Debéis hacerlo sin más dilación, majestad. —El príncipe Ts'eng tenía las manos agarradas fuertemente al cinturón—. Los bóxers no se irán hasta oír vuestro edicto.

Noté que Li Lien-ying estaba ahora señalando hacia el techo. Cuando miré hacia arriba, no vi nada fuera de lo normal, pero al bajar la vista vi una escalera que apostaban frente a mi ventana. Momentos más tarde oí el sonido de pisadas sobre el tejado.

—Los bóxers se están preparando para incendiar las legaciones, majestad —anunció el príncipe Ts'eng.

—Ve a detenerlos —le ordené.

—¡Pero... majestad!

—Al emperador Kuang-hsu le gustaría ordenar al príncipe Ts'eng, hijo, que retirara inmediatamente a los bóxers.

Me volví hacia Kuang-hsu, que tenía la mirada perdida en la lejanía.

—Al príncipe Ts'eng, hijo, se le ordena que retire inmediatamente a los bóxers —dijo Kuang-hsu tras darse la vuelta.

El entrecejo de Ts'eng se torció como una raíz de jengibre y respiraba pesadamente. Avanzó hacia Kuang-hsu, lo agarró por los hombros y dijo resoplando:

—¡El ataque tendrá lugar al alba y este es vuestro edicto!

41

Los poderosos manchúes habían caído tan bajo que nadie se atrevía a defender el trono, y al trono le asustaba pedirlo.

El príncipe Ts'eng, hijo, no tenía vergüenza alguna en hablar con franqueza. Creía que su hijo pequeño sería el próximo emperador. Ya lo veía nombrando él mismo al chico. ¿Qué no podría hacer un hombre que tenía a decenas de miles de bóxers y tropas musulmanas a su disposición?

Ts'eng abandonó su pretensión de serme leal, pues ahora controlaba a los guardias de seguridad de los palacios y el Ministerio de Castigos.

Detrás de las cortinas seguían los murmullos. Los eunucos hacían viajes secretos fuera de la Ciudad Prohibida. Habían estado reuniendo información sobre el modo de huir. Las damas de honor y los criados se preparaban para lo peor: guardaban las ropas rojas de bóxer debajo de la cama.

El príncipe Ts'eng había exigido que ordenara a Yung Lu retirar sus tropas para poder «avanzar sin tenerse que preocupar porque le disparasen por la espalda».

Le advertí a Ts'eng que un ataque a las legaciones extranjeras supondría el fin de la dinastía, a lo cual respondió:

—Moriremos si luchamos y moriremos si no luchamos. ¡Las

potencias extranjeras no se detendrán hasta que se hayan repartido y comido el melón de China!

Ordené que enviaran un telegrama a Li Hung-chang, pero durante su transmisión cortaron las líneas. A partir de entonces, Pekín estuvo aislada del mundo exterior.

—Lo siento, madre —dijo Kuang-hsu cuando le conté que habíamos perdido el control de los bóxers del príncipe Ts'eng y de las tropas musulmanas del general Tung.

Kuang-hsu y yo nos sentábamos uno al lado del otro en el vacío salón de audiencias. Era una luminosa mañana de principios de verano. Mirábamos las tazas de té que teníamos delante. Perdí la cuenta de las veces que los eunucos vinieron a rellenarnos las tazas de agua caliente. No tenía idea de lo que podía esperar de aquella situación. Solo sabía que estaba empeorando. Me sentía como un convicto en los solitarios momentos que preceden a su ejecución.

Hacia las diez llegó un mensaje del príncipe Ts'eng. Los bóxers habían avanzado con sus cuchillos, lanzas de bambú, espadas antiguas y mosquetes. El «anillo exterior», los doce mil «valientes musulmanes» del general Tung habían entrado en la capital. Encontraron una fuerza de relevo aliada y habían estado intentando tomar la posición del «anillo medio».

Según Yung Lu, el «anillo interior» estaba formado por los «Tigres Manchúes» del príncipe Ts'eng, soldados de una antigua bandera que cubrían sus hombros con pieles de tigre y adornaban sus escudos con cabezas de tigre.

—La estrategia del príncipe Ts'eng es otra fantasía de los Sombreros de Hierro —dijo Yung Lu.

Su ejército había estado vigilando a las tropas musulmanas del general Tung. El mejor comandante chino de Yung Lu, el general Nieh, fue enviado a dispersar a los bóxers.

El 11 de junio, el príncipe Ts'eng anunció su primera victoria: la captura y la muerte de un canciller de la embajada japonesa, Akira Sugiyama.

Recibí la noticia por la tarde. Sugiyama estaba en la lista de los más buscados de China. Era responsable de la huida de Kang Yu-wei y Liang Chi-chao a Japón. Sugiyama había salido de su legación de Pekín para recibir a las tropas aliadas de relevo en la estación de ferrocarril. Antes de que llegara fue atacado por los soldados musulmanes del general Tung, que le arrancaron de su carro y lo hicieron picadillo.

Aquella muerte provocó una escalada de la crisis. Aunque, en el nombre del trono, emití una disculpa oficial a Japón y a la familia Sugiyama, los periódicos extranjeros creyeron que yo había ordenado el asesinato.

George Morrison, corresponsal del *Times* de Londres, confirmó que el asesino «era el guardaespaldas favorito de la Emperatriz Viuda». Pocos días más tarde, el *Times* publicó un artículo por entregas de Morrison que contenía esta imaginativa fabulación: «Mientras la crisis era inminente, la Emperatriz Viuda estaba ofreciendo una serie de espectáculos teatrales».

Con la ayuda de Li Lien-ying subí a la cima de la Colina de la Prosperidad. Mientras contemplaba un mar de tejados, oí disparos procedentes de las legaciones extranjeras. Las legaciones ocupaban una zona entre la muralla de la Ciudad Prohibida y la muralla interior de Pekín, un barrio de casitas pequeñas y calles, canales y jardines. Me dijeron que los extranjeros de las legaciones habían estado levantando barricadas. El desprotegido perímetro exterior y todas las puertas, cruces y puentes estaban protegidos con sacos de arena.

Mientras tanto, Yung Lu retiró sus divisiones de la costa e intentó insertarlas entre los bóxers y las legaciones. Informó a los bóxers de que no estaba en contra de ellos, pero dictó una orden explicando que cualquiera que violara las legaciones sería ejecutado sumariamente.

Cuando Yung Lu retiraba sus fuerzas, le preocupó la debilitación de las defensas litorales, sobre todo los fuertes de Taku. «Me gustaría saber cuántas tropas extranjeras se dirigen hacia allí —me dijo más tarde—. Temo que lo hagan alegando que vienen a rescatar a los diplomáticos.»

Mis eunucos estaban preocupados por mi seguridad. Desde que los bóxers entraran en Pekín, Li Lien-ying subía a la Colina de la Prosperidad cada día. Desde allí fui testigo de cómo las catedrales del este y del sur ardían en llamas. Mis eunucos también me informaron de que los americanos disparaban una descarga desde su tejado cada quince minutos pensando en la posibilidad de alcanzar a alguien que pudiera acercarse por la carretera. Ya habían muerto casi un centenar de bóxers. Según la prensa occidental, los residentes de las legaciones habían estado disparando a cualquier chino que llevara «el más mínimo retal rojo».

El almirante de la flota británica Seymour entregó el ultimátum de los aliados a través de nuestro gobernador de Chihli. Decía que los aliados iban a «ocupar provisionalmente, por las buenas o por las malas, los fuertes de Taku a las 2 a.m. del 17 de junio».

Lo que el gobernador me ocultó, por miedo a ser destituido, era que la línea defensiva ya había caído. Solo unos días antes, había informado falsamente de que los bóxers de su provincia habían «derrotado a los buques de guerra extranjeros y los habían rechazado hacia el mar». En el momento en que yo leía el ultimátum, dos buques de guerra británicos navegaban con sigilo hacia los fuertes amparados por la oscuridad. Los fuertes de Taku serían capturados en cuestión de días.

Con Kuang-hsu a mi lado convoqué una audiencia de emergencia. Dicté el borrador de un decreto en respuesta al ultimátum:

—Los extranjeros nos han invitado a entregarles los fuertes de Taku, o los tomarán por la fuerza. Estas amenazas son un ejemplo de la predisposición agresiva de las potencias occidentales en todos los asuntos relacionados con China. Es mejor esforzarnos al máximo y entrar en la lucha que buscar la supervivencia que nos acarrearía la vergüenza eterna. Con lágrimas en los ojos anunciamos en nuestros altares ancestrales la proclamación de la guerra.

Los recuerdos de la guerra del Opio de 1860 me llenaron de pesar mientras leía el borrador para la aprobación de la Corte.Volvieron a invadirme dolorosas imágenes: del pasado exilio, de la muerte de mi marido, de los tratados desiguales que se vio obligado a firmar, de la destrucción de mi hogar Yuan Ming Yuan.

Al ver que yo no podía seguir, Kuang-hsu me relevó.

—Desde la fundación de la dinastía, los extranjeros que han venido a China han sido tratados con amabilidad. —La voz de mi hijo era débil, pero clara—. Pero durante los últimos treinta años se han aprovechado de nuestra paciencia para invadir nuestro territorio, pisotear al pueblo chino y consumir la riqueza del imperio. Cada concesión hecha solo sirve para incrementar su insolencia. Oprimen a nuestros pacíficos súbditos e insultan a los dioses y a los sabios, provocando una feroz indignación entre nuestra gente. De ahí el incendio de capillas y el asesinato de conversos por parte de las tropas patrióticas.

El emperador se quedó callado. Se volvió hacia mí y me devolvió el borrador, con los ojos llenos de pena.

Yo proseguí.

—El trono ha hecho todos los esfuerzos que estaban a su alcance para evitar la guerra. Hemos emitido edictos imponiendo la protección de las legaciones y la piedad hacia los conversos. Declaramos que bóxers y conversos eran igualmente hijos del Estado. Son las potencias occidentales las que nos fuerzan a la guerra.

Enviamos al ministro de Asuntos Exteriores, I-kuang, a dar a los residentes de las legaciones veinticuatro horas para abandonar Pekín, bajo la protección de las tropas de Yung Lu. Se ordenó a la oficina de Asuntos Exteriores de Tientsin y al servicio de aduanas chino de sir Robert Hart que recibieran a los residentes e hicieran los arreglos necesarios para escoltarlos hasta lugar seguro.

Pero las legaciones se negaron a abandonar sus locales en China. George Morrison, del *Times,* dijo a los residentes de las legaciones: «Si dejáis Pekín mañana, la muerte de cada uno de los hombres, mujeres y niños de este enorme convoy desprotegido pesará sobre vuestras cabezas. Vuestros nombres pasarán a la historia y serán conocidos para siempre como los más malvados, débiles y pusilánimes cobardes que hayan existido jamás».

El 20 de junio, el ministro alemán, el barón von Ketteler, fue asesinado.

Klemens August von Ketteler era un hombre de fuertes convicciones y tenía un temperamento furioso, según los que le conocían. Solo pocos días antes de su muerte, golpeó a un niño chino de diez años con su bastón cargado de plomo hasta dejarlo inconsciente. La paliza tuvo lugar fuera de la legación alemana a la vista de abundantes testigos. Ketteler sospechaba que el niño era un bóxer. Después de golpeado, el niño fue arrastrado hasta la legación. Cuando se informó a la familia del chico y fueron a recuperarlo, el muchacho había muerto. El incidente enfureció a miles de chinos, que pronto se reunieron a las puertas de la legación en busca de venganza.

Nunca entendí por qué Ketteler eligió bajarse de su palanquín en ese momento preciso, sabiendo el peligro que corría. Él y su intérprete se dirigían hacia el Ministerio de Asuntos Extranjeros. Ketteler había dicho al personal de su casa que ya había esperado lo suficiente una respuesta de China al ultimátum y pretendía comprobar los progresos él mismo.

Una turba de bóxers rodeó a Ketteler mientras iba hacia el edificio de Asuntos Exteriores. En cuestión de momentos Ketteler moría de un disparo a quemarropa. Su intérprete fue herido en ambas piernas pero consiguió arrastrarse hasta la legación alemana.

El asesinato del ministro alemán señaló el principio de lo que los historiadores futuros llamarían el Asedio de las Legaciones. En medio de la creciente violencia, las diversas legaciones se pusieron de acuerdo y diariamente sus guardias disparaban sus fusiles, matando indiscriminadamente a numerosos chinos. En cuatro ocasiones los guardias de seguridad de las legaciones atacaron la Puerta Este de la Ciudad Prohibida, pero fueron repelidos por las tropas del general Tung. Residentes de las legaciones armados ocuparon las murallas del perímetro, lo cual dificultaba que las tropas de Yung Lu pudieran mantener una posición dfensiva y desempeñar su misión: evitar que los bóxers triunfaran en su asedio.

A medianoche me despertó el incendio de la puerta imperial principal. Los bóxers le habían prendido fuego como resultado de un enfrentamiento con las tropas de Yung Lu, que habían estado bloqueando los tres «anillos» de asalto contra las legaciones.

Al poco tiempo, el vasto portal de tres niveles que se abría al centro de Pekín resplandeció en la oscuridad, mientras las llamas engullían el barrio más rico de Pekín. Los bóxers pretendían quemar solo las tiendas que vendían productos extranjeros, pero en la estación seca, todo fue consumido por el fuego.

Ordené a la cocina de palacio que hiciera montañas de empanadillas, pues tenía una procesión de ministros, funcionarios y generales entrando y saliendo a todas horas. El protocolo de las comidas se dejó de lado. La mayoría de los hombres no se habían sentado a comer una comida caliente durante días. No había lugar para los platos; mi mesa estaba cubierta de mapas, mensajes, borradores y telegramas.

Ahora también la prensa extranjera se sumaba al ataque. El mundo había empezado a llamar al asedio «la matanza de Pekín». Los periódicos bramaban: «La Emperatriz Viuda quería a los bárbaros muertos. A todos». Supuestas fuentes anónimas me acusaban directamente de «ordenar los asesinatos».

—Hemos estado desconectados de las reacciones del mundo desde que cortaron los cables del telégrafo. Las reparaciones están tardando demasiado —se quejaba I-kuang.

Conscientes de que las acusaciones constituían una excusa suficiente para declarar la guerra a China, me sentía extraordinariamente nerviosa. Seguía mirando a Yung Lu, que se sentaba enfrente de I-kuang.

—¿Cómo se encuentra el emperador Kuang-hsu? —preguntó I-kuang—. No asiste a las audiencias.

—Kuang-hsu no está bien —respondí.

—¿Están sus esposas con él?

La pregunta me pareció extraña, pero decidí contestarla.

—La emperatriz Lan y las concubinas visitan a su majestad cada día, aunque mi hijo prefiere estar solo.

I-kuang me dirigió una mirada burlona.

—¿Ocurre algo? —pregunté.

—No, pero los extranjeros han estado preguntando por la salud del emperador. Parece ser que mis respuestas no son lo bastante satisfactorias para ellos. Sospechan que su majestad ha sido torturado hasta la muerte. —I-kuang hizo una pausa y luego añadió—: Es el rumor que aparece en los periódicos de todo el mundo.

—¡Id a verlo con vuestros propios ojos! —me enfurecí—. ¡Visitad a su majestad en Ying-t'ai!

—Los periodistas extranjeros han solicitado hacer entrevistas cara a cara...

—No se permite la entrada de periodistas extranjeros en la

Ciudad Prohibida —intervino Yung Lu—. Hagamos lo que hagamos, le sacarán punta a todo.

—Se está convirtiendo en una cuestión personal —dijo I-kuang, dándome una copia del *Daily Mail* de Londres.

«Las legaciones resisten juntas mientras el sol se alza plenamente —decía un "testigo presencial" a un reportero—. El pequeño grupo que quedaba, todos europeos, encontró porfiadamente la muerte, y por fin, superados en número, todos y cada uno de los europeos que quedaron fueron pasados por la espada de la manera más atroz.»

Más tarde, el *Times* de Londres publicó un informe especial sobre un servicio fúnebre celebrado en la catedral de San Pablo por las «víctimas» de la legación británica. Se publicaron páginas de necrológicas. Sir Claude MacDonald —el marido de lady MacDonald—, sir Robert Hart y el propio abnegado corresponsal del *Times*, George Morrison, sobrevivieron para leer sus propias necrológicas.

El 23 de junio, las tropas del general Tung rodearon el complejo de 1,2 hectáreas de la legación británica. Su fuerza musulmana intentó entrar por la muralla norte, donde se encontraba la Academia Hanlin, de la élite china. Como todos sus esfuerzos fueron vanos, Tung ordenó a sus soldados que arrojaran teas encendidas dentro de la academia, con la intención de que el humo hiciera salir a los extranjeros. Un fuerte viento avivó las llamas, que consumieron la librería más antigua del mundo.

Yung Lu observaba a los bóxers arrojarse inútilmente contra las barricadas de la legación. Nadie se enteró de que Yung Lu, que tenía sesenta y cinco años, había caído enfermo. Me había estado ocultando su estado, y yo estaba demasiado preocupada para notarlo. Le trataba como si fuera de hierro. No sabía que solo le quedaban tres años más de vida.

Convencido de que una matanza en las legaciones supondría la venganza de las potencias occidentales, Yung Lu negó al general Tung las armas más poderosas que le había pedido. Yung Lu controlaba la única batería de artillería pesada.

Me preguntaba cómo los periodistas occidentales y sus «testigos presenciales» podían haber pasado por alto que desde que el asedio empezó, cada vez menos asaltos procedían de los sectores que controlaban las tropas de Yung Lu. Era un hecho conocido que poco antes China había comprado armas avanzadas a través de sus contactos diplomáticos, entre los que se encontraba Robert Hart. Si se hubiesen usado aquellas armas contra las legaciones, su supuesta defensa, que movilizaba a un centenar de hombres, habría sido reducida a escombros en cuestión de horas.

En nombre del emperador de China, I-kuang convocó una conferencia para declarar el alto el fuego. Para vergüenza del trono, no significó nada, ni para las legaciones ni para los bóxers. La lucha continuó.

El general Tung y sus tropas musulmanas cambiaron de estrategia: cortaron la línea de abastecimiento de las legaciones. Por los criados chinos que habían escapado de las legaciones, supimos que la comida y el agua escaseaban. La escasez se iba haciendo más crítica a medida que la lucha se intensificaba. Y además de los heridos, las legaciones tenían su carga de mujeres y niños enfermos.

Yung Lu pidió permiso para enviar a las legaciones provisiones de agua, medicinas, comida y otros productos. Fue difícil darle mi consentimiento, pues sabía que estaba cometiendo un acto de traición. El número de bajas entre los bóxers y entre nuestras propias tropas excedían en mucho al de los extranjeros. La venganza era el único pensamiento que mi pueblo tenía en la cabeza.

—Haz lo que sea necesario —le dije a Yung Lu—. No quiero saber los detalles. Mientras tanto, mi pueblo oirá el sonido de tus cañones disparando a las legaciones.

Yung Lu comprendió; a última hora de la noche el fuego de sus cañones iluminó el cielo como los fuegos artificiales en el Año Nuevo. Los obuses volaban sobre los tejados y explotaban en los jardines traseros de las legaciones. Mientras los ciudadanos de Pekín aplaudían mi acción, el pelotón de ayuda de Yung Lu empujaba sus carros de provisiones a través de la tierra de nadie hasta los complejos de las legaciones.

Sin embargo, mi gesto de buena voluntad no funcionó. Nuestras peticiones para que los extranjeros vaciaran las legaciones fueron desdeñadas repetidamente.

Los extranjeros sabían que había llegado ayuda; una fuerza internacional había entrado a través de la última línea de defensa de China en los fuertes Taku.

Mis mensajeros describieron las colosales nubes de polvo que se elevaban alrededor de la desembocadura del río Taku. Las últimas noticias decían que el gobernador de Chihli se había suicidado. (Para aumentar mi sorpresa, el 11 de agosto su relevo también se suicidó.)

Encendí varias velas y me senté ante ellas, con la mente nublada por pensamientos de muerte.

«Me he retirado desde Ma'to a Chanchiawan —decía el último informe del gobernador—. He enviado decenas de miles de soldados para atascar todas las carreteras. Los bóxers han huido. A su paso por villas y ciudades, el saqueo era tan brutal que poco quedaba para que pudieran comprar los ejércitos bajo mi mando, por lo que hombres y caballos estaban hambrientos y exhaustos. Desde mi juventud hasta la vejez he vivido varias guerras, pero nunca he visto cosas como estas... hago lo que puedo para reunir las tropas huidas y lucharé hasta mi último aliento...»

En un memorando, Yung Lu incluyó un mensaje desesperado de Li Hung-chang. Proponía que enviara un telegrama a la reina de Inglaterra para «elevar una petición de que como dos mujeres ancianas deberíamos comprender las dificultades de cada una». También proponía que enviara una súplica al zar Nicolás de Rusia y al emperador de Japón pidiendo «ayuda para resolver pacíficamente la crisis».

Tuve que creer en mí misma para tener el valor de seguir el consejo de Li. Expliqué resumidamente la necesidad de que cada país siguiera en buenas relaciones con China. Para Gran Bretaña el motivo era el comercio, para Japón era la «alianza de Oriente contra Occidente», para Rusia era «la antigua dependencia de la frontera y la amistad de los dos países».

¡Qué ridícula fui!

42

Al alba del 14 de agosto de 1900, unos ruidos como maulli-dos de gato resultaron ser el sonido de las balas que pasaban volando. Catorce mil soldados, entre británicos, franceses, japoneses, rusos, alemanes, italianos, holandeses, austríacos, húngaros, belgas y estadounidenses nos habían invadido. Llegaron a Pekín en el tren de Tientsin. El general Nieh, que había sido enviado por Yung Lu para proteger el ferrocarril de los bóxers, fue muerto por los aliados.

Yo me estaba arreglando el cabello cuando llegaron los aulli-dos de gato. Me preguntaba cómo podía haber tantos gatos. Entonces algo golpeó la punta del alerón de mi tejado y los adornos se rompieron en mi patio. Al cabo de unos momentos una bala atravesó mi ventana. Dio contra el suelo, rebotó y salió rodando. Me acerqué a examinarla.

Li Lien-ying entró corriendo, visiblemente turbado.

—¡Los soldados extranjeros han entrado, mi señora!

¿Cómo es posible?, pensé. Se suponía que Li Hung-chang había empezado las negociaciones con las potencias occidentales.

Hasta que mi hijo vino con su esposa y sus concubinas no caí en la cuenta de que la guerra del Opio había vuelto a empezar.

Después de vestirme, fui a ver a Kuang-hsu. Parecía asustado. Tiraba frenéticamente de las perlas de su túnica y se apartaba hacia atrás su sombrero con la borla roja. Aunque había cambiado su túnica dorada por otra azul, los símbolos del dragón que llevaba bordados lo hacían reconocible. Le pedí a Li Lienying que encontrara unas ropas de criado para el emperador. Lan, Perla y Luminosa ayudaron a su esposo a ponerse un sencillo abrigo largo y gris.

El ruido de las balas sobre nuestras cabezas se hacía cada vez más fuerte. Abrí los cajones, roperos y armarios intentando decidir qué llevarme y qué dejar. Saqué vestidos y abrigos, pero Li Lien-ying me dijo que mis baúles de viaje estaban llenos. Me resultó difícil separarme del maletín de madera tallada de doncella que me dejó mi madre y el cuaderno de caligrafía de Tung Chih.

Sujetando mi joyero, Li Lien-ying dirigía el trabajo de los eunucos, que amontonaban lo que podían en los carros.

Me quité las joyas y los protectores de jade de las uñas y le pedí a Li Lien-ying que me cortara las largas uñas.

Cuando le dije que me cortara el cabello, que me llegaba hasta las rodillas, se echó a llorar, y también mis nueras.

Después de recogerme el cabello corto en un moño, me ayudó a ponerme una túnica azul oscura de campesina. Me puse unos zapatos gastados.

Siguiendo mi ejemplo, Lan y Luminosa se quitaron las joyas y se pusieron ropas de criadas, pero Perla se negó. Se volvió hacia Kuang-hsu y le susurró al oído. Mi hijo negó con la cabeza y siguió en silencio. Perla le presionó, pero él volvió a negar con la cabeza. Perla se enfadó.

—¿Por qué no hablas con el emperador cuando ya hayamos salido de la ciudad? —le dije a Perla.

Como si no me hubiera oído, Perla siguió presionando para que le diera una respuesta. Kuang-hsu vaciló, miró a su alrededor, evitando mi mirada.

Un mensajero enviado por Yung Lu nos avisó de que debíamos partir inmediatamente. Mientras caminábamos hacia la verja, Perla apartó a Kuang-hsu a un lado. Empezaron a caminar de regreso hacia la Ciudad Prohibida.

Li Lien-ying entró corriendo.

—¡Los aliados han ordenado bloquear los carruajes! ¿Qué vamos a hacer, mi señora?

—Tendremos que caminar —respondí.

—El trono no se va.

La concubina Perla se arrojó al suelo delante de mí. Con mi hijo de pie en silencio detrás de ella, Perla me hizo saber en aquel preciso instante que ella y Kuang-hsu se estaban diciendo adiós. Perla, con una túnica de satén bermellón con un pañuelo a juego alrededor del cuello, estaba sorprendentemente hermosa, como un arce en otoño. Cuando levantó la barbilla, vi convencimiento en sus ojos.

Li Lien-ying me suplicó que me diera prisa.

—Hay hombres muriendo por defender nuestra ruta de escape, mi señora. Las balas zumban y hay incendios y explosiones fuera de la ciudad.

—Tú puedes quedarte, pero mi hijo debe venir —le dije a Perla.

—Su majestad el emperador se quedará —me desafió la muchacha.

Li Lien-ying se interpuso entre Perla y yo.

—¡Dama Perla, debemos irnos ahora o nunca! ¡Los hombres de Yung Lu están preparados para escoltar al trono!

—Perla, este no es el momento —dije, elevando la voz.

—Pero el trono está decidido —insistió Perla.

—Haz que tu concubina se mueva —le dije a Kuang-hsu.

—¡Huir es humillante y pondrá en peligro el imperio! —gritó Perla, lo bastante alto como para que todos la oyeran.

—Contrólate, Perla —le ordené.

—¡El emperador Kuang-hsu tiene derecho a defender el honor de la dinastía!

—¡El emperador puede hablar con su propia boca —respondí enojada.

—Su majestad teme demasiado a su madre para decir lo que piensa.

Le pedí a Perla que dejara de ponerse en ridículo.

—Entiendo que la presión es casi insoportable. Prometo escucharos cuando salgamos de la ciudad y lleguemos a un lugar más seguro.

—¡No! —gritó Perla—. Al emperador Kuang-hsu y a mí nos gustaría pedir nuestra liberación.

—¡Concubina Perla! ¿Qué estás...?

Antes de que pudiera acabar, un obús explotó en mitad del patio. La tierra tembló. Las dos alas del techo de mi palacio se derrumbaron.

En medio de nubes de polvo, los eunucos y las damas de honor chillaban y corrían a esconderse.

Perla y yo nos quedamos frente a frente en medio del patio, envueltas en polvo. Kuang-hsu estaba a pocos metros, angustiado y sumido en la culpa. Me di cuenta de lo que Perla pretendía: creía que las potencias occidentales habían acudido a rescatar a Kuang-hsu. Para Perla, mi marcha significaba la restauración de Kuang-hsu en el poder.

Bajo cualquier otra circunstancia, habría pensado la petición de Perla. Podría incluso admirar su osadía, pero en aquel momento lo único que veía era la falta de perspectiva y de consideración de Perla por mi seguridad y la de mi hijo.

En cierto modo, Perla me daba pena, pues confiaba en una fortaleza de carácter que Kuang-hsu no poseía. Ella veía a quien podía ser en lugar de ver a quien realmente era.

—Llévala con nosotros —instruí a Li Lien-ying.

Varios eunucos empezaron a atar a Perla. Ella se debatía, pidiéndole ayuda a Kuang-hsu.

Kuang-hsu se limitaba a mirar, desesperado.

—Kuang-hsu —gritó Perla—, tú eres el gobernante de China, no tu madre! ¡Las potencias occidentales han prometido tratarte con respeto! ¡Haz valer tus derechos!

Li Lien-ying vació un carro y los eunucos montaron a Perla en él como si fuera un saco de arroz.

Ordené a mi hijo que se metiera en su palanquín, y él obedeció.

De nuevo iniciamos la marcha.

El humo llenaba el aire. Los woks de cocina y las tapaderas tintineaban fuertemente mientras los porteadores caminaban rápidamente hacia la verja.

Los eunucos empujaban los carros mientras las damas de honor caminaban a su lado, llevando mis pertenencias en cestas y bolsas de algodón.

No llegamos muy lejos. Antes de llegar a mi verja, Perla se liberó, salió del carro y corrió hacia el palanquín de Kuanghsu. Tiró de la cortina y golpeó la cabeza contra un lado del palanquín derribando a uno de los porteadores.

Detuve mi palanquín y grité su nombre, dejando muy claro que no íbamos a dejarla detrás.

La muchacha besó los pies de Kuang-hsu y luego, en un rápido movimiento, apretó a correr hacia la Ciudad Prohibida.

Li Lien-ying salió corriendo detrás de ella.

—¡Dejadla en paz! —grité.

—Mi señora, Perla está corriendo hacia la Puerta Este, donde están las tropas extranjeras.

—Dejadla —reiteré.

—¡Podrían violarla los soldados extranjeros!

—Es su elección.

—Mi señora, dama Perla podría también tirarse al pozo.

Contra toda lógica, ordené a nuestros palanquines que dieran la vuelta. Seguimos a Perla, de nuevo hacia la ciudad, encaminándonos hacia el pozo. No llegamos a tiempo. Ante mis ojos, Perla saltó. Pero la boca del pozo era demasiado pequeña. Perla se debatió usando su propio peso para dejarse caer.

—¡Kuang-hsu! —grité.

Escondido dentro de su palanquín, mi hijo no respondió. No sabía lo que había pasado, o no quería saberlo.

Con un cuchillo, Li Lien-ying cortó la vara de bambú más larga de mi palanquín. Con la ayuda de otros eunucos, metieron la vara en el pozo.

Li Lien-ying le lanzó una cuerda, pero Perla estaba decidida a salirse con la suya.

Li Lien-ying empezó a maldecir y a amenazar. Los eunucos encendieron bolas de fuego y las arrojaron al pozo con la intención de que el humo hiciera salir a la chica.

—¡Dejadla que haga su voluntad! —gritó el emperador desde su palanquín.

Con el suicidio de Perla en la mente de todos, empezamos nuestro viaje de más de mil kilómetros hacia el noroeste, siguiendo la Gran Muralla. Empujábamos nuestros carros y caminábamos. Kuang-hsu sollozaba y rechazaba mi consuelo.

Me preguntaba qué habría sucedido si hubiera dejado que Perla hiciera lo que quería. Llegué a la conclusión de que no habría salido bien. Cuando las potencias occidentales hubieran conseguido «rescatar» a Kuang-hsu y tomarlo como rehén, habríamos perdido terreno en cualquier negociación. Me habría visto forzada a darlo todo a cambio de mi vida o mi hijo se habría visto obligado a ordenar mi ejecución.

—En cualquier caso, no sobreviviré —me dijo Kuang-hsu más tarde.

Sin embargo, volví a pensar en Perla mientras imaginaba lo que podía haberle dicho. Ella y yo habíamos compartido la misma fantasía, que mi hijo y marido suyo tuviera dentro de sí la fuerza para transformarse a sí mismo. Yo había trabajado para que se produjera esa transformación desde el día que lo había adoptado. Me felicitaba a mí misma por haber puesto en contacto a

Kuang-hsu con las ideas occidentales y me enorgullecía de la fascinación de Kuang-hsu por la cultura occidental, pero aquello no había bastado.

También tenía que haber explicado a Perla que hay verdades que una madre sabe sobre su hijo que no puede compartir con nadie. El hecho de que yo estuviera orgullosa de Kuanghsu no significaba que ignorase sus limitaciones. Yo había desafiado su potencial con todas mis fuerzas. Someterme enteramente a su llamamiento a la reforma, fue una decisión personal que tomé. Tiré los dados, preparada para perder todo lo que tenía.

Mi debilidad fue creer que mi hijo podía ser más hábil que un hombre como Ito Hirobumi. Dejar que Kuang-hsu nombrara a Kang Yu-wei ministro principal también fue un error por mi parte. Yo sabía que Kang no era el hombre que pretendía ser, pero dije que sí para complacer a mi hijo.

Yo estaba destrozada por el sufrimiento de mi hijo. No podía aceptar su propio fracaso, que consideraba más mío que suyo. Si hubiera sido asesinada por orden de mi hijo, lo habría considerado mi destino, pues yo sabía lo mucho que me amaba.

No obstante, lo más importante que podía haberle dicho a Perla era que mi hijo, su marido, se había enfrentado a fuerzas que estaban más allá de su control: el peso de la tradición, la ceguera y el egoísmo del poder, la propia historia. La enorme riqueza de China y las glorias de su civilización la habían vuelto complaciente y reacia al cambio. Un Japón pobre en recursos se había visto obligado a expandirse, a avanzar, a modernizarse; el emperador japonés simplemente había guiado a un pueblo dispuesto. China había sido superada y necesitaba cambiar, pero ningún emperador solo podía mover una nación que acababa de despertarse a las necesidades de cambio. Ningún hombre solo... semejantes intentos de cambio ya se habían cobrado las vidas de tantos: mi marido, mi hijo, el príncipe Kung, otros, y yo temía que pronto otro hijo mío engrosase esa lista.

Durante las siguientes semanas viajamos día y noche. Si teníamos la suerte de llegar a una ciudad al anochecer, yo podía dormir en una cama. La mayoría de los días acampábamos en pastos y bosques donde me asediaban los insectos. Aunque Li Lien-ying se aseguraba de taparme desde la cabeza hasta los pies, me picaban en el cuello y en la cara. Una comezón se me hinchó tanto que parecía que me hubiera salido un huevo en la barbilla.

Mandé llamar a Li Hung-chang para que empezara a negociar con los extranjeros, pero me dijeron que aún no había salido de Cantón.

Yung Lu creía que había dos razones por las que Li Hung-chang arrastraba los pies.

—En primer lugar, considera la negociación una tarea imposible. En segundo, no quiere trabajar con I-kuang.

Yo comprendía su reticencia. Había elegido a I-kuang porque el Consejo del Clan manchú había insistido en que uno de los suyos «dirigiera» a Li.

—I-kuang es un incompetente y un corrupto —dijo Yung Lu—. Cuando lo interrogué, se quejó de la prepotencia de Li y culpó a los demás por «obligarle a aceptar regalos».

Yung Lu y yo estábamos frustrados porque lo único que podíamos hacer era hablar de nuestra desgracia. Le dije que la reina Min me había visitado en un sueño. Empezaba cuando ella se levantaba de una pira de dos pisos de alto.

—Luego se sentaba junto a mi cama con sus ropas ardiendo. Me contaba cómo sobrevivir a las llamas. No parecía darse cuenta de que era mitad carne mitad esqueleto. No podía entender ni una palabra de lo que me decía porque no tenía labios.

Yung Lu me prometió que andaría cerca.

Días después, Yung Lu averiguó el verdadero motivo por el que Li Hung-chang había tardado tanto en venir.

—Los aliados tienen una lista de personas a las que creen responsables de la destrucción de las legaciones. Piden detenciones y castigos antes de empezar las negociaciones.

—¿Sabe Li Hung-chang lo de la lista? —pregunté.

—Sí. De hecho la tiene, pero teme presentárosla. Aquí tenéis una copia.

Me puse las gafas de leer. Aunque era de esperar, aún estaba impresionada: mi nombre era el primero de la lista.

Yung Lu creía que Li Hung-chang también era reacio a acudir otra vez en ayuda de Kuang-hsu. El emperador había sido varias veces la causa de las forzosas salidas de Li, que le habían ocasionado grandes pérdidas políticas y financieras. Sus rivales y enemigos, en su mayoría príncipes manchúes, se habían apropiado gradualmente de sus principales sociedades industriales, entre ellos la Compañía de Mercaderes de Navegación a Vapor China, la Administración Imperial de Telégrafos y las minas Kaiping.

Después de no hacer caso a varias de mis llamadas, que prometían devolverle sus cargos y propiedades empresariales, Li se trasladó a Shanghai durante varias semanas, diciendo que se sentía viejo y enfermo, para ganar tiempo. Yung Lu consiguió que se diera prisa diciéndole que se había redactado el borrador de un edicto de castigo con una lista de nombres que los extranjeros habían solicitado. Tras muchas más convocatorias exigiendo su presencia, Li Hung-chang llegó a Tientsin el 19 de septiembre. «Hasta la publicación del edicto poco puedo hacer yo», decía el mensaje que le envió a Yung Lu.

Extrañamente, en aquel momento la perspectiva de mi propia muerte no me parecía tan amenazadora. La idea se me presentó como un punto de negociación más.

—¿Crees que Li Hung-chang espera realmente que me entregue a los aliados? —le pregunté a Yung Lu.

—Claro que no. ¿Qué sería de Li sin vos?

—Entonces, ¿qué es lo que quiere?

—Está usando este momento para asegurarse de que no le entregaréis a sus enemigos, sobre todo al príncipe Ts'eng, hijo, y al general Tung.

Fuertes vientos del norte soplaban por las praderas, haciendo que nuestros palanquines parecieran pequeños botes flotando sobre olas verdes. Los bóxers habían arruinado la temporada de siembra, y no conseguíamos ninguna ayuda porque los campesinos habían huido.

Seguíamos avanzando por el interior hacia el norte, perseguidos por los extranjeros. Llevábamos un mes caminando con dificultad por caminos de polvo llenos de zanjas. Mi espejo se había roto y solo podía hacerme una ligera idea de qué aspecto tenía. Kuang-hsu estaba cubierto de polvo y ya no se molestaba en lavarse la cara. Tenía la piel cetrina y seca. Nos apestaba el cabello y el cuero cabelludo nos picaba. Mi ropa estaba infestada de piojos y otros insectos. Una mañana me desabroché la camiseta y descubrí cientos de huevos del tamaño de una semilla de sésamo en el forro. Los pequeños huevos parecían pegados al forro, así que Li Lien-ying los quemó. Ya no me preocupaba el aspecto de mi cabello. Me empapé la cabeza en agua salada y vinagre, pero los piojos volvieron. Cuando me levantaba por la mañana los veía caer sobre mi colchón de paja. Habíamos estado durmiendo donde podíamos, una noche en un templo abandonado, otra en una cabaña sin techo sobre lechos de ladrillo.

A Kuang-hsu le daba asco ver a Li Lien-ying quitando con el peine las escamosas liendres de mi cabello. El emperador se afeitó la cabeza y se ponía una peluca durante nuestras improvisadas audiencias. Fue difícil para nosotros mantener la compostura cuando recibíamos a los ministros, no podíamos resistir la necesidad de rascarnos. Yo tenía que sonreír. Veía lo absurdo que era todo aquello; Kuang-hsu no.

La estación de las lluvias trajo tormentas. Nuestros palanquines tenían filtraciones y Kuang-hsu y yo pronto nos quedábamos empapados. El viaje me recordó mi primer exilio a Jehol con el emperador Hsien Feng. Yo no quería pensar en el futuro.

El 25 de septiembre se publicarían las primeras condenas imperiales. Yo ya sentía bastantes remordimientos. El príncipe Ts'eng y el general Tung habían venido a hacerme saber que comprendían las razones por las que debía hacerlo. Yo iba a entregarlos a los aliados, una condición para librarme de responsabilidad.

—No puedo ordenar su decapitación —le dije a Yung Lu—. El príncipe Ts'eng es un pariente de sangre. Las tropas del general Tung eran lo único que estaba protegiendo mi Corte rodante —suspiré—. Lo que le ocurrió a la reina Min pronto me ocurrirá a mí.

—Li Hung-chang está consiguiendo lo que quería y encontrará un modo de salvaros —dijo Yung Lu.

Una mañana mi eunuco encontró un huevo de pato en el armario de una casa abandonada. Kuang-hsu y yo estábamos emocionados. Li Lien-ying hirvió el huevo, y Kuang-hsu y yo rompimos la cáscara con cuidado y nos comimos el huevo poco a poco, arañando la cáscara hasta dejarla limpia.

Estábamos escasos de comida y habíamos sobrevivido con pequeñas porciones de gachas de mijo. Andábamos hambrientos. Con el huevo celebramos la largamente esperada llegada de Li Hung-chang a Pekín; llevaba en Tientsin tres semanas. Me aseguré de que se enterara de todos los bichos que había encontrado.

Por fin empezaron las negociaciones. Nuestro amigo Robert Hart sirvió de intermediario. Li Hung-chang hizo importantes progresos a la hora de convencer a las potencias extranjeras de que «hay más de un modo de cortar un melón», y que deponerme a mí y a mi gobierno no solo evitaría que los extranjeros se beneficiaran más de China, sino que también fomentaría el malestar, dando lugar a más levantamientos.

Las potencias extranjeras querían dividir China, pero Li les hizo reconocer que China era sencillamente demasiado grande, su población demasiado numerosa y heterogénea para que la división funcionara, y que intentar instalar un gobierno republicano sería plantear demasiadas incertidumbres.

Kuang-hsu apreció el esfuerzo de Li Hung-chang. Cuando empezó a llamar a Li por su antiguo título de virrey de Chihli, me puse a llorar, porque nada fue más confortante que el gesto clemente de Kuang-hsu hacia uno de los «viejos chicos». Al fin y al cabo, las potencias occidentales y sus fuerzas militares estaban en nuestro suelo, y él podía haberlas llamado para que le ayudaran a declarar su independencia.

43

Tal y como había hecho la Corte de mi marido hacía cuarenta años, nos encaminábamos hacia la seguridad de la patria natal manchú. Después de estar huyendo durante más de seis meses llegamos a la antigua capital de Sian. El plan inicial había sido cruzar la Gran Muralla, pero nos vimos obligados a alterar la ruta cuando Rusia nos invadió por el norte y empezó a anexionarse Manchuria. Viramos hacia el sudoeste, donde esperábamos que una cadena de montañas nos protegiera.

Tengo pocos recuerdos del paisaje que atravesamos y de la belleza de la antigua capital. Me consumían un montón de problemas menores pero molestos. Los palanquines no estaban hechos para viajar largas distancias. El mío empezó a romperse casi desde el principio. Además de arreglar las goteras del techo, Li Lien-ying tenía que hacer continuas reparaciones. En cuanto oía un crujido sabía dónde residía el problema. Como no tenía herramientas ni recambios, tenía que arreglárselas con lo que podía encontrar a lo largo del camino: un pedazo de bambú, un raído trozo de cuerda o una piedra para usarla como martillo y colocar una pieza nueva en su sitio.

Cuando por fin mi palanquín se vino abajo, los porteadores me llevaban en una silla adaptada para el transporte. Pero aquello tampoco duró: tuve que caminar hasta que arreglaron la silla. Y los zapatos se nos gastaban tan rápido que no nos daba tiempo a sustituirlos. Claro que no había lugar donde comprar unos nuevos. Al final del viaje la mayoría de nosotros caminábamos descalzos. Teníamos ampollas en los pies, que a veces derivaban en infecciones: unos pocos porteadores murieron por ese motivo.

Kuang-hsu y yo nos turnábamos para montar a lomos de un burro de aspecto penoso. Había días en que Li Lien-ying no lograba encontrar nada para alimentar al animal y estaba a punto de desmoronarse.

El agua potable se convirtió en otro problema. Después de un viaje de ochocientos kilómetros llegamos a la capital de provincia de Taiyuan. Los bóxers, que habían procurado «no dejar a los bárbaros nada más que un erial», habían envenenado los pozos de los pueblos vecinos.

Al emperador y a mí nos salieron herpes labiales, y nos habíamos quedado sin medicinas. Era una tontería oír a los médicos aconsejarnos que lleváramos una dieta equilibrada cuando apenas podíamos encontrar comida. Nos acostumbramos a no tener mesas ni sillas; comíamos de cuclillas y ya no nos molestaban los piojos.

Con la llegada del otoño, el aire era helado de noche. Kuang-hsu y yo sufrimos la tos de los cien días* y nos quedamos sin voz. Siempre recibíamos algún tipo de alimento, pero muchos no tenían esa suerte. El emperador ayudó a enterrar a algunos de sus eunucos favoritos. Por primera vez mi hijo desarrolló un sentido de la compasión por aquellos que estaban por debajo de él. El duro viaje le había conmovido y educado. Aunque su estado físico era muy malo, su estado mental mejoró. Tomaba notas de lo que veía en el camino y se mantenía ocupado escribiendo un diario.

---

* Nombre que la cultura china da a la tos ferina, un nombre que alude a la naturaleza prolongada de la enfermedad. *(N. del T.)*

Li Lien-ying estaba desesperado porque nos habíamos quedado sin comida y sin agua. Fue el gobernador de Shantung, Yuan Shih-kai, quien llegó justo a tiempo con las provisiones que necesitábamos desesperadamente. Mi hijo habló con el hombre al que había estado llamando traidor desde que la reforma había fracasado. Aunque nunca perdonaría a Yuan Shih-kai por haberlo traicionado, Kuang-hsu le expresó su gratitud. Comimos una sopa deliciosa de semillas de loto y tortitas de pollo con cebolleta hasta que estuvimos tan hartos que tuvimos que tumbarnos de espaldas para poder respirar.

El 1 de octubre salimos de Taiyuan hacia Tung-kuan. Nos encaminamos directamente hacia el oeste durante los últimos cien kilómetros, pasamos por la provincia de Shan-hsi para llegar a Sian, en el estado musulmán aún controlado por los leales al general Tung. Aunque la corte creía que podíamos resistir indefinidamente, el emperador y yo empezamos a sospechar de los guardias imperiales, hombres que no reconocían más autoridad que la del general Tung.

Se había perdido mi peine de jade. Li Lien-ying, que era quien lo llevaba, creía que se lo habían robado mientras dormía. Empezó a maldecir y prometió cazar al ladrón. Le dije que no me molestaba pedir prestado otro peine, pero Li Lien-ying se negó: «No quiero que acabéis pillando las liendres de otra persona».

Cuando llegamos a Tung-kuan recibí un telegrama de Li Hung-chang informando que las negociaciones habían llegado a un alto. «Los aliados exigen que demostremos evidencia del castigo», escribió Li.

Se esperaba que yo entregase al general Tung y al príncipe Ts'eng. Nunca me había sentido tan manipulada. No importa cómo lo justificara, estaría traicionando a mi propia gente.

Hasta la llegada de Yung Lu el general Tung no obedeció las

instrucciones del trono de reducir el número de sus tropas en cinco mil soldados. Se retiró la distancia que los aliados habían solicitado, fuera de Pekín, lo que significaba que éramos aún más vulnerables.

Li Hung-chang me envió una transcripción de las negociaciones del día como respuesta a mis quejas con respecto a las exigencias de los extranjeros:

> ALIADOS: ¿Acaso no merecen la muerte gente como el príncipe Ts'eng y los Sombreros de Hierro?
> LI: No cumplieron su propósito.
> ALIADOS: Sesenta personas fueron asesinadas y ciento sesenta heridas en las legaciones.
> LI: El número de muertes de Sombreros de Hierro, bóxers y civiles chinos se eleva al millar.
> ALIADOS: ¿Qué pensaría usted si el príncipe de Gales y primos de la reina hubieran atacado al ministro chino en Londres?
> LI: Los Sombreros de Hierro eran unos locos.

Presionada por Li Hung-chang, el 13 de noviembre emití un edicto anunciando castigos. El príncipe Ts'eng, hijo, y sus hermanos serían encarcelados de por vida en Mukden, en Manchuria. Sus primos tenían que estar o bajo arresto domiciliario o degradados de rango y perderían todos sus privilegios. El castigo del antiguo gobernador de Shantung no se pudo aplicar porque había muerto. Otros gobernadores que habían fracasado en su protección de los misioneros extranjeros fueron desterrados de por vida, exiliados a la frontera remota del Turkistán y condenados a trabajos forzados. El maestro Espada Roja y dos de los cabecillas, que eran parientes lejanos de sangre real, serían ejecutados.

Los aliados consideraban insuficientes los castigos. Calificaron lo sucedido de «crímenes sin precedentes en la historia humana contra las leyes de las naciones, contra las leyes de la humanidad y contra la civilización».

No me quedaba más remedio que enviar otro decreto con sentencias más severas. Pero aun así no conseguí satisfacer a los aliados, pues se creía que mis palabras no tenían ningún valor, y que seguramente encontraría el modo de conseguir que los criminales evadieran el castigo.

Para ponerme a prueba yo misma, invité a la prensa extranjera a ser testigo de la ejecución pública que se llevaría a cabo en el mercado de las Verduras en el centro de Pekín.

Para los habitantes de Pekín fue una tremenda humillación cuando los extranjeros, altos, con sus grandes narices y sus cabellos rubios aparecieron con sus cámaras destelleantes. George Morrison del *Times* escribió:

> Es imposible saber el sueldo que se le pagó al verdugo. Se extendieron dos esteras en el suelo. Había una gran muchedumbre, multitud de corresponsales y se tomaron muchas fotografías. Rara vez una ejecución ha sido contemplada por personas de tantas nacionalidades... Un tajo en cada caso fue suficiente.

Los periodistas aplaudieron cuando rodaron las cabezas.

Yo estaba profundamente avergonzada.

A petición de los aliados ordené la ejecución de diez cabecillas bóxers. Salvo a los dos que fueron decapitados en público, al resto les concedí un suicidio honroso.

Acudieron miembros de la familia a suplicar por las vidas de sus seres queridos.

—Su majestad apoyó a los bóxers —gritaban reunidos fuera de mi palacio. Sus peticiones estaban escritas con sangre.

Yo me escondía detrás de la verja, asomándome como una cobarde. Envié a Li Lien-ying a ofrecer a las esposas y a los hijos unos pocos taels para pasar el invierno. Me era imposible perdonarme a mí misma.

Li Hung-chang discutía sin cesar con los aliados por la vida del general Tung. Cedieron solo después de comprender que el general podía ser útil para asegurar la estabilidad del noroeste de China. Tung fue privado de su rango, pero se le permitiría seguir siendo el caudillo de Kansu si abandonaba la capital inmediatamente y para siempre.

Yung Lu recortó una parte de los gastos de su ejército y entregó los taels al general Tung. Aquello evitaría que llamase a la rebelión.

El emperador Kuang-hsu y yo recibimos de las naciones aliadas los Doce Artículos, así los llamaron, que establecían las condiciones finales. Los miembros del Consejo del Clan y la Corte telegrafiaron a Li Hung-chang exigiendo cambios sustanciales. Li respondió que no podía hacer más. «La actitud de las potencias extranjeras es inflexible, y los contenidos no están abiertos a discusión —dijo—. Los aliados han amenazado con romper las negociaciones y hacer avanzar sus tropas».

En la primavera de 1901, el emperador y yo le dimos permiso a Li Hung-chang para que aceptara las condiciones. No hay palabras para describir mi vergüenza y mi dolor. Por esas fechas me enteré de que Li había estado gravemente enfermo, tan enfermo que sus criados tenían que ayudarle para llegar hasta la mesa de negociaciones. Li no reveló hasta entonces lo que me habría preocupado más: que en principio los aliados habían exigido que yo abdicase como jefa del gobierno y restaurase el reinado del emperador Kuang-hsu; que todas las rentas públicas de China fueran recaudadas por ministros extranjeros; y que los asuntos militares chinos fueran supervisados por extranjeros.

«Lo que he conseguido no es ninguna ganga —decía el memorando de Li—. El motivo por el que presioné para que lo firmarais era que me temo que mi tiempo se está acabando. Sería lamentable que muriera antes de completar la misión que vuestra majestad me ha confiado.»

El 7 de septiembre de 1901, después de poner a China de rodillas, los aliados firmaron el acuerdo de paz. Yo sufriría el tormento eterno, pues China se vio obligada a disculparse ante Alemania y Japón, lo cual suponía unas indemnizaciones enormes y la entrega de recursos naturales. Se ordenó a China que destruyera sus instalaciones de defensa y tuvo que aceptar una presencia militar extranjera permanente en Pekín.

44

La mañana del 6 de octubre, los aliados empezaron a retirarse de Pekín y yo pude salir de Sian en dirección a mi hogar. Nuestra procesión recorrió más de mil kilómetros en el viaje de regreso. Después de casi un año de exilio, hicimos todos los esfuerzos posibles para recuperar el prestigio. Esta vez no tendríamos que dormir en malas condiciones. Kuang-hsu y yo viajábamos cada uno en nuestro propio carruaje decorado con banderas y estandartes. Nos escoltaban soldados de caballería con trajes de seda brillante. Se notificaba a los gobernadores provinciales nuestro paso y se aseguraban de que cada milímetro de la carretera estuviera limpia de piedras. En una ceremonia para espantar los malos espíritus, los eunucos se adelantaban y barrían las carreteras y las espolvoreaban de yeso amarillo para invitar a los espíritus propicios. Siempre que nos deteníamos a pasar la noche, se celebraban banquetes. La Corte brindaba por su suerte al haber sobrevivido a la mortal prueba.

Sin embargo, yo no podía evitar sentir amargura.

China había recibido un buen vapuleo, y la carga de la enorme deuda nos tendría de rodillas indefinidamente. Pero según Li Hung-chang, no fue la misericordia de las potencias occidentales lo que mitigó sus exigencias. Lo que sujetó su mano fue la idea de que China sería algún día un enorme mercado desde el punto de vista económico. Su sentido de los negocios les dijo que no plantaran la semilla del odio en el corazón de los chinos —sus futuros clientes— o destruirían la capacidad de China para comprar productos extranjeros. Mi gobierno era simplemente una herramienta útil, sobre todo cuando las potencias extranjeras consideraban la posibilidad de que Kuang-hsu pudiera ser restaurado como emperador títere.

Kuang-hsu nunca había dicho que quería dimitir, pero sus acciones hablaban de sus deseos. Era un prisionero dentro de su propio palanquín. Me daba la sensación de que se sentía tan atrapado que no se molestaba en buscar el modo de salir.

Intenté hablar con él sobre iniciar el proceso para cambiar nuestro sistema por una república.* Empecé diciendo:

—Como verás, nuestros esfuerzos no sirven para nada.

—Eso es cosa tuya, madre —fue la respuesta de Kuang-hsu.

—Pero me gustaría saber qué opinas —insistí.

—No sé lo que opino. Lo más importante que he aprendido al ser el emperador de China es que no sé nada.

Es fácil rendirse sin luchar, tuve que tragarme las palabras, pero eso fue lo que pensé.

—Convertirnos en una república te hará más poderoso de lo que eres. —Tomé aliento y seguí—. El imperio japonés prospera, y China también puede hacerlo.

Mi hijo me dirigió una mirada cansina y suspiró.

Yung Lu, que iba y venía de la capital, estaba ansioso por hablar del candidato que dirigiría el parlamento propuesto.

—No estoy pensando en otros cuando Li Hung-chang y tú estáis sosteniendo el cielo —le dije—. ¿No es tu nuevo título primer ministro de China?

—Sí, por el momento, pero me gustaría recordar a vuestra

---

* La palabra «república» debe interpretarse como «régimen constitucional». (N. del T.)

majestad que Li Hung-chang y yo ya hemos cumplido los setenta años y tenemos mala salud.

—Me temo que estamos los tres en el mismo barco.

Nos sonreímos y yo le pregunté a quién tenía en mente.

—A Yuan Shih-kai —dijo Yung Lu—. Li Hung-chang y yo ya no estamos en condiciones, así que solo queda él.

Yo conocía a Yuan Shih-kai, que había venido recientemente en mi ayuda en nuestra retirada al exilio. Se había hecho un nombre en el sudoeste durante la guerra chino-francesa. Al regresar de Indochina, Li lo llamó para que se hiciera cargo del ejército del norte como su más joven comandante en jefe. Yuan era famoso por su eficaz estilo de instrucción. Pocos años después, cuando Yung Lu combinó sus fuerzas con las del ejército del norte y creó el nuevo ejército, Yuan fue nombrado comandante en jefe.

Yuan Shih-kai había demostrado su lealtad salvándome la vida durante el caos de la reforma de los Cien Días. Fue ascendido al puesto de gobernador de alto rango y supervisaba provincias clave mientras seguía con sus funciones militares. Al trabajar estrechamente con Li Hung-chang y Yung Lu, Yuan había aprendido de los maestros.

Un acontecimiento reciente también había hecho que Yuan Shih-kai se convirtiera en un nombre muy conocido en China. Según las condiciones del acuerdo, a China no se le permitía una presencia militar en el área más extensa de Pekín. Al margen de la humillación, este acuerdo hacía que aquellos que supuestamente sujetaban las riendas del poder se sintieran a la vez vulnerables y algo ridículos.

Yuan estudió el tratado y la ley internacional y se le ocurrió la idea de establecer una fuerza de policía china. «No hay nada en el acuerdo que diga que China no puede tener su propio refuerzo de la ley», declaró en su proposición.

A las semanas de concederle mi permiso, Yuan Shih-kai vistió a su ejército de policías, parecían los «bobbies» británicos.

Con sus flamantes uniformes, sus hombres patrullaban las costas y desfilaban alrededor de las legaciones en Pekín. Los mezquinos periodistas extranjeros no podían decir ni una palabra de esto.

Yuan Shih-kai me quitaba el sueño.

Cuando la procesión que regresaba a casa llegó a una ciudad cerca de Tientsin, me subí a un tren, lo cual era aún una novedad para mí. La locomotora arrastraba veintiún relucientes vagones, que habían sido presentados a la nación por Yuan Shih-kai. «Habitaciones móviles» las llamaba Li Lien-ying. Mi vagón aún tenía paredes tapizadas de seda, sofás de mullidos asientos y un lavabo de porcelana con grifo de agua caliente y agua fría. El vagón tenía incluso su propio retrete.

Aunque Kuang-hsu no me dio su opinión sobre la propuesta de que Yuan Shih-kai fuera el jefe del parlamento, comprendía que no lo estábamos eligiendo porque fuera un amigo personal. La pasión de Yuan por la prosperidad de China era lo que importaba. Ya habíamos confiado en él para que ejecutara nuestros edictos.

Yo fui testigo de la lucha de mi hijo consigo mismo: la lógica combatía contra sus sentimientos. A menudo Kuang-hsu volvía a ponerse taciturno.

—Antes morir que apoyar a ese traidor —decía. Rompía platos y daba patadas a su silla.

—Se trata de utilizar su talento —le decía yo—. Puedes sustituirlo si encuentras a alguien mejor.

Cuando supimos que Yung Lu se había desmayado mientras venía a reunirse con nosotros en Tientsin, le envié un mensaje deseándole que recuperase la salud y pidiéndole que viniera tan pronto como pudiera.

—¡El dios de la muerte me ha echado de una patada! —dijo sonriendo en cuanto entró en mi vagón privado acompañado de su médico. Intentaba aparentar que no había estado enfermo nunca—. Tal vez fue porque no había comido y en el infierno no aceptaron a un fantasma hambriento.

—No te atrevas a abandonarme. —Yo no podía contener las lágrimas.

—Bueno, no me han notificado cuándo mi cuerpo decidirá dejarme.

—¿Cómo te encuentras?

—Bien, pero me silba el pecho como si se tratara de un arpa de viento.

—Son los pulmones.

Yung Lu asintió.

—En cualquier caso, mi sustitución es un asunto urgente. Necesitáis a Li Hung-chang y mi ayuda para convencer a la Corte para que acepte a Yuan Shih-kai.

—Pero Kuang-hsu lo odia.

Yung Lu suspiró.

—Sí, lo sé.

—Y Li Hung-chang no ha enviado la confirmación de Yuan —dije—. ¿Tiene alguna reserva?

—Li está preocupado por la lealtad de Yuan cuando yo me haya ido. Cree que no es probable que Yuan Shih-kai sirva a una mente inferior.

—¿Se refiere a Kuang-hsu? ¡Cómo se atreve!

—Bueno, tal vez no sea una mente inferior, pero sí una mente con menos empuje. El emperador no le inspira confianza, y ni siquiera le importa.

No podía contrariarle.

—Es mi desgracia —suspiré—, pero es mi hijo.

—¿Cómo podía Kuang-hsu esperar la lealtad de Yuan? —preguntó Yung Lu—. Yuan Shih-kai tiene nuestro voto gracias a lo que puede hacer por China, pero una vez vos hayáis muerto, Yuan podía dejar de considerar que China es la China de vuestro hijo.

—¿Es este también el temor de Li Hung-chang?

Yung Lu asintió.

—¿Qué debo hacer yo?

—Es tarea de Kuang-hsu hacer que Yuan Shih-kai sepa quién es el emperador.

En cuanto mi tren entró en la estación de Paoting de Pekín, me dieron la noticia de que Li Hung-chang había muerto.

La banda que recibió al tren estaba en medio de una alegre canción cuando el mensajero cayó a mis pies. Tuve que hacer que el hombre me repitiera tres veces lo que había dicho. Se me quedó la mente en blanco y tuve que recuperar la compostura.

—Li Hung-chang no ha muerto —no dejaba de decir—. ¡No puede morir!

Li Lien-ying me sujetó en sus brazos para evitar que me cayera. La dinastía Manchú, por lo que yo sabía, se había acabado.

—Yuan Shih-kai está aquí para ver a su majestad —anunció alguien.

Yuan apareció delante de mí con una túnica blanca de luto. Me confirmó las noticias.

—El virrey estaba enfermo —dijo en tono seguro—. Se obligó a seguir hasta que las negociaciones estuvieron concluidas.

—¿Por qué no he sido informada antes de que su estado fuera crítico? —pregunté.

—El virrey no quería que vos lo supierais. Dijo que si os lo decíamos no le dejaríais seguir trabajando.

Sentada en mi improvisado trono, le pregunté si habían informado de esto al emperador y si Li Hung-chang había dejado alguna petición para mí. Yuan Shih-kai respondió que el virrey había dejado varias disposiciones antes de morir, entre ellas que S. S. Huan se ocupara de dotar de fondos al ejército.

No tengo recuerdos de cuándo se fue Yuan Shih-kai. Yung Lu entró y dijo que le habían entregado las últimas voluntades de su amigo Li Hung-chang. Era la confirmación definitiva de Yuan Shih-kai como su sucesor.

Parecía que además de yo misma, solo las potencias occidentales se daban cuenta de que Li Hung-chang había sido el auténtico jefe de China. Li había sido quien había protegido y mantenido a la dinastía manchú, su lealtad me había sostenido.

No tenía que hacer uso de mi imaginación para saber que las arduas negociaciones habían matado a Li Hung-chang. Había luchado por milímetros y peniques para China. Era demasiado fácil acusarle de traidor. Había soportado la degradación y la humillación. Las transcripciones de las negociaciones del día demostraban su coraje. Tal vez solo las futuras generaciones reconocerían y apreciarían su auténtico valor. Li Hung-chang entró en las negociaciones sabiendo que no tenía nada con lo que negociar y que el sufrimiento sería parte de cualquier trato.

«Mi país está siendo violado —fue su primera reacción después de que le presentaran los borradores de los tratados esbozados por las potencias extranjeras—. Cuando una oveja es arrinconada por una manada de lobos, ¿dejarán los lobos que la oveja negocie? ¿Ayudará la oveja a decidir cómo se la deben comer?»

Li Hung-chang era un maestro de los negocios, y su hábil negociación había salvado al país, pero le había costado la vida.

«Repartirse China significa crear una nación de nuevos bóxers —indicó a los extranjeros cuando estos amenazaron con abandonar las negociaciones—. Invitar a su majestad a marcharse es un mal negocio, porque todos en China os dirán que es la Emperatriz Viuda, y no el emperador, quien se ocupará de que se paguen vuestros préstamos.»

Li se ofreció voluntario para hacer de chivo expiatorio, de modo que el emperador y yo pudiéramos salvar la cara.

Estaba segura de que Li se arrepentía de algunas cosas. Me había dado tanto, sin embargo, todo lo que yo le había ofrecido a cambio era una decepción tras otra. Era sorprendente que no hubiera derrocado el régimen de Kuang-hsu. No habría necesitado un ejército. Conocía muy bien toda mi vulnerabilidad. Su integridad y humanidad me humillaban. Li fue el mejor regalo que el cielo concedió a la dinastía Qing.

45

Los estandartes de bienvenida extendidos sobre la Ciudad Prohibida ocultaban los daños causados por la artillería extranjera. Cuando mi palanquín se acercaba al palacio vi que muchas de las estatuas y adornos habían sido reducidos a añicos o robadas. El Palacio del Mar, donde había ocultado todas mis posesiones de valor, había sido saqueado. Los despachos de Ying-t'ai habían sido quemados. Habían roto los dedos de mi Buda de jade blanco. Se decía que el comandante en jefe de las fuerzas aliadas, el mariscal de campo alemán y conde Waldersee, se había acostado en mi cama con la famosa cortesana china Flor Dorada.

Como no quería que me recordaran la vergüenza, me trasladé al modesto Palacio de la Serenidad, en el rincón nordeste de la Ciudad Prohibida. Su situación alejada y aspecto descuidado lo convirtieron en el único lugar que los extranjeros no habían violado.

Tres días después del regreso de la Corte, Kuang-hsu y yo reanudamos las audiencias y recibimos a los enviados extranjeros. Intentamos sonreír. A veces se nos escapaban las emociones y palabras inesperadas salían atropelladamente de nuestras bocas. El resultado era que los traductores sacaban chispas. Más tarde, un ministro extranjero describió mi expresión facial como una «mezcla de llanto y risa», una especie de mueca torcida que sospechaba era el resultado de un ataque de apoplejía. También detectó «una hinchazón en los ojos de su majestad». Tenía razón: lloraba con frecuencia por la noche. Otros notaron que me temblaba la barbilla y parecía tener problemas para sentarme erguida. También tenían razón: aún intentaba librarme de los piojos.

Me obligué a mí misma a disculparme. Con gran esfuerzo conseguí desear felicidad y salud a los representantes extranjeros y despedirlos con un gracioso movimiento de cabeza.

Cuando se mencionaba el nombre de Li Hung-chang en tales audiencias, lo cual ocurría a menudo, no podía controlar las lágrimas.

Li Lien-ying me vigilaba de cerca. Solicitaba un descanso y me llevaba al fondo de la sala, donde yo caía de rodillas y lloraba. Tenía una jofaina con agua y un equipo de maquillaje detrás de las cortinas. Yo trataba de no frotarme los ojos para que bajara la hinchazón.

La hija de Yung Lu se iba a casar y él me pidió mi bendición. El novio era el príncipe Ch'un, hijo menor de mi hermana y hermano del emperador Kuang-hsu. Tenía mis reservas con respecto a Ch'un hasta que recientemente lo volví a ver. Acababa de regresar de un viaje a Alemania para disculparse, en nombre del emperador, de la muerte del barón von Ketteler. El príncipe Ch'un era un hombre cambiado. Ya no era tan prepotente y escuchaba más. Por primera vez dio crédito a Li Hung-chang, y reconoció y honró las habilidades diplomáticas de Li. Le ofrecí mi bendición no solo porque Yung Lu lo había aceptado como yerno sino también porque el príncipe Ch'un era la única esperanza que quedaba en la línea de sangre de la dinastía.

Asistí a la boda y me encontré con Yung Lu y su esposa, Sauce, felices, aunque la tos de Yung Lu había empeorado. Ninguno de los dos podía haber predicho que pronto tendría un nieto que se convertiría en el último emperador de China.

En lugar de traer a la tradicional *troupe* de ópera, los invitados disfrutaron de una película muda de una carrera de caballos. La idea fue de Yuan Shih-kai, claro, que había pedido prestada la película a un amigo diplomático de una de las legaciones. Fue una gran experiencia para mí. Al principio pensé que lo que veía eran imágenes de fantasmas. No dejaba de mover la cabeza de delante hacia atrás, entre la pantalla y el proyector de la película.

Yuan Shih-kai aprovechó la ocasión para pedirme ayuda.

—Majestad, mi fuerza de policía tiene muchos problemas para castigar a los príncipes reales.

Le di a Yuan permiso para hacer cumplir la ley, y le pregunté si a su vez podía ayudarme a resolver un reciente escándalo.

—Los estudiantes más mayores que están en contra de la abolición de los viejos exámenes para el funcionariado han estado protestando fuera de mi palacio —le dije—. Piden que retire mi apoyo a las escuelas de tipo occidental. Ayer, tres estudiantes de setenta años se colgaron.

Yuan Shih-kai comprendió su misión. En cuestión de una semana, la policía desalojó a los que protestaban.

Cuando Yung Lu se puso demasiado enfermo para asistir a las audiencias, Yuan Shih-kai ocupó su lugar. Yo no estaba acostumbrada a que nadie más se sentara en el lugar de Yung Lu y me costó mucho no dejar que me afectara. La Corte sin Li Hung-chang y Yung Lu no la sentía como mía. Tal vez notaba que pronto perdería a Yung Lu. Deseaba desesperadamente oír su voz, pero él no podía venir a mí, y la etiqueta me prohibía visitarle en su casa. Sauce fue muy amable al mantenerme informada sobre el estado de su marido, pero yo no me sentía satisfecha.

Nunca me sentí más triste asistiendo a las audiencias, pero la situación era delicada y exigía mi presencia. Yuan Shih-kai era un chino han en una corte manchú. Era competente, inteligente y encantador, pero aun así, el emperador Kuang-hsu se negaba siquiera a mirar en su dirección cuando se dirigía a él. El príncipe Ch'un tampoco soportaba a Yuan. El menor desacuerdo se convertía en una pelea. Ningún bando cedía a menos que yo interviniera.

Una helada mañana de febrero de 1902, Robert Hart acudió a una audiencia privada. Yo llevaba años queriendo conocer a aquel hombre. Me levanté antes del alba y Li Lien-ying me ayudó a vestirme.

Al mirarme al espejo, pensé en lo que le diría al inglés. Habríamos ido a la bancarrota si él no hubiera gestionado de manera tan eficiente el servicio de aduanas, que proporcionaba a China un tercio de sus ingresos anuales.

—Ni Li Hung-chang ni Yung Lu podrían haberlo gestionado —le expliqué a Li Lien-ying—, porque la mitad del trabajo de Hart es recaudar impuestos de los mercaderes extranjeros.

—Robert Hart ha sido un buen amigo de China —dijo el eunuco—. Puedo decir que mi señora está emocionada de ver por fin qué cara tiene.

—Por favor, hazme tener el mejor aspecto posible.

—¿Qué os parece un peinado tipo fénix, mi señora? Tardará un poco más, y el peso de las joyas hará que os duela el cuello, pero valdrá la pena.

—Eso estaría bien. No tengo ninguna otra manera de premiar a sir Robert. Mi aspecto hablará de mi gratitud. Me habría gustado ser más joven y guapa.

—Estáis espléndida, mi señora. Lo único que necesitáis para completar vuestra imagen son las uñas largas.

—No me han vuelto a crecer desde que huimos de Pekín.

—Tengo una idea, mi señora. ¿Por qué no os ponéis vuestras uñas de oro?

A las ocho en punto sir Robert Hart fue conducido hasta el salón de audiencias. Se sentó a tres metros de mí. Tenía sesenta y siete años. Mi primera impresión fue que parecía más un chino que un inglés. No era alto hasta tocar el techo ni tenía el cuerpo monstruoso que había imaginado. Era un hombre de estatura mediana, vestido con una túnica de la Corte china púrpura con encajes dorados. Hizo una reverencia perfecta tocando el suelo con la frente. Me deseó salud y longevidad en un mandarín intachable, aunque noté que tenía un acento del sur.

Me habría gustado hacerle tantas preguntas... pero no sabía por dónde empezar. Como estaban otros funcionarios y ministros presentes, no podía decir simplemente lo que pensaba; tenía que ser cuidadosa con lo que le decía a un extranjero Empecé con la fórmula real y le pregunté sobre su viaje: la hora de su salida, cuánto había tardado en llegar a Pekín. Le pregunté si había tenido un viaje agradable y si el tiempo había sido bueno. También le pregunté si había comido bien y había dormido profundamente.

Nuestros veinte minutos casi habían acabado y sentía que apenas conocía a mi amigo. Me dijo que tenía una residencia en Pekín, pero que apenas estaba en casa porque su trabajo le exigía viajar constantemente.

Después del té le pedí que se acercara un metro, no solo para honrar a mi invitado sino también para poder ver los detalles de su rostro.

El hombre tenía ojos amables pero penetrantes. Me pareció divertido porque él también parecía deseoso de echarme un buen vistazo. Nuestros ojos se cruzaron y ambos sonreímos, algo azorados. Dije que jamás podría agradecerle bastante lo que había hecho por el trono. Le dije que primero le había recomendado el príncipe Kung y luego Li Hung-chang.

—Admiro su dedicación —le dije—. Ha estado usted trabajando por China durante cuarenta y un años, ¿verdad?

A sir Robert le emocionó que yo recordara sus años de servicio.

—Tiene usted acento de Ningpo —sonreí—. ¿Ha vivido

alguna vez en el sur de China? Yo soy de Wuhu, en la provincia de Anhwei, que no está lejos de Ningpo.

—Vuestra majestad es muy perceptiva. Fui a parar a Ningpo la primera vez que vine a China. Tenía veinticinco años y estaba estudiando traducción. No he conseguido librarme de mis antiguas costumbres.

—Me encanta su acento, sir Robert —dije—. No lo corrija nunca.

—Uno siempre intenta escapar del pasado, pero no se puede —dijo.

Entonces se acabó el tiempo.

El 11 de abril de 1903 me quedé destrozada por la noticia: Yung Lu había muerto. Kuang-hsu y yo preparábamos una proposición para establecer un gobierno parlamentario cuando llegó la noticia. Sentí que algo dentro de mí se desmoronaba y le pedí a mi hijo que acabara de revisar los documentos. Li Lien-ying me acompañó a un rincón de la habitación donde pudiera tener un momento para mí sola. Estaba mareada y me desmayé. Li Lien-ying llamó a un médico. Kuang-hsu estaba asustado. Vino a mi palacio y se quedó en él toda la noche.

En cierto modo, Yung Lu llevaba meses preparándome para su muerte. Había estado trabajando incansablemente con el reticente emperador, intentando suavizar su relación con Yuan Shih-kai. Tanto conservadores como radicales usaban el terror como medio de conseguir sus propósitos. Resultaba difícil controlar la situación sin Li Hung-chang.

Los médicos asistían a Yung Lu durante nuestras reuniones en la Ciudad Prohibida. Para presentarnos a Kuang-hsu y a mí a sus hombres de confianza, Yung Lu acudía a las audiencias cada día, y los últimos días llegó en una camilla. No importaba lo enfermo que estuviera, siempre llevaba su túnica oficial con el cuello blanco almidonado.

Juntos recibimos a S. S. Huan, el «hombre del dinero» que Li Hung-chang había recomendado y cuya relación con Yuan Shih-kai era delicada. Huan había propuesto que las responsabilidades de Yuan se ampliaran para incluir las de comisionado de comercio, sugiriendo que reinaba una falta de armonía entre los dos. Yung Lu y yo entendíamos el miedo que Huan tenía de Yuan Shih-kai, de cuya policía se rumoreaba que era la responsable de la desaparición de muchos de sus rivales poderosos.

En su lecho de muerte, Yung Lu habló con Yuan Shih-kai y S. S. Huan. Los dos hombres prometieron abrazar la armonía y olvidar sus diferencias.

Al cabo de dos días, Sauce me notificó que su marido se había desplomado. Olvidando la etiqueta, fui a la residencia de Yung Lu en un palanquín para verlo por última vez.

Estaba débil y delgado, tenía la cara más pálida que la sábana de algodón que tenía debajo. Había tenido un ataque de apoplejía y ya no podía hablar. Tenía los ojos muy abiertos y las pupilas dilatadas.

Sauce me dio las gracias por ir y luego se disculpó. Me senté junto a Yung Lu e intenté mantener la compostura.

Vestía su sempiterna túnica. Debajo de su sombrero ceremonial, tenía el pelo cubierto de aceite y teñido de negro.

Le acaricié la cara. Me costó no llorar, y me obligué a sonreír.

—Estás a punto de partir para una excursión de caza, y yo te acompañaré. Prepararé los arcos y tú dispararás. Me gustaría que me trajeras un pato salvaje, un conejo y un ciervo. Tal vez no un ciervo, sino un jabalí. Haré un fuego y los asaré. Tomaremos vino de boniato dulce y hablaremos...

Se le humedecieron los ojos.

—Pero no hablaremos de los *yi-hetuan*, los bóxers, ni de las legaciones, desde luego. Solo de los buenos tiempos que pasamos juntos. Hablaremos de nuestros amigos el príncipe Kung y Li Hung-chang. Y yo te contaré lo mucho que te eché de menos cuando te fuiste a Sinkiang. Me debes siete buenos años. Ya lo sabes, pero te lo voy a decir de cualquier modo: soy una mujer feliz cuando estoy contigo.

Las lágrimas empezaron a resbalar lentamente por las comisuras de sus ojos.

46

Mi astrólogo me sugirió que me vistiera como la diosa Kuan-yin para invitar a los buenos espíritus. Li Lien-ying me dijo que parecía tan cansada que sus desvelos con mi cabello y mi maquillaje ya no servían de nada. Desolada por la muerte de Yung Lu, me preguntaba a mí misma: ¿Por qué molestarme en seguir? Si la muerte de Li Hung-chang me había conmovido, la de Yung Lu me dejó sin suelo bajo los pies. Ya no quería salir de la cama por la mañana. Me sentía muerta por dentro.

En mi septuagésimo cumpleaños enviaron al fotógrafo real para sacarme una foto. No tenía ningún deseo de que me vieran, pero la Corte me convenció de que tenía que quedar constancia de mi aspecto. Me dijeron que los reyes y las reinas europeos posaban durante toda su vida, e incluso en sus lechos de muerte. Sea como fuere, al final consentí; tal vez me atraía la idea de que aquella fuera mi última imagen.

Cuando llegaron los trajes y los accesorios, Li Lien-ying fue convenientemente asignado a posar como el criado de Buda. Se pidió a un par de damas de honor que hicieran el papel de hadas.

Las sesiones fotográficas duraron varias tardes. Después de salir de una audiencia, posaba en un barco junto al lago Kun Ming o en mi sala de recepción, que se había convertido en un escenario de ópera. Contra el fondo de montañas, ríos y bosques, yo me concentraba en representar mi papel mientras mi mente trataba los problemas de la Corte. Había dirigido el funeral de Li Hung-chang y el de Yung Lu y estaba apesadumbrada por la culpa de haber hecho trabajar a ambos hombres hasta la muerte. Li Lien-ying estaba de pie junto a mí sosteniendo una flor de loto. Cuando el fotógrafo le decía que se relajase, el eunuco se quebraba y sollozaba. Cuando le preguntaba por qué lloraba, él respondía:

—El parlamento ha solicitado la abolición del sistema de eunucos. ¿Qué voy a decirles a los padres de aquellos niños que acaban de ser castrados?

El fotógrafo me preguntó si quería mirar detrás de su cámara. Deseé que la imagen fantasmal que allí veía pudiera acercarme al mundo al que habían ido Li Hung-chang y Yung Lu.

Pocas semanas más tarde me presentaron las fotos. Estaba impresionada de mi propio parecido. No había rastro de la bella Orquídea en ellas. Mis ojos se habían encogido y mi piel colgaba flácida. Las líneas en ambas comisuras de la boca eran duras, como si estuvieran talladas toscamente en madera.

—Debéis seguir —me alentó el astrólogo—. Una foto de su majestad sentada en un barco flotando entre kilómetros de loto simboliza a su majestad dirigiendo al pueblo mientras se alza por encima de las aguas del sufrimiento.

Ayer, cinco miembros del nuevo parlamento a quienes concedí permiso para estudiar a los gobiernos del extranjero fueron asesinados mediante artefactos explosivos. Las noticias conmovieron a la nación. Los asesinatos fueron tramados por Sun Yat-sen, que había estado viviendo en Japón y difundió su mensaje de que el gobierno manchú caería de modo violento.

Yo hablé en el servicio fúnebre celebrado por los cinco hombres.

—Sun Yat-sen quiere detenerme. No quiere que China establezca un parlamento. Estoy aquí para decirle que estoy más motivada que nunca.

Poco después, mi hijo me preguntó sobre las intenciones que albergaban mis palabras.

—Es la hora de dejar el poder —dije—. Tú deberías ser el presidente de China.

—Pero, madre. —Kuang-hsu se puso nervioso—. He sobrevivido permaneciendo en tu sombra.

—¡Tienes treinta y cinco años... eres un hombre adulto, Kuang-hsu!

El emperador se arrodilló.

—Madre, por favor. Yo... no tengo fe en mí mismo.

—Debes tenerla, hijo mío. —Las palabras salieron solas entre mis dientes apretados.

—Han disparado contra Yuan Shih-kai —anunció Kuang-hsu entrando en mi habitación.

—¿Le han disparado? ¿Está muerto?

—No, por suerte, pero está herido de gravedad.

—¿Cuándo y dónde ha ocurrido?

—Ayer, en el parlamento.

—Todo el mundo sabía que Yuan Shih-kai me representaba —suspiré—. Yo soy el verdadero blanco de esto.

Mi hijo estuvo de acuerdo conmigo.

—Sin Yuan Shih-kai yo sería un emperador sin país. El hecho de que yo lo odie solo empeora las cosas. Por eso no puedes dimitir, madre. Yuan no trabaja para mí, trabaja para ti.

El día que Yuan Shih-kai salió del hospital le acompañé en una inspección militar. Estuvimos lado a lado, para demostrar mi apoyo y para compensar a Yuan por la injusticia cometida contra él. Le había disparado un príncipe celoso, un primo del emperador, lo que significaba que era improbable que se celebrara un juicio riguroso.

La mañana era ventosa en el campamento militar de las afueras de Pekín. Oí el ruido de las banderas ondeando cuando salí de mi palanquín. Li Lien-ying me había sujetado la tablilla del cabello tan fuerte que me dolía el cuero cabelludo.

Los soldados, firmes y en formación, saludaron y gritaron:

—¡Larga vida a su majestad!

Los movimientos de Yuan Shih-kai eran rígidos y se desplazaba con dificultad. Nos condujeron hasta una tienda gigante donde habían preparado para mí un trono improvisado. Mi hijo había declinado asistir porque no quería que le vieran con Yuan.

Yo observaba a los soldados desfilar y me recordaban a Yung Lu y su bandera. Volvió a mí el recuerdo de la mañana en que nos conocimos en el campo de maniobras. Las lágrimas me empañaban la visión. Yuan Shih-kai me suplicó que le contase por qué lloraba. Respondí que me había entrado arena en los ojos.

Permanecí a su lado hasta que acabó la inspección. Los soldados escuchaban firmes mi discurso. Empecé preguntándole a Yuan si le molestaba que algunas personas de nuestra nación le odiasen. Antes de que pudiera responder, me volví hacia la multitud y dije:

—Solo hay dos personas que están realmente comprometidas en la reforma. Yo soy una y Yuan Shih-kai es la otra. Como podéis ver, los dos nos hemos estado jugando la vida.

—¡Larga vida a su majestad! —vitorearon los soldados—. ¡Viva nuestro comandante en jefe, Yuan Shih-kai!

Llegó el momento de partir. Decidí probar algo que no había hecho nunca antes: le ofrecí mi mano a Yuan para que me la estrechase.

Estaba tan asustado que no podía cogerme la mano.

Había observado lo de los apretones de mano de Li Hung-chang, que lo había aprendido durante sus viajes a los países extranjeros. «La primera vez que lo hice me resultó sorprendente», recuerdo que dijo.

Pretendía que mi apretón de manos fuera la comidilla de la nación; mi intención era conmocionar a los conservadores Sombreros de Hierro; y quería enviar el mensaje de que todo era posible.

—Estréchala —le dije a Yuan Shih-kai con la mano derecha en el aire bajo su atónita mirada.

El comandante en jefe se arrojó a mis pies y tocó con la frente en el suelo.

—Soy un hombre demasiado humilde para aceptar este honor, majestad.

—Estoy intentando prestarte legitimidad mientras aún estoy con vida —susurré—. Te estoy concediendo este honor por lo que has hecho por mí, y también por lo que harás por mi hijo.

Mis sueños estaban consumidos por los muertos.

—No era fácil encontrar el modo de volver hasta vos, mi señora —se quejaba An-te-hai en un sueño. Era tan guapo como antes, salvo que sus mejillas transparentemente blancas estaban maquilladas con colorete, lo que le daba un aspecto del más allá.

—¿Qué te trae por aquí? —le pregunté.

—Tengo preguntas sobre la decoración de vuestro palacio —dijo An-te-hai—. Los eunucos están plantando adelfas, tuve que gritarles: «¿Cómo ponéis estas plantuchas para mi señora? Pedí peonías y orquídeas».

Tung Chih siempre estaba en medio de una travesura rebelde cuando entraba en mis sueños. Una vez estaba encabalgado en la muralla del dragón de la Ciudad Prohibida. Había roto la barba del dragón y pegaba a sus eunucos con las escamas.

—¡Tratad de cazarme! —gritaba.

Yo celebraba un desfile de modas en el fondo del Palacio de Verano e invitaba a todas las concubinas, sin importar el rango. Mostraba los vestidos, túnicas y trajes que había tenido desde los dieciocho años. La mayoría de mis ropas de invierno presentaban el tema de las flores de ciruelo, y en mis prendas de primavera aparecían peonías. En mis vestidos de verano aparecían sobre todo motivos de flores de loto, y mis vestidos de otoño tenían crisantemos. Cuando le dije a las concubinas que cada una podía escoger una cosa como recuerdo, las damas se abalanzaron sobre los vestidos como saqueadores de tumbas.

Dejé que Li Lien-ying se quedara con mis abrigos de piel.

—Esta será tu pensión —le dije.

A diferencia de An-te-hai, Li Lien-ying vivía modestamente. La mayoría de sus ahorros se iban en la compra de virtudes: en lugar de coleccionar esposas y concubinas para lucirlas, regalaba dinero a las familias cuyos hijos habían sido castrados pero no eran elegidos para entrar en la Ciudad Prohibida. Li Lienying era famoso por rechazar sobornos en general. De vez en cuando aceptaba un pequeño soborno solo para no crearse enemigos. Entonces descubría un modo para devolverles la pelota en forma de regalo, evitaba estar en deuda con nadie.

Li decía que cuando yo muriera se haría monje. No sabía que ya se había unido a un monasterio cerca de la tumba donde yo pronto descansaría durante toda la eternidad. Solo sabía que había estado enviando donaciones.

Mi salud había empezado a declinar. Durante meses los esfuerzos de los médicos por detener mi persistente diarrea habían fracasado. Empecé a perder peso. Me mareaba constantemente y veía doble. El más mínimo movimiento me dejaba sin aliento. Tuve que abandonar mi costumbre de toda la vida de pasear después de las comidas. Me perdí las puestas de sol y los paseos por los largos senderos de la Ciudad Prohibida. Li Lien-ying trituraba toda mi comida para facilitar que mi sistema la digiriese, pero mi cuerpo ya no cooperaba. Pronto estuve más delgada que un palillo.

Ver cómo mi cuerpo me abandonaba fue una experiencia terrible, pero yo no podía hacer nada. Seguí el consejo de los médicos y me tomé las hierbas más amargas, pero cada mañana me sentía peor que el día anterior.

Mi cuerpo había empezado a consumirse, y supe que había llegado mi hora. Ante los ojos de la Corte intentaba enmascarar mi estado. El maquillaje me resultaba de mucha ayuda, también el algodón que llevaba debajo de los ojos. Solo Li Lien-ying sabía que yo era un saco de huesos y que mis deposiciones carecían de cualquier solidez. Empecé a toser sangre.

Yo quería preparar a mi hijo para lo que se avecinaba, pero lo dejaba cuando estaba a punto de revelarle mi verdadero estado.

—Tu supervivencia depende de tu dominio —le dije.

—Madre, no me encuentro bien, y me siento algo inseguro. —Kuang-hsu me miraba con tristeza.

«La dinastía ha agotado su esencia», fue la idea que me vino a la mente.

Mi astrólogo me sugirió que invitara a una *troupe* de ópera para que interpretaran canciones alegres.

—Eso ayudará a expulsar los malos espíritus —dijo.

Llegó una carta de despedida de Robert Hart. Regresaba definitivamente a su hogar en Inglaterra. Partiría el 7 de noviembre de 1908.

Apenas podía soportar la idea de que estaba perdiendo a otro buen amigo. Aunque yo no estaba en condiciones de recibir invitados, lo mandé llamar.

Vestido con su túnica oficial de mandarín, hizo una solemne reverencia.

—Mírenos —dije—. Tenemos los dos el cabello blanco.

Yo ya no tenía ni la energía para decirle que se sentara, así que señalé la silla. Él lo comprendió y tomó asiento.

—Perdóneme por no haber podido asistir a su ceremonia de despedida. No estoy bien; la muerte me aguarda.

—También a mí —sonrió él—. Sin embargo, son los buenos recuerdos los que cuentan.

—No puedo estar más de acuerdo, sir Robert.

—He venido a daros las gracias por haberme ofrecido tanto en el paso de los años.

—Solo puedo adjudicarme el mérito del esfuerzo que he hecho por concederos este tiempo. Una vez más la Corte se oponía a ello.

—Sé lo difícil que es hacer excepciones. Los extranjeros tenemos mala reputación en China, aunque merecida.

—Tiene usted setenta y dos años, ¿verdad, sir Robert?

—Sí, majestad.

—Y lleva viviendo en China...

—Cuarenta y siete años.

—¿Qué puedo decir? Debería sentirse orgulloso.

—Por supuesto, lo estoy.

—Confío en que haya hecho los preparativos necesarios para dejar a alguien que le releve en sus obligaciones.

—No tenéis motivos para preocuparos, majestad. El servicio de aduanas es una máquina bien engrasada. Funcionará sola.

Me sorprendió que nunca mencionara los honores que había recibido de la reina de Inglaterra, ni que hablara de su esposa inglesa, de la que llevaba separado más de treinta y dos años. Habló de la concubina china que había tenido durante diez años y de sus tres hijos, de la muerte de ella, de sus propios arrepentimientos. Me contó que ella había sufrido.

—Era una mujer sensible —dijo— y deseé hacer algo más para protegerla.

Yo le conté mis problemas con mis dos hijos; algo que nunca había compartido con nadie más. Suspiramos al hablar del hecho de que querer a los hijos no es suficiente como para que sobrevivan.

Cuando le pregunté a sir Robert cuándo lo había pasado mejor en China, me respondió que en la época en la que había trabajado bajo las órdenes de príncipe Kung y Li Hung-chang.

—Los dos eran hombres valientes y brillantes —dijo—, y los dos eran unos redomados cabezotas, cada uno a su modo.

Para acabar mencioné a Yung Lu. Por el modo en que sir Robert me miró supe que lo sabía todo.

—Debe usted haber oído rumores —dije.

—¿Cómo no iba a hacerlo? Los rumores y las fabulaciones de los periodistas occidentales y parte de la verdad.

—¿Y usted qué cree?

—¿Que yo qué creo? Yo no sé qué pensar, para ser sincero. Eran como una pareja. Me refiero a que trabajaban muy bien juntos.

—Yo lo amaba. —Me quedé mirándole fijamente, impresionada de mi propia confesión.

Él no pareció sorprenderse demasiado.

—Entonces me alegro por mi amigo del alma. Yo había notado hace tiempo que él albergaba sentimientos profundos hacia vos.

—Hicimos lo que pudimos, que fue menos de lo que teníamos que haber hecho. Fue muy duro.

—Yo sentía gran admiración por Yung Lu. Aunque éramos amigos, no llegué a conocerlo bien hasta el lío de las legaciones. Nos salvó disparando obuses sobre los tejados. Poco después, él me regaló cinco sandías. Yo estaba seguro de que erais vos quien le había enviado.

Le sonreí.

—Solo por curiosidad —dijo Robert Hart—, ¿cómo conseguisteis el consentimiento de la Corte?

—Yung Lu nunca habló en la Corte de enviarle sandías.

—Ya veo. Yung Lu era bueno leyéndoos el pensamiento.

—Sí lo era.

—Debéis echarlo mucho de menos.

—«El gusano de seda trabaja, hasta que la muerte corta su delicado hilo». —Recité un poema milenario.

Sir Robert acabó el verso:

—«Las lágrimas de la vela se secan cuando se consume.»

—Es usted un extranjero extraordinario, Robert Hart.

—Me entristece que su majestad no me considere chino. Yo sí me considero chino.

Eso me dio gran placer.

—No quiero que se vaya —dije cuando llegó el momento de marcharse—, pero entiendo que una hoja debe caer junto a las raíces de su árbol. Recuerde que aquí en China tiene su hogar y su familia. Le echaré de menos y siempre esperaré su regreso.

A los dos se nos caían las lágrimas. Se arrodilló y tocó el suelo con la frente durante largo tiempo.

Quise decir: «Hasta la próxima», pero era evidente que no habría próxima vez.

—Me gustaría verle partir, sir Robert, pero estoy demasiado débil como para levantarme de la silla. Cuando llegue a Inglaterra, tal vez se entere de la noticia de mi fallecimiento.

—Majestad...

—Quiero que se alegre por la libertad de la que por fin disfrutará mi espíritu.

—Sí, majestad.

47

Mi muerte estaba escrita en los rostros de los médicos cuando suplicaron ser castigados por no haber sabido curarme. Los envié a casa para tener tiempo para hacer los arreglos necesarios.

Lo más deprimente de morirse es su lobreguez. La gente de tu alrededor ya no se ríe ni hace chistes, hablan en voz baja y andan de puntillas. Todo el mundo espera el final, y sin embargo los días se alargan.

Li Lien-ying era el único que se negó a rendirse. Hizo de mi curación su religión y me guardaba de todo lo que creía que podía molestarme. Me ocultaba las noticias sobre el estado de Kuang-hsu, así que no tenía ni idea de que la salud de mi hijo había empeorado de manera crítica. Planeaba visitar Ying-t'ai con él en cuanto pudiera levantarme de la cama.

El 14 de noviembre de 1908, me despertó el sonido de unos fuertes llantos. Pensé que debía de haberme llegado la hora porque me pesaban mucho los párpados. Tenía el lado derecho de mi cuerpo caliente y el izquierdo frío. Con la vista nublada alcancé a ver la habitación llena de eunucos arrodillados.

—¡El dragón ha ascendido al cielo! —Era la voz de Li Lien-ying.

—Aún no he muerto —dije.

—Es vuestro hijo, mi señora. ¡El emperador Kuang-hsu acaba de morir!

Me llevaron hasta la habitación de Kuang-hsu. Al ver a mi hijo recordé el día en que murió Tung Chih.

—¡Que el cielo tenga piedad! Kuang-hsu solo tiene treinta y ocho años.

Su cuerpo aún estaba caliente. Tenía el rostro tan gris como cuando estaba vivo.

Ahogarse debe de ser algo parecido. El agua estaba caliente. Parecía como si mis pulmones estuvieran sellados. Mi espíritu dio la bienvenida a la oscuridad eterna.

—Volved, majestad —gimió Li Lien-ying—. ¡Volved, mi señora!

Entonces recordé mi deber: el heredero no había sido nombrado.

Hice acopio de todas mis fuerzas para convocar el Gran Consejo.

No sabía cuánto tiempo habían esperado para verme. Cuando abrí los ojos solo vi a Yuan Shih-kai de pie a mi izquierda y al príncipe Ch'un, hijo, a mi derecha. La habitación estaba llena de gente.

—¿El heredero, su majestad? —preguntaron todos al unísono.

—Puyi —fue todo lo que dije.

Nombré a Puyi, el hijo pequeño del príncipe Ch'un, que tenía tres años —nieto de Yung Lu y sobrino nieto mío—, nuevo emperador de China. La línea de sangre real se hacía más delgada.

No podía mover los brazos ni las piernas, solo oía mi respiración fatigada. Tenía el cuerpo lleno de medicinas. No sentía dolor. Mi pensamiento se había ralentizado pero no detenido.

Mis eunucos me ayudaron a subir al trono para la que fue mi última audiencia. Como ya no podía sentarme erguida, los carpinteros extendieron los brazos de mi sillón con largos palos de madera. Li Lien-ying me puso los brazos encima de los palos y me los envolvió con tejido dorado.

Me acordé del último día del emperador Hsien Feng, cuando estaba en aquella misma posición. Se hacía parecer al moribundo más grande de lo que era para sugerir poder, y yo personalmente había sido testigo de su efecto. Pero, resultaba ridículo. Mi marido debió de haber sentido también que era absurdo. Sin embargo, comprendía que si quería que se cumpliera mi voluntad, aquello era necesario.

También lo hacía por aquellos que habían tenido fe en mí, en especial por los gobernadores y funcionarios de bajo rango que contaban sus calendarios primero «en el año del emperador Tung Chih» y luego «en el año del emperador Kuang-hsu». Les debía una impresión final.

El gran secretario se acercó para poder oírme.

Li Lien-ying contemplaba los ornamentos de mi tablilla para el pelo. Preocupado por su peso, había improvisado algunas cuerdas para mantenerlo todo en su lugar. Parecía funcionar, pero aún corríamos el peligro de que mi cuerpo se desmoronase.

Los eunucos estaban de pie detrás del trono, ocultos a la vista. Li Lien-ying les había dicho cómo tenían que sujetar las cuerdas que nos sostenían al trono del dragón y a mí en su lugar.

Me sorprendía mi propia claridad mental, pero necesitaba dar el discurso.

—Es mi deseo morir —empecé—. Espero que comprendáis que ninguna madre desea sobrevivir a sus hijos. No he conseguido nada en mi vida, salvo mantener a China de una pieza. Si paso revista a mis recuerdos de los últimos cincuenta años, percibo calamidades que han venido de dentro y la agresión exterior a la que hemos sido sometidos en una incesante sucesión. —Con gran dificultad pude respirar y proyectar mi voz—. El nuevo emperador es un niño pequeño, que acaba de llegar a la edad en la que la instrucción es de mayor importancia...

Me daba vergüenza continuar porque había dicho las mismas palabras cuando Tung Chih se convirtió en emperador, y luego otra vez con Kuang-hsu.

—Lamento no estar aquí para guiar a Puyi, pero esto tal vez no sea una desgracia para él... espero que todos intentéis hacer mejor trabajo que el que yo he conseguido a la hora de modelar el carácter del trono.

Los recuerdos de Tung Chih y Kuang-hsu inundaron mi mente. Podía oír a Nuharoo gritándome para que dejara de castigar a Tung Chih. Luego le tocó el turno a los brillantes ojos de Kuang-hsu cuando hablaba apasionadamente de la reforma: «¡Ito es mi amigo, madre!».

—Es mi ferviente plegaria —me obligué a continuar—, que el emperador Puyi siga diligentemente sus estudios y que en el futuro añada renovado esplendor a las gloriosas hazañas de sus antepasados.

Lo que dije a continuación conmocionó no solo a la Corte sino también a toda la nación. Declaré que se debía prohibir que emperatrices y concubinas tuvieran el poder supremo. Era el único modo de proteger al joven emperador de mujeres semejantes a Nuharoo, Alute y Perla. No habría tomado esa decisión si mi sobrina Lan no hubiera expresado su decepción al saber que no iba a ejercer de regente de Puyi. Me hizo saber que estaba decidida a buscar el lugar que le correspondía.

Empecé a quedarme sin fuerzas. El cuello se me doblegaba bajo el peso de mi tablilla para el cabello. Por mucho que lo intentara, ya no podía pronunciar una sola palabra.

—¿Qué veis, mi señora? —me preguntó Li Lien-ying.

Yo veía los dragones tallados en el techo. Recordaba que había soñado con aquellos dragones antes de entrar en la Ciudad Prohibida. Ahora los había visto, todos, los trece mil ochocientos cuarenta y cuatro.

—¿Qué di...? —recordé las advertencias de mi astrólogo sobre las fechas adversas para morir.

—¿Qué día es hoy? —adivinó Li Lien-ying.

Quería asentir con la cabeza, pero no pude.

—Quince de noviembre de 1908, mi señora. Es un día de buena suerte.

Extraños pensamientos empezaron a entrar en mi cabeza: Me equivocaba en quedarme. ¿Conocía los pasos? Las palabras no pararían una inundación.

—¿Mi señora? —oí la voz de Li Lien-ying y luego, en un instante, ya no la oía...

—Es el fin de mi mundo, pero no el de los demás, Orquídea —oía a mi padre decir en su lecho de muerte.

Parpadeé y miré detenidamente a Li Lien-ying. Me daba pena abandonarlo.

Me envolvió una espesa niebla blanca. En mitad de la niebla había una blanda yema de huevo como un sol rojo. La yema empezó a oscilar como un farolillo chino en una suave brisa. Oí una música antigua y reconocí el sonido. Eran las palomas blancas de An-te-hai. Recordé que probaba silbatos y campanillas en las patas de las aves. Ahora las vi. Cientos de miles de palomas blancas volando en círculo alrededor de mi palacio. La cancioncilla era: «Wuhu, mi adorada ciudad natal».

Post scriptum

Orquídea —la dama Yehonala y emperatriz Tzu Hsi— murió a los setenta y tres años. Después de su funeral, China empezó a desmoronarse. El país entró en una época oscura de señores de la guerra y desorden. Mientras las potencias occidentales se repartían el litoral chino en concesiones coloniales, Japón penetró en el norte de China, fundando lo que se llamaría Manchukuo.

En 1911, Sun Yat-sen aterrizó en Shanghai. Consiguió provocar un levantamiento militar y se declaró el primer presidente provisional de la nueva República China.

El 12 de febrero de 1912, el emperador Puyi abdicó en Yuan Shih-kai, que se declaró presidente de la república, derrocando a Sun Yat-sen, y luego inmediatamente fundó su propia dinastía. Yuan Shih-kai murió pronto de un ataque, y fue ridiculizado como «el emperador de los ochenta y tres días».

En 1919, un señor de la guerra llamado Chiang Kai-shek se declaró discípulo de Sun Yat-sen. Después de la muerte de Sun en 1925, Chiang Kai-shek se convirtió en el nuevo presidente de la república. Confió en la ayuda económica y militar de Estados Unidos y prometió construir una China democrática.

En 1921, respaldado por los comunistas soviéticos, Mao Tse-tung, un estudiante rebelde y soldado de la guerrilla procedente de la provincia de Hunan, fundó, con doce seguidores, el Partido Comunista Chino.

En 1924, Japón hizo de Puyi el emperador títere de Manchukuo y lo empujó a «recuperar la China imperial».

En 1937, Japón invadió China.

El reformista Kang Yu-wei continuó viviendo en Japón. Rompió con su discípulo Liang Chi-chao, que primero se unió a Sun Yat-sen y luego a Yuan Shih-kai. Finalmente los dejó a los dos y se convirtió en un ciudadano de a pie.

Li Lien-ying abandonó la Ciudad Prohibida después del funeral de la Emperatriz Viuda. Fue a vivir al monasterio que estaba cerca de la tumba de su querida señora hasta su muerte.